CB054995

Editorial . . . . ROBERTO JANNARELLI
. . . . VICTORIA REBELLO
. . . . ISABEL RODRIGUES
. . . . DAFNE BORGES
Comunicação . . . . MAYRA MEDEIROS
. . . . PEDRO FRACCHETTA
. . . . GABRIELA BENEVIDES
Preparação . . . . ELOAH PINA
Revisão . . . . NATÁLIA MORI MARQUES
. . . . GIOVANA BOMENTRE
. . . . KARINA NOVAIS
Cotejo . . . . LETÍCIA CÔRTES
Diagramação . . . . DESENHO EDITORIAL
Grafismos . . . . ÍVANNO JOSÉ BRABO
. . . . .GIOVANNA CIANELLI
Projeto gráfico . . . . .GIOVANNA CIANELLI
Capa . . . . HANA LUZIA

TRADUÇÃO:
ANTÔNIO XERXENESKY

FORAM VAPORIZADOS PELO GRANDE IRMÃO

DANIEL LAMEIRA
LUCIANA FRACCHETTA
RAFAEL DRUMMOND
&
SERGIO DRUMMOND

George
Orwell

1984

NANO

Parte 1

Capítulo 1

Era um dia frio e ensolarado de abril, e os relógios marcavam uma hora da tarde. Winston Smith, com o queixo grudado ao peito para tentar escapar do vento impiedoso, deslizou rapidamente pelas portas de vidro das Mansões da Vitória, embora não rápido o bastante para evitar que um redemoinho de pó áspero entrasse com ele.

A entrada do local cheirava a repolho cozido e a capachos velhos estropiados. Em uma ponta, um pôster colorido, grande demais para ser exposto em áreas internas, fora pregado na parede. Mostrava apenas um rosto enorme, com mais de um metro de largura: a face de um homem por volta dos quarenta e cinco anos, com um bigode preto e espesso e uma aparência rústica e atraente. Winston foi em direção à escadaria. Era inútil tentar ir de elevador. Quase nunca funcionava, nem mesmo nos períodos de bonança, e, naquela época, cortavam a energia durante o dia. Era parte das medidas de economia em preparação para a Semana do Ódio. O apartamento ficava no sétimo andar, e Winston, que tinha trinta e nove anos e uma úlcera varicosa acima do tornozelo direito, subiu devagar, parando várias vezes para descansar. A cada andar, diante do elevador, o pôster com o rosto enorme o encarava da parede. Era uma daquelas imagens tão artificiais que dão a impressão de que os olhos acompanham o movimento da pessoa. O GRANDE IRMÃO ESTÁ TE OBSERVANDO, dizia a legenda abaixo.

Dentro do apartamento, uma voz aveludada lia uma lista de números que tinham algo a ver com a produção de ferro-gusa. A voz vinha de uma placa metálica oblonga que parecia um espelho opaco, embutida na superfície da parede direita. Winston acionou um interruptor e a voz diminuiu um pouco, mas ainda era possível distinguir as palavras. O instrumento (chamado teletela) podia ter o volume atenuado, mas não havia como desligá-lo por completo. Ele se aproximou da janela: era uma figura pequena e frágil, e o uniforme do partido, um macacão azul, apenas destacava a sua magreza. Seu cabelo era bastante claro, o rosto naturalmente rubro, a pele áspera pelo uso de sabão bruto, de lâminas sem fio, e em razão do inverno gélido que mal terminara.

Lá fora, mesmo através da vidraça fechada, o mundo parecia frio. Nas ruas embaixo, pequenos redemoinhos carregavam espirais de poeira e papéis rasgados, e ainda que o sol brilhasse e que o céu estivesse num azul intenso, tudo parecia sem cor, exceto os pôsteres grudados em todos os lugares. O rosto de bigode preto vigiava de todos os cantos. Havia um bem na casa em frente. O GRANDE IRMÃO ESTÁ TE OBSERVANDO, dizia a legenda, enquanto os olhos escuros encaravam profundamente os de Winston. Na rua, outro pôster rasgado tremulava ao vento, numa esquina, cobrindo e descobrindo uma única palavra, INGSOC. A distância, um helicóptero foi descendo entre os telhados, e pairou por um momento como uma mosca varejeira, antes de partir voando numa curva. Era a patrulha policial, bisbilhotando as pessoas pelas janelas. No entanto, pouco importavam as patrulhas. Só a Polícia do Pensar importava.

Às costas de Winston, a voz da teletela ainda tagarelava sobre o ferro-gusa e a grande realização do Nono Plano Trienal. A teletela recebia e transmitia ao mesmo tempo. Qualquer ruído que Winston fizesse mais alto que um sussurro bem baixo seria captado. Além disso, enquanto permanecesse no campo de visão da placa de metal, ele também poderia ser visto, além de ouvido. É claro que não havia como a pessoa saber se estava sendo vigiada. Não tinha como adivinhar com que frequência, ou em que sistema, a Polícia do Pensar se conectava a um aparelho individual. Dava até para imaginar que vigiavam todo mundo o tempo todo. Mas, de qualquer modo, podiam conectar-se ao aparelho de alguém quando quisessem. Todos tinham que viver — e viviam, de fato, pois o hábito se tornara instinto — presumindo que cada som que emitissem seria ouvido e, exceto na escuridão, cada movimento seu analisado.

Winston continuou de costas para a teletela. Era mais seguro, ainda que, como ele bem sabia, até as costas de uma pessoa possam revelar algo. A um quilômetro de distância, o Ministério da Verdade, onde ele trabalhava, erguia-se imponente, vasto e branco, sobre a paisagem coberta de fuligem. Essa, ele pensou com certo desgosto generalizado, essa era Londres, a cidade principal da Pista de Pouso 1, a terceira província mais populosa da Oceania. Tentou espremer alguma memória da infância que o informasse se Londres sempre fora mais ou menos assim. Será que sempre houve essas vistas para casas apodrecidas do século XIX, com as laterais protegidas por vigas de madeira, as janelas cobertas por papelão e os telhados de ferro ondulado, os muros dos jardins caindo por toda a parte? E os locais bombardeados onde a poeira de reboco fazia redemoinhos no ar e o mato crescia por cima dos montes de detritos; e os lugares onde as bombas tinham aberto uma cratera maior e então começaram a surgir colônias sórdidas de construções de madeira que pareciam galinheiros? Não adiantava, ele não conseguia lembrar: não restava nada de sua infância exceto uma série de cenas iluminadas que ocorriam sem pano de fundo e eram, em sua maioria, ininteligíveis.

O Ministério da Verdade — ou MINIVER, em novilíngua[1] — era surpreendentemente distinto de qualquer outro objeto à vista. Tratava-se de uma estrutura piramidal enorme, de um branco reluzente, que ultrapassava um terraço depois do outro, trezentos metros em direção ao céu. De onde Winston estava era possível ler, na sua fachada branca, em fonte elegante, os três slogans do Partido:

GUERRA É PAZ
LIBERDADE É ESCRAVIDÃO
IGNORÂNCIA É FORÇA

---

1 Novilíngua era a língua oficial da Oceania. Para saber mais sobre sua estrutura e etimologia, consulte o Apêndice (p. 393).

Dizia-se que o Ministério da Verdade continha três mil salas acima da superfície e ramificações correspondentes abaixo. Espalhados por Londres, havia apenas outros três edifícios de tal aparência e tamanho. Eles apequenavam a arquitetura ao redor de tal maneira que, do terraço das Mansões da Vitória, era possível ver todos os quatro simultaneamente. Eram a residência dos quatro Ministérios, entre os quais se dividia todo o aparato governamental. O Ministério da Verdade preocupava-se com notícias, entretenimento, educação e belas-artes. O Ministério da Paz cuidava da guerra. O Ministério do Amor conservava a lei e a ordem. E o Ministério da Fartura era responsável pelas questões econômicas. Seus nomes, em novilíngua: MINIVER, MINIPAX, MINIMOR e MINIFARTURA.

O Ministério do Amor era o mais assustador. Não possuía janelas. Winston nunca estivera lá dentro, nem a menos de meio quilômetro do prédio. Era impossível entrar lá, exceto para tratar de negócios oficiais, e mesmo assim só depois de atravessar um labirinto de arames farpados, portas de aço, e ninhos escondidos de metralhadoras. Até as ruas que levavam às barreiras externas do Ministério eram patrulhadas por guardas que pareciam gorilas em uniforme preto, armados com cassetetes fundidos.

Winston virou-se abruptamente. Ele havia assumido a expressão de otimismo silencioso, recomendada para quando se encarava a teletela. Atravessou a sala em direção à cozinha minúscula. Ao deixar o Ministério a essa hora, ele sacrificara o seu almoço na cantina, e estava ciente de que não tinha comida em casa, a não ser por um naco de pão escuro que precisava poupar para o café da manhã seguinte. Tirou da prateleira uma garrafa de líquido incolor com uma etiqueta branca que indicava GIM DA VITÓRIA. Tinha um cheiro oleoso e enjoativo, como de uma bebida de arroz chinesa. Winston serviu quase uma xícara da bebida, preparou-se para o choque e entornou uma dose como se fosse remédio.

No mesmo instante, seu rosto ficou rubro e a água correu de seus olhos. Aquele troço parecia ácido nítrico e, além disso, tomar um gole dele dava a sensação de ser atingido na cabeça com um cassetete. No instante seguinte, contudo, a ardência na barriga diminuiu e o mundo começou a parecer mais alegre. Pegou um cigarro de um pacote amassado da marca CIGARROS DA VITÓRIA, e, sem tomar muito cuidado, ergueu-o na vertical, fazendo com que o tabaco caísse no chão. Com o seguinte ele se deu melhor. Voltou para a sala de estar e sentou-se diante de uma mesinha que ficava à esquerda da teletela. Da gaveta da mesa, pegou um pote de tinta, um porta-canetas e uma caderneta em branco de capa marmorizada e quarta-capa vermelha.

Por algum motivo, a teletela na sala encontrava-se numa posição incomum. Em vez de estar, como de costume, na parede ao fundo, de onde podia enxergar toda a sala, encontrava-se na parede mais comprida, diante da janela. Em um dos lados da parede havia uma alcova pouco funda onde Winston agora estava sentado e que, quando construíram os apartamentos, provavelmente foi pensada para abrigar estantes de livros. Ao sentar-se ali, e permanecendo junto à parede, Winston era capaz de ficar fora do campo de visão da teletela. Podia ser ouvido, é claro, mas desde que se mantivesse naquela posição, não poderia ser visto. Foi, em parte, a geografia incomum do quarto que deu a ele a sugestão do que estava prestes a fazer.

Mas isso também fora sugerido pela caderneta que ele acabara de pegar. Tratava-se de uma caderneta de beleza peculiar. Com um papel cor de creme, suave, um pouco amarelado pelo passar do tempo, era o tipo de caderneta que não se fabricava havia pelo menos quarenta anos. Ele podia supor, no entanto, que era muito mais antiga que isso. Ele a vira na janela de uma loja de quinquilharias pequena e mal-arranjada numa parte pobre da cidade (qual setor exatamente, ele não lembrava) e fora tomado imediatamente por um desejo atordoante de possuí-la. Membros do Partido não deveriam entrar em lojas ordinárias ("lidar com o livre mercado", como se dizia), mas o regulamento não era seguido de maneira tão estrita, porque era impossível obter de qualquer outra maneira vários itens como cadarços e lâminas de barbear. Ele dera uma olhada rápida de um lado para o outro da rua, entrara na loja e comprara a caderneta por dois dólares e cinquenta centavos. Na época, não estava consciente de querê-la por algum motivo específico. Transportou-a para casa em sua maleta, sentindo-se culpado. Mesmo sem nada escrito, era um item comprometedor.

O que ele estava prestes a fazer era começar um diário. Isso não era ilegal (nada era ilegal, já que não havia mais leis), mas se fosse encontrado, era um tanto certo que acarretaria pena de morte, ou pelo menos vinte e cinco anos em um campo de trabalho forçado. Winston encaixou uma pena e a chupou para tirar a graxa. Era um instrumento arcaico, quase nunca usado, nem mesmo para assinaturas, e ele buscara um, de maneira furtiva e com certa dificuldade, simplesmente por sentir que um belo papel cor de creme merecia ser preenchido com uma verdadeira bico de pena, em vez de ser arranhado por um lápis-tinta. Na verdade, não estava acostumado a escrever à mão. Com exceção de recados curtíssimos, ele geralmente ditava tudo para o falescreve, o que obviamente seria impossível para seu atual propósito. Mergulhou a caneta na tinta e hesitou por apenas um segundo. Sentiu um tremor nos intestinos. Marcar o papel seria um ato decisivo. Em pequenas letras desajeitadas, escreveu:

4 de abril de 1984.

Recostou-se. Foi tomado por uma completa sensação de desamparo. Para começar, não tinha certeza de que era 1984. Devia ser por volta dessa data, pois estava bastante seguro de que tinha trinta e nove anos, e acreditava ter nascido em 1944 ou 1945; mas era impossível, hoje em dia, definir uma data com a precisão de um ou dois anos.

Para quem, ocorreu-lhe de repente, estava escrevendo esse diário? Para o futuro, para os que não tinham nascido. Sua mente flutuou por um instante em torno da data duvidosa na página, e então esbarrou contra a palavra DUPLIPENSAR da novilíngua. Pela primeira vez, deu-se conta da magnitude do que estava empreendendo. Como se comunicar com o futuro? Era impossível por natureza. Ou o futuro seria similar ao presente e, nesse caso, não daria ouvido a ele, ou seria diferente, e a sua situação não faria sentido.

Ficou olhando por algum tempo, estupidamente, o papel. A teletela tinha começado a tocar uma música militar estridente. Era curioso que ele parecia não apenas ter perdido o poder de se expressar, mas até se esquecido o que de início pretendia dizer. Ficara semanas se preparando para esse momento, e nunca passou pela sua cabeça que precisaria de algo além de coragem. A escrita em si seria fácil. Tudo o que precisava fazer era transferir para o papel o monólogo incansável e interminável que corria pela sua cabeça havia anos, literalmente. Naquele instante, porém, até o monólogo havia secado. Além disso, sua úlcera varicosa começou a coçar de modo insuportável. Não arriscava coçá-la, ou ficaria inflamada. Os segundos iam passando. Ele não tinha consciência de nada exceto da página branca diante de si, da coceira na pele acima do tornozelo, da estridência da música, e da leve embriaguez causada pelo gim.

De repente, começou a escrever em puro pânico, pouco ciente do que registrava. Sua caligrafia pequena e infantil subia e descia a página, abandonando primeiro as letras maiúsculas, e enfim até os pontos finais:

4 de abril de 1984. Fui ontem ao cinema. Tudo filme de guerra. Um muito bom de um navio cheio de refugiados sendo bombardeado em algum lugar do Mediterrâneo. Plateia

muito empolgada com imagens de um gordão tentando fugir nadando com um helicóptero na cola dele, primeiro você via ele chafurdando na água como um boto, aí via ele através da mira do helicóptero, daí ele ficava todo esburacado e o mar ao redor ficava cor-de-rosa e ele afundava de repente, como se os buracos tivessem deixado a água entrar, plateia gritando e rindo enquanto ele afundava. daí você via um barco salva-vidas cheio de crianças e um helicóptero planando por cima. tinha uma mulher de meia-idade que pode ter sido uma judia sentada na proa com um menininho de três anos nos braços. menininho gritando de medo e escondendo a cabeça entre os seios dela como se quisesse cavar para dentro dela e a mulher colocando os braços ao redor dele e acalmando o menino embora ela mesma estivesse azul de tanto medo, o tempo todo cobrindo ele o máximo possível como se achasse que os seus braços pudessem protegê-lo das balas. aí o helicóptero plantou uma bomba de vinte quilos entre eles e deu um clarão impressionante e o barco se esfarelou. daí teve uma imagem incrível de um braço de criança subindo subindo subindo no céu e um helicóptero com uma câmera na ponta deve ter seguido e teve muito aplauso vindo dos assentos do partido mas uma mulher na parte dos proletas de repente começou a fazer baderna e gritar que eles não deviam ter mostrado esses troços na frente das crianças não era certo não na frente das crianças até que a polícia apareceu e levou ela levou ela para fora acho que não aconteceu nada com ela ninguém se importa o que os proletas dizem uma típica reação dos proletas eles nunca...

Winston parou de escrever, em parte porque estava sofrendo de câimbra. Não sabia o que o levara a expelir aquele fluxo de besteiras. Mas o mais curioso é que, enquanto ele o fazia, uma lembrança totalmente diversa clarificou-se em sua mente, a ponto de ele quase querer anotar aquilo também. Era, agora ele percebia, por causa desse outro incidente que ele decidira ir para casa e começar o diário.

Tinha ocorrido naquela manhã no Ministério, se é que se pode dizer que algo tão nebuloso assim ocorreu.

Eram quase onze horas, e no Departamento de Registros, onde Winston trabalhava, estavam arrastando cadeiras para fora dos cubículos e agrupando-as no centro da sala, diante da teletela grande, em preparação para os Dois Minutos de Ódio. Winston tomava o seu lugar em uma das fileiras do meio quando de repente duas pessoas que ele conhecia de vista, mas com quem nunca conversara, entraram na sala. Uma era uma garota por quem costumava passar nos corredores. Não sabia o nome dela, mas sabia que ela trabalhava no Departamento de Ficção. Presumia — já que ele às vezes a vira com as mãos cobertas de óleo e carregando uma chave inglesa — que ela fazia algum trabalho mecânico em uma das novas máquinas de escrever romances. Era uma moça de aparência provocadora, com cerca de vinte e sete anos, cabelo grosso, rosto sardento e movimentos atléticos e velozes. Uma faixa escarlate estreita, símbolo da Liga Juvenil Antissexo, dava várias voltas ao redor da cintura de seu macacão, apertada o bastante para destacar a forma dos seus quadris. Desde a primeira vez em que a viu, Winston não gostou dela. Ele sabia o porquê. Era por causa da atmosfera de campos de hóquei, banhos gelados e trilhas comunitárias, e de toda uma limpeza mental que ela parecia carregar consigo. Ele não gostava de quase nenhuma mulher, em especial as jovens e bonitas. Eram sempre as mulheres, particularmente as jovens, as integrantes mais fanáticas do Partido, que engoliam slogans, as espiãs amadoras que bisbilhotavam tudo que não era ortodoxo. Mas essa moça em específico dava a impressão de ser mais perigosa que as outras. Uma vez, quando se viram passando pelo corredor, ela lançou um olhar lateral que parecia penetrá-lo, e que o encheu de um terror sombrio. Passou pela cabeça dele que ela poderia até ser uma agente da Polícia do Pensar. É verdade que era um tanto improvável. Ainda assim, ele continuava sentindo um desconforto peculiar, no qual o medo se misturava com a hostilidade sempre que ela estava por perto.

A outra pessoa era um homem chamado O'Brien, membro do Partido Interno e que tinha algum posto tão importante e remoto que Winston mal fazia ideia do que se tratava. Um silêncio momentâneo passou pelo grupo ao redor das cadeiras quando viram os macacões pretos dos membros do Partido Interno se aproximando. O'Brien era um homem grandalhão e corpulento com um pescoço grosso e um rosto brutal, rude e engraçado. Apesar de sua aparência formidável, ele tinha um certo charme. Seu truque de recolocar os óculos no nariz era, curiosamente, algo que desarmava a pessoa — de um modo impossível de definir, curiosamente civilizado. Era um gesto que, se alguém ainda pensasse nesses termos, poderia lembrar um nobre do século XVIII oferecendo a sua caixa de rapé. Winston tinha visto O'Brien uma dúzia de vezes ao longo dos anos. Sentia-se profundamente atraído por ele, não apenas por ficar intrigado quanto ao contraste do seu jeito urbano com o físico de pugilista. Era muito mais por causa de uma crença que mantinha em segredo — ou talvez nem mesmo uma crença, apenas uma esperança — de que a ortodoxia política de O'Brien não era perfeita. Algo no seu rosto definitivamente sugeria isso. E, mais uma vez, talvez nem fosse a falta de ortodoxia desenhada no rosto, mas apenas sua inteligência. De qualquer modo, aparentava ser uma pessoa com quem se poderia conversar, se fosse possível burlar a teletela e ficar a sós com ele. Winston nunca sequer tentou verificar se o palpite era correto: na verdade, não tinha como. Nesse momento, O'Brien olhou para o relógio de pulso, viu que eram quase onze horas e decidiu ficar no Departamento de Registros até o fim dos Dois Minutos de Ódio. Pegou uma cadeira na mesma fileira de Winston, a uns dois assentos de distância. Uma mulher pequena de cabelo castanho-claro que trabalhava no cubículo próximo ao de Winston estava entre eles. A garota de cabelo escuro sentara-se logo atrás.

No instante seguinte, um discurso horrível e ruidoso, como se fosse de uma máquina monstruosa rodando sem óleo, saltou da grande teletela ao final da sala. Era um barulho capaz de fazer os dentes rangerem e de arrepiar o pelo da nuca. O Ódio tinha começado.

Como sempre, o rosto de Emmanuel Goldstein, o Inimigo do Povo, piscou na tela. Pessoas chiavam na plateia aqui e ali. A moça franzina de cabelo castanho-claro soltou um guincho que mesclava medo e repulsa. Goldstein era o renegado e herege que, uma vez, muito tempo atrás (quanto tempo, ninguém lembrava exatamente), tinha sido uma das principais figuras do Partido, quase do mesmo nível do Grande Irmão, e então se envolvera em atividades contrarrevolucionárias, foi condenado à morte, escapou e desapareceu de maneira misteriosa. Os programas Dois Minutos de Ódio variavam a cada dia, mas todos eles tinham Goldstein como figura principal. Era o traidor original, o primeiro a manchar a pureza do Partido. Todos os crimes seguintes contra o Partido, todas as traições, sabotagens, heresias, desvios, vinham direto dos seus ensinamentos. Em algum lugar ele ainda estava vivo e tramando suas conspirações: talvez além-mar, sob proteção de algum dos seus financiadores estrangeiros, talvez até — como o boato às vezes sugeria — em algum esconderijo na própria Oceania.

O diafragma de Winston estava contraído. Ele nunca conseguira enxergar o rosto de Goldstein sem sentir uma mistura dolorosa de emoções. Era um rosto judeu magro, com uma grande auréola remexida de cabelo branco e um pequeno cavanhaque — um rosto esperto e, de alguma maneira, inerentemente desprezível, com uma espécie de tolice senil no seu nariz longo e fino, em cuja ponta empoleirava-se um par de óculos. Lembrava a cara de uma ovelha, e a sua voz também tinha a mesma qualidade ovina. Goldstein oferecia o seu ataque venenoso de sempre às doutrinas do Partido — um ataque tão exagerado e perverso que até uma criança seria capaz de perceber, e ainda assim, plausível o suficiente para transmitir uma sensação alarmante de que outras pessoas, menos pé no chão, poderiam se deixar levar por aquilo. Ele vociferava contra o Grande Irmão, denunciava a ditadura do Partido, exigia a conclusão da negociação de paz com a Eurásia, defendia a liberdade de expressão, liberdade de imprensa, liberdade de assembleia, liberdade de pensamento, gritava histericamente que a revolução tinha sido traída — e tudo isso num discurso rápido e polissilábico que era uma espécie de paródia do estilo habitual dos oradores do Partido, e até continha palavras da novilíngua: de fato, mais palavras de novilíngua do que qualquer membro do Partido usaria normalmente na vida real. E, enquanto isso, a não ser que alguém questionasse a realidade coberta pela verborragia ilusória de Goldstein, atrás da cabeça dele, na teletela, marchavam fileiras sem fim do Exército da Eurásia — fileira atrás de fileira de homens de aparência robusta com rostos asiáticos inexpressivos, que nadavam em direção à superfície da tela e desapareciam, substituídos por outros exatamente similares. O ritmo monótono do pisotear das botas dos soldados compunha o pano de fundo dos balidos de Goldstein.

Antes de se completarem trinta segundos de Ódio, exclamações descontroladas de fúria irrompiam de metade das pessoas na sala. O rosto ovino satisfeito consigo mesmo na tela e o poderio aterrorizante do exército da Eurásia ao fundo eram demais para aguentar; além disso, só olhar ou pensar em Goldstein já provocava medo e raiva automaticamente. Ele era um objeto de ódio mais constante que a Eurásia ou a Lestásia, uma vez que, quando a Oceania estava em guerra com um desses Poderes, em geral estava em paz com o outro. Mas o estranho era que, embora Goldstein fosse odiado e desprezado por todos, e ainda que suas teorias fossem refutadas, esmagadas, ridicularizadas e expostas ao público como asneira todos os dias, mil vezes por dia, nas plataformas, na teletela, nos jornais, em livros — apesar disso tudo, sua influência nunca parecia diminuir. Sempre havia novos idiotas esperando para ser seduzidos. Nunca passava um dia sem que espiões e sabotadores que agiam sob as suas ordens não fossem desmascarados pela Polícia do Pensar. Ele era o comandante de um vasto exército sombrio, uma rede subterrânea de conspiradores dedicados a derrubar o Estado. A Irmandade, esse era supostamente seu nome. Também havia rumores de um livro terrível, um compêndio de todas as heresias, de autoria de Goldstein, que circulava clandestinamente aqui e ali. Tratava-se de um livro sem título. As pessoas referiam-se a ele simplesmente como *o livro*. Mas só se sabia de boatos acerca disso. Nem a Irmandade nem *o livro* eram temas que um membro comum do Partido mencionaria se pudesse evitar.

No segundo minuto, o Ódio elevou-se a um frenesi. As pessoas saltavam de seus assentos e gritavam o mais alto possível para tentar abafar a voz enlouquecedora que vinha da tela. A moça pequena de cabelo castanho-claro ficou rosa, e a sua boca abria e fechava como a de um peixe fora d'água. Até o rosto pesado de O'Brien ficou rubro. Ele estava sentado bem reto na cadeira, e o seu peito poderoso inchava e tremia como se ele enfrentasse uma onda quebrando. A moça de cabelo escuro atrás de Winston começou a gritar: "Porco! Porco! Porco!", e de repente ela pegou um dicionário de novilíngua bem pesado e arremessou-o na tela. O livro atingiu o nariz de Goldstein e quicou; a voz continuava, inexorável. Em um momento de lucidez, Winston percebeu que estava gritando com os outros e batendo o calcanhar com força contra o pé da cadeira. O mais horrível nos Dois Minutos de Ódio não era ser obrigado a interpretar um papel, mas, pelo contrário, o fato de que era impossível não se juntar aos outros. Em trinta segundos, qualquer desculpa já se tornava desnecessária. Um êxtase horrível de medo e desejo de vingança, vontade de matar, torturar, esmagar rostos com uma marreta, parecia fluir pelo grupo inteiro, como uma corrente elétrica, transformando todos, contra a vontade, em lunáticos que fazem careta e gritam. E, apesar disso, a raiva era abstrata, uma emoção não direcionada que podia ser passada de um objeto para o outro como a chama de um maçarico. Então, em certo momento, o ódio de Winston não era contra Goldstein, mas ao contrário, voltava-se contra o Grande Irmão, o Partido e a Polícia do Pensar; e em tais momentos seu coração voltava-se ao herege solitário e ridicularizado na tela, o único guardião da verdade e da sanidade num mundo de mentiras. E, já no instante seguinte, ele se sentia igualado aos que estavam ao seu redor, e tudo o que se dizia de Goldstein parecia-lhe verdadeiro. Naqueles momentos, o seu desprezo secreto pelo Grande Irmão virava adoração e o Grande Irmão parecia erguer-se como um protetor invencível e destemido, uma rocha contra as hordas da Ásia, e Goldstein, apesar de seu isolamento e desamparo, e apesar da dúvida que pairava sobre sua própria existência, parecia um feiticeiro sinistro, capaz de derrubar a estrutura da civilização com o mero poder de sua voz.

Era até possível, às vezes, direcionar o ódio para um lado ou outro de maneira voluntária. De repente, por causa de um esforço violento como o que faz alguém arrancar a própria cabeça do travesseiro quando tem um pesadelo, Winston conseguiu transferir seu ódio do rosto na tela para a garota de cabelo escuro atrás dele. Alucinações vívidas e belas piscaram em sua mente. Ele a espancaria até a morte com um cassetete de borracha. Ele a amarraria nua numa estaca e a encheria de flechas, como São Sebastião. Ele a violentaria e cortaria a sua garganta no momento do clímax. E ainda, melhor do que antes, ele percebeu *por que* a odiava. Odiava-a porque era jovem, bonita e assexuada, porque ele queria levá-la para a cama e isso nunca aconteceria, porque ao redor de sua cintura encantadora e flexível, que parecia pedir para ser envolvida com o braço, havia apenas aquela faixa escarlate detestável, um símbolo agressivo de castidade.

O Ódio chegou ao ápice. A voz de Goldstein tornara-se um verdadeiro balido de ovelha, e, por um instante, o rosto dele se transformou no de uma ovelha. Então, esse rosto ovino fundiu-se à silhueta de um soldado da Eurásia que parecia avançar, enorme e terrível, com a metralhadora rugindo, e saltar da superfície da tela, ao ponto de algumas pessoas na primeira fila caírem para trás nos assentos. Mas, ao mesmo tempo, extraindo um suspiro de alívio da plateia, a figura hostil fundiu-se à cabeça do Grande Irmão, de cabelo e bigode pretos, todo poderoso e misteriosamente calmo, tão amplo que quase preencheu a tela. Ninguém ouvia o que o Grande Irmão dizia. Eram apenas algumas palavras de encorajamento, do tipo que se fala no fragor da batalha, indistinguíveis individualmente, mas capazes de restaurar a confiança só pelo fato de serem ditas. Então, o rosto do Grande Irmão sumiu mais uma vez, e os três slogans do Partido apareceram em letras maiúsculas:

GUERRA É PAZ
LIBERDADE É ESCRAVIDÃO
IGNORÂNCIA É FORÇA

Mas o rosto do Grande Irmão pareceu persistir por vários segundos na tela, como se o impacto provocado nos globos oculares de todos fosse vívido demais para desaparecer de imediato. A garota pequena, de cabelo castanho-claro, tinha se jogado debruçada no assento da cadeira a sua frente. Com um murmúrio tremulante que soava a "Meu Salvador!", ela estendeu os braços em direção à tela. Depois, afundou o rosto entre as mãos. Ficou claro que estava rezando.

Naquele momento, o grupo inteiro entrou num cântico lento, profundo, ritmado, de "G.I.!... G.I.!", de novo e de novo, muito devagar, com uma longa pausa entre a primeira e a segunda letra — um som pesado, murmurante, de alguma maneira selvagem, e ao fundo do qual parecia-se escutar o pisotear de pés descalços e a batida de tambores. Mantiveram isso por cerca de trinta segundos. Era um refrão que às vezes se ouvia em momentos de emoção esmagadora. Em parte era um tipo de hino à sabedoria e à majestade do Grande Irmão, porém era mais um ato de auto-hipnose, um afogamento de consciência proposital que se fazia por meio do ruído ritmado. As entranhas de Winston pareciam gelar. Durante os Dois Minutos de Ódio, ele não conseguiu evitar de compartilhar o delírio geral, mas esse cântico sub-humano de "G.I.!... G.I.!" sempre o enchia de horror. Claro que ele entoava o canto com os outros; era impossível não fazer isso. Dissimular seus sentimentos, controlar sua expressão, fazer o que todos os outros faziam era uma reação instintiva. Mas havia um intervalo de alguns segundos durante os quais a expressão de seus olhos poderia denunciá-lo. E foi exatamente nesse instante que aquela coisa significativa ocorreu — se, de fato, ocorreu.

Momentaneamente, ele trocou olhares com O'Brien. O'Brien tinha se levantado. Ele tirara os óculos e estava reposicionando-os no nariz com o seu gesto característico. Mas houve ali uma fração de segundo em que os olhos dos dois se encontraram e, durante esse instante, Winston sabia — sim, ele *sabia*! — que O'Brien pensava o mesmo que ele. Uma mensagem inconfundível tinha sido transmitida. Era como se as duas mentes tivessem se aberto e os pensamentos fluíssem de uma para a outra por meio dos olhos. "Estou com você", O'Brien parecia dizer-lhe. "Sei exatamente o que você está sentindo. Conheço todo seu desprezo, seu ódio, sua repulsa. Mas não se preocupe, estou do seu lado!". E lá se foi o clarão de inteligência, e o rosto de O'Brien tornou-se inescrutável como o de todos os outros.

E isso foi tudo, e ele já não sabia mais se tinha ocorrido de fato. Tais incidentes nunca acarretaram nenhum prosseguimento. Tudo o que faziam era manter viva a crença, ou esperança, de que outros além dele eram inimigos do Partido. Talvez os rumores de vastas conspirações subterrâneas fossem verdadeiros, afinal — talvez a Irmandade existisse de fato! Era impossível, apesar das prisões sem fim e das confissões e execuções, ter certeza de que a Irmandade não era apenas um mito. Alguns dias ele acreditava nela, em outros, não. Não havia provas, apenas vislumbres passageiros que podiam significar nada ou qualquer coisa: fragmentos de conversas entreouvidas, rabiscos quase apagados nas paredes do banheiro — certa vez, quando dois estranhos se encontraram, um pequeno movimento da mão que parecia um sinal de reconhecimento. Não passavam de palpites: o mais provável é que ele tivesse imaginado tudo. Retornara ao seu cubículo sem olhar de novo para O'Brien. A ideia de dar continuidade ao seu contato momentâneo mal passava pela sua cabeça. Teria sido inacreditavelmente perigoso, mesmo se ele soubesse como arranjar isso. Por um ou dois segundos, haviam trocado olhares pouco claros, e esse era o fim da história. Mas mesmo aquilo tinha sido um evento memorável, levando em conta a solidão trancafiada na qual era preciso viver.

Winston reuniu forças e se endireitou na cadeira. Deixou escapar um arroto. O gim subia do estômago.

Seus olhos tornaram a focar na página. Ele descobriu que enquanto estava sentado, refletindo desamparado, ele também escrevera, como se fosse uma ação automática. E não era mais aquela caligrafia esquisita e espasmódica de antes. A sua caneta deslizara voluptuosamente pelo papel macio, imprimindo em letras maiúsculas grandes e limpas:

ABAIXO O GRANDE IRMÃO ABAIXO O GRANDE IRMÃO
ABAIXO O GRANDE IRMÃO ABAIXO O GRANDE IRMÃO
ABAIXO O GRANDE IRMÃO

de novo e de novo, preenchendo metade de uma página.

Ele não pôde evitar uma pontada de pânico. Era um absurdo, pois escrever aquelas palavras específicas não era mais perigoso do que começar um diário, mas, por um instante, sentiu-se tentado a rasgar as páginas maculadas e abandonar completamente o projeto.

Ele não o fez, no entanto, porque sabia que seria inútil. Não importava se ele escrevesse ABAIXO O GRANDE IRMÃO ou evitasse escrever aquilo. Não importava se ele continuaria com o diário ou não. A Polícia do Pensar o pegaria de qualquer maneira. Ele havia cometido — ainda teria cometido, mesmo se nunca tivesse encostado a caneta no papel — o crime essencial que continha em si todos os outros. O CRIMEPENSAR, era como chamavam. O crimepensar não era algo que podia ser escondido para sempre. Uma pessoa poderia conseguir fugir por um tempo, até por alguns anos, mas cedo ou tarde iriam pegá-la.

Era sempre à noite — as prisões, invariavelmente, ocorriam à noite. O sujeito era tirado de repente do sono, a mão grosseira sacudia o seu ombro, as luzes ofuscavam seus olhos, aparecia um círculo de rostos severos ao redor da cama. Na maioria dos casos, não havia julgamento, nenhum mandado de prisão. As pessoas simplesmente desapareciam, sempre à noite. Seu nome era removido dos registros, qualquer ficha de qualquer coisa que já fizera era apagada, a sua existência era negada e depois esquecida. O sujeito era abolido, aniquilado; VAPORIZADO era a palavra usual.

Por um instante, ele foi tomado por uma espécie de histeria. Começou a escrever num rabisco apressado e pouco cuidadoso:

> vão me atirar não me importo vão me disparar na nuca não me importo abaixo o grande irmão sempre atiram na nuca não me importo abaixo o grande irmão...

Ele se recostou na cadeira, um pouco envergonhado de si, e soltou a caneta. Aí deu um salto violento. Alguém batia na porta.

Mas já! Ele estava parado como um rato, na esperança fútil de que, seja lá quem fosse, iria embora depois de uma tentativa. Mas não, a batida soou de novo. Nada seria pior do que demorar para atender. Seu coração batia como um tambor, mas o rosto, graças ao antigo hábito, provavelmente estava sem expressão. Ele se levantou e moveu-se pesadamente em direção à porta.

Capítulo 2

Ao colocar a mão na maçaneta, Winston percebeu que tinha deixado o diário aberto na mesa. ABAIXO O GRANDE IRMÃO estava escrito por toda a parte, em letras quase tão grandes a ponto de serem legíveis do outro lado da sala. Ele fizera algo inconcebível de tão estúpido. Porém, se deu conta de que, mesmo em pânico, não queria manchar o papel cor de creme por fechar a caderneta enquanto a tinta ainda estava úmida.

Respirou fundo e abriu a porta. No mesmo instante foi inundado por uma onda quente de alívio. Uma mulher descorada, com aparência esmagada, cabelos finos e um rosto enrugado estava do lado de fora. Ela começou, num resmungo desolador:

— Ah, camarada. Bem que achei ter escutado você entrar. Você poderia vir aqui dar uma olhada na nossa pia da cozinha? Ficou entupida e...

Era a sra. Parsons, esposa de um vizinho do mesmo andar. ("Senhora" era uma palavra um pouco desaprovada pelo Partido — era preciso chamar todos de "camarada" — mas com algumas mulheres às vezes se usava "senhora" instintivamente.) Ela tinha cerca de trinta anos, mas parecia muito mais velha. A impressão era de que sempre havia poeira nas rugas de seu rosto. Winston a seguiu pelo corredor. Esses trabalhos amadores de conserto eram uma irritação quase diária. As Mansões da Vitória eram compostas de apartamentos velhos, construídos por volta de 1930, e estavam caindo aos pedaços. O gesso descamava e caía do teto e das paredes constantemente, os canos explodiam em todas as nevascas mais fortes, o telhado vazava sempre que tinha neve, o sistema de aquecimento operava com metade da potência, isso quando não estava desligado por completo por questões de economia. Os reparos, tirando aqueles que o próprio morador conseguia fazer, tinham que ser aprovados por comitês remotos que eram capazes de adiar o conserto do vidro de uma janela por dois anos.

— Claro que é só porque Tom não está em casa — comentou vagamente a sra. Parsons.

O apartamento dos Parsons era maior que o de Winston, e precário de uma maneira diferente. Tudo tinha uma aparência gasta, esmagada, como se o lugar tivesse sido visitado por algum animal grande e violento. Acessórios esportivos — tacos de hóquei, luvas de boxe, uma bola estourada, um par de bermudas suadas virado do avesso — jaziam no chão, e na mesa havia um amontoado de pratos sujos e livros de exercício cheios de orelhas. Nas paredes, faixas escarlates da Liga da Juventude e dos Espiões, e um pôster em tamanho real do Grande Irmão. Também havia o cheiro usual de repolho cozido, comum a todo o prédio, mas que ali era atingido por um cheiro mais forte de suor, que — dava para sentir na primeira fungada, embora fosse difícil entender como — era o suor de uma pessoa ausente naquele momento. No quarto ao lado, alguém com um pente e uma tira de papel higiênico estava tentando acompanhar a música militar que ainda saía da teletela.

— São as crianças — disse a sra. Parsons, lançando um olhar meio apreensivo para a porta. — Elas não saíram hoje. E claro que...

Ela tinha o hábito de interromper as frases pela metade. A pia da cozinha estava cheia até quase o topo com uma água suja esverdeada que cheirava pior que repolho. Winston se agachou e examinou o encaixe do cano. Detestava usar as próprias mãos, e detestava se agachar, o que sempre podia despertar um acesso de tosse nele. A sra. Parsons ficou olhando, desamparada.

— Claro que se Tom estivesse em casa, ele ajeitaria isso num instante — ela disse. — Ele ama essas coisas. Ele é tão bom com as mãos, o Tom.

Parsons era colega de trabalho de Winston no Ministério da Verdade. Era um sujeito gorducho, mas ativo, dotado de uma estupidez paralisante, uma massa de entusiasmos imbecis — era um daqueles burros de carga devotos, que não questionava nada, dos quais, mais do que a Polícia do Pensar, a estabilidade do Partido dependia. Aos trinta e cinco anos ele tinha sido expulso, contra a sua vontade, da Liga da Juventude, e antes de formar-se nela, conseguira ficar um ano a mais do que o permitido nos Espiões. No Ministério, tinha um cargo subordinado que não exigia inteligência, mas, por outro lado, ele era um líder do Comitê do Esporte e de todos os comitês engajados na organização de passeios comunitários, manifestações espontâneas, campanhas para economizar e atividades voluntárias em geral. Ele informava aos outros com um orgulho silencioso, entre baforadas do seu cachimbo, que aparecera no Centro Comunitário todas as noites pelos últimos quatro anos. Um cheiro atordoante de suor, uma espécie de testemunho inconsciente do quanto a sua vida era cansativa, acompanhava-o aonde quer que fosse, e também permanecia depois de ele ir embora.

— Você tem uma chave inglesa? — perguntou Winston, mexendo na porca na articulação do cano.

— Uma chave inglesa — disse a sra. Parsons, tornando-se invertebrada de imediato. — Não sei, não tenho certeza. Talvez as crianças...

Escutou-se um pisotear de botas e outro golpe no pente quando as crianças entraram com tudo na sala. A sra. Parsons trouxe a chave inglesa. Winston deixou a água correr e, com nojo, removeu a maçaroca de cabelo humano que bloqueara o cano. Limpou os dedos o melhor que pôde na água fria da torneira e voltou para o outro cômodo.

— Mãos ao alto! — gritou uma voz selvagem.

Um menino de nove anos, bonito, que parecia durão, tinha surgido de trás da mesa e o ameaçava com uma pistola automática de brinquedo, enquanto a sua irmãzinha, cerca de dois anos mais nova, fazia o mesmo gesto com um pedaço de madeira. Ambos estavam vestidos de bermuda azul, camisa cinza e lenço vermelho que representavam o uniforme dos Espiões. Winston levantou as mãos acima da cabeça, sentindo-se desconfortável, pois o jeito do garoto era tão perverso que aquilo não era uma brincadeira.

— Você é um traidor! — gritou o menino. — Um criminoso do pensamento! Um espião da Eurásia! Vou atirar em você, vou vaporizar você, mandar você para as minas de sal!

De repente, os dois pulavam ao redor dele gritando "Traidor!" e "Criminoso do pensamento!", e a garotinha imitava o irmão em todos os movimentos. Era algo levemente assustador, como os pulinhos de filhotes de tigres que logo se tornarão capazes de comer um homem. Havia uma espécie de ferocidade calculada nos olhos do menino, um desejo bastante evidente de socar ou chutar Winston, e uma consciência de ter quase o tamanho necessário para isso. Ainda bem que a arma em suas mãos não era de verdade, Winston pensou.

Os olhos da sra. Parsons borboletearam, nervosos, de Winston para as crianças e de volta para Winston. Na luz mais forte da sala de estar ele pôde notar, interessado, que havia de fato poeira nas rugas do rosto dela.

— Eles ficam tão agitados — ela disse. — Estão decepcionados porque não podem ver o enforcamento, é isso. Estou ocupada demais para levá-los, e Tom não voltará do trabalho a tempo.

— Por que a gente não pode ir lá ver o enforcamento? — bradou o garoto com sua voz potente.

— Quero ver o enforcamento! Quero ver o enforcamento! — cantarolou a garotinha, ainda saltitando ao redor.

Alguns prisioneiros eurasianos, condenados por crimes de guerra, seriam enforcados no Parque naquela noite, lembrou-se Winston. Isso acontecia cerca de uma vez por mês, e era um espetáculo popular. As crianças sempre imploravam para que as levassem. Ele despediu-se da sra. Parsons e encaminhou-se para a porta. Mas não tinha dado nem seis passos pelo corredor quando algo atingiu a sua nuca, provocando uma dor agonizante. Era como se tivessem fincado nele um fio em brasa. Ele se virou a tempo de ver a sra. Parsons arrastando de volta o filho para o batente da porta, enquanto o garoto guardava um estilingue no bolso.

— Goldstein! — gritou o garoto enquanto a porta fechava diante dele. Mas o que mais impressionou Winston foi o olhar de pavor e de desamparo no rosto acinzentado da mulher.

De volta ao seu apartamento, ele passou rapidamente pela teletela e sentou-se mais uma vez à mesa, ainda massageando a nuca. A música da teletela havia parado. Em vez dela, uma voz militar falhada lia em voz alta, com uma espécie de satisfação brutal, uma descrição dos armamentos da nova Fortaleza Flutuante que tinha ancorado entre a Islândia e as Ilhas Faroe.

Aquela pobre mulher, ele pensou, deve viver uma vida de terror ao lado daquelas crianças. Mais um ou dois anos e eles passariam a vigiá-la, dia e noite, em busca de sinais de algo não ortodoxo. Quase todas as crianças hoje em dia eram terríveis. O pior era que, por meio de organizações como os Espiões, elas tornavam-se, sistematicamente, pequenos selvagens ingovernáveis, e, no entanto, isso não gerava nelas nenhuma tendência a se rebelar contra a disciplina do Partido. Pelo contrário: adoravam o Partido e tudo que estava ligado a ele. As músicas, as procissões, as faixas, as trilhas, os treinamentos com rifles de mentira, os gritos de slogans, a idolatria ao Grande Irmão — tudo era uma espécie de jogo glorioso para eles. Toda sua ferocidade era dirigida para as coisas externas, contra os inimigos do Estado, contra os estrangeiros, traidores, sabotadores, criminosos do pensamento. Era quase normal que pessoas com mais de trinta anos temessem seus próprios filhos. E por um bom motivo, pois quase toda semana o *The Times* trazia um parágrafo descrevendo como algum bisbilhoteirozinho — "pequeno herói", era como, em geral, se referiam às crianças — tinha entreouvido algum comentário comprometedor e denunciado seus pais à Polícia do Pensar.

A dor do tiro de estilingue tinha passado. Ele pegou sua caneta, um tanto desanimado, perguntando a si se ainda era capaz de escrever mais alguma coisa no diário. De repente, começou a pensar em O'Brien outra vez.

Anos antes — isto fora há quanto tempo? Sete anos, devia ser — sonhara que caminhava por um quarto totalmente escuro. E alguém sentado ao seu lado disse, quando ele passou: "Nós nos encontraremos no lugar onde não há escuridão". Isso foi dito de um modo muito silencioso, de forma quase casual — uma constatação, não uma ordem. Ele continuou caminhando, sem parar. O curioso foi que, na época, no sonho, as palavras não o impressionaram tanto. Só mais tarde, e aos poucos, que pareceram ganhar significado. Não conseguia lembrar agora se tinha sido antes ou depois do sonho que ele vira O'Brien pela primeira vez, nem era capaz de recordar quando identificara a voz como sendo de O'Brien. Porém, seja como for, havia essa identificação. Fora O'Brien quem falara com ele no escuro.

Winston nunca teve certeza — mesmo depois da troca de olhares naquela manhã, ainda era impossível saber de fato se O'Brien era amigo ou inimigo. Isso também não parecia importar muito. Havia um laço de compreensão entre os dois, mais importante do que o afeto ou o espírito partidário. "Nós nos encontraremos no lugar onde não há escuridão", ele dissera. Winston não sabia o significado daquilo, apenas que, de um jeito ou de outro, viria a se tornar realidade.

A voz da teletela pausou. Um sopro de trompete, límpido e belo, flutuou pelo ar estagnado. A voz áspera continuou:

Atenção! Atenção, por favor! Notícias de última hora chegando do front Malabar. Nossas forças no sul da Índia alcançaram uma vitória gloriosa. Estou autorizado a afirmar que a ação que relatamos agora pode muito bem colocar a guerra a uma distância visível de seu fim. Eis a reportagem...

Más notícias virão, pensou Winston. E, confirmando isso, depois de uma descrição sanguinolenta da aniquilação do exército eurasiano, com números estupendos de mortos e prisioneiros, veio o anúncio de que, a partir da semana seguinte, a ração de chocolate seria reduzida de trinta para vinte gramas.

Winston arrotou de novo. O efeito do gim ia desaparecendo, deixando-o com um sentimento de vazio. A teletela —

talvez para celebrar a vitória, talvez para abafar a lembrança do chocolate perdido — emendou a música "Oceania, glória a você". Nesse momento, as pessoas deveriam se levantar para prestar atenção. No entanto, a posição de Winston era invisível.

"Oceania, glória a você" abriu caminho para uma música mais leve. Winston foi até a janela, mantendo-se de costas para a teletela. O dia ainda estava limpo e gélido. Em algum lugar distante, um míssil explodiu com um rugido seco e reverberante. Atualmente, caíam cerca de vinte a trinta por semana em Londres.

Na rua, o vento fazia tremular o pôster rasgado, sacudindo-o de um lado para o outro, e a palavra INGSOC aparecia e desaparecia de forma intermitente. Ingsoc. Os preceitos sagrados do Ingsoc. Novilíngua, duplipensar, a mutabilidade do passado. Ele sentia como se estivesse vagando pelas florestas do fundo do oceano, perdido num mundo monstruoso onde ele mesmo era o monstro. Ele estava só. O passado estava morto e o futuro era inimaginável. Que certeza possuía de que uma só criatura humana estava do seu lado? E como saber que o domínio do Partido não duraria *para sempre*? Como se fosse uma resposta, os três slogans na parede branca do Ministério da Verdade lhe disseram:

GUERRA É PAZ
LIBERDADE É ESCRAVIDÃO
IGNORÂNCIA É FORÇA

Tirou uma moeda de vinte e cinco centavos do bolso. Ali, também, em uma letra minúscula e nítida, estavam inscritos os mesmos slogans, e, na outra face da moeda, estava o rosto do Grande Irmão. Mesmo na moeda, os olhos o perseguiam. Nas moedas, nos selos, nas capas dos livros, nas faixas, nos pôsteres, nos maços de cigarro — em todo lugar. Sempre os olhos o vigiavam e a voz o envolvia. Dormindo ou desperto, trabalhando ou comendo, dentro ou fora de casa, no banho ou na cama — não havia escapatória. Nada era seu, exceto os poucos centímetros cúbicos dentro do seu crânio.

O sol tinha se deslocado, e a miríade de janelas do Ministério da Verdade, sem aquela luz brilhando nelas, pareciam sombrias como as brechas numa fortaleza. Seu coração estremeceu diante da enorme construção piramidal. Era forte demais, não podia ser invadida. Milhares de mísseis não a derrubariam. Perguntou-se mais uma vez para quem escrevia o diário. Para o futuro, para o passado — para uma época que podia ser imaginária. E, à sua frente, encontrava-se não a morte, mas a aniquilação. O diário seria reduzido a cinzas e ele, a vapor. Bastava a Polícia do Pensar ler o que ele tinha escrito para que varressem aquilo para fora da existência e da memória. Como apelar ao futuro quando nem um traço de você, nem mesmo uma palavra anônima rabiscada num pedaço de papel, poderia sobreviver fisicamente?

A teletela marcou catorze horas. Ele precisava sair em dez minutos. Deveria voltar ao trabalho às catorze e trinta.

Curiosamente, o ressoar das horas parecia tê-lo reanimado. Ele era um fantasma solitário verbalizando uma verdade que ninguém jamais escutaria. Mas desde que ele a verbalizasse, de um modo obscuro, a continuidade não se romperia. Não era se fazendo ouvir, mas se mantendo são que se carregava o legado humano. Voltou para a mesa, mergulhou a caneta na tinta, e escreveu:

> Ao futuro ou ao passado, a um tempo em que o pensamento é livre, quando os homens são diferentes uns dos outros e não moram sozinhos — a um tempo em que a verdade existe e o que está feito não pode ser desfeito: da era da uniformidade, da era da solidão, da era do Grande Irmão, da era do duplipensar — minhas saudações!

Já estava morto, refletiu. Parecia-lhe que só agora, quando começou a conseguir formular seus pensamentos, que tomara o passo decisivo. As consequências de cada ato estão inclusas no ato em si. Escreveu:

> Crimepensar não acarreta morte: o crimepensar é a morte.

Agora que se reconhecia como um homem morto, tornou-se importante permanecer vivo o máximo possível. Dois dedos de sua mão direita estavam sujos de tinta. Era exatamente o tipo de detalhe que poderia denunciá-lo. Algum fanático bisbilhoteiro do Ministério (provavelmente uma mulher: alguém como a mocinha de cabelo castanho-claro, ou a de cabelo escuro do Departamento de Ficção) poderiam imaginar por que ele andava escrevendo durante o intervalo do almoço, por que ele usara uma caneta antiga, *o que* ele vinha escrevendo — e então mencionar o assunto no lugar adequado. Ele foi ao banheiro e cuidadosamente esfregou a tinta com o sabão marrom-escuro e áspero, que raspava na sua pele como uma lixa e que, portanto, era muito adequado a esse propósito.

Guardou o diário na gaveta. Era um tanto inútil pensar em escondê-lo, mas o mínimo que podia fazer era ter certeza se a sua existência tinha sido descoberta. Um fio de cabelo disposto sobre a margem da página seria óbvio demais. Com a ponta do dedo, ele pegou um grão reconhecível de poeira branca e o depositou no canto da capa, de onde cairia caso mexessem no livro.

Capítulo 3

Winston sonhava com a sua mãe.

Ele devia ter dez ou onze anos, pensou, quando sua mãe desaparecera. Ela era alta, escultural, um tanto silenciosa, de movimentos lentos, com um magnífico cabelo claro. Ele recordava mais vagamente de seu pai como alguém magro e de cabelos escuros, que sempre vestia roupas escuras elegantes (Winston lembrava-se em especial das solas muito finas dos sapatos do pai) e usava óculos. Os dois devem, com certeza, ter sido engolidos em um dos primeiros grandes expurgos dos anos 1950.

Nesse momento, sua mãe estava sentada em algum lugar, muito abaixo dele, com sua jovem irmã nos braços. Ele não se lembrava de nada da irmã, exceto dela como um bebê pequeno e frágil, sempre em silêncio, com olhos grandes e observadores. Ambas olhavam para o alto para vê-lo. Estavam em algum lugar subterrâneo — o fundo de um poço, por exemplo, ou uma cova muito profunda — mas era um local que, já muito abaixo dele, continuava descendo ainda mais. Estavam no salão de um navio que naufragava, olhando para cima, para ele, através da água que escurecia. Havia um ar estagnado no salão, elas podiam vê-lo e ele a elas, mas enquanto isso, afundavam nas águas verdes que em breve as esconderia para sempre. Ele estava fora, na luz e ao ar livre, enquanto elas eram sugadas em direção à morte, e estavam lá embaixo porque ele estava aqui em cima. Ele sabia disso, e elas sabiam disso, e ele podia ver o conhecimento deste fato no rosto delas. Não havia recriminações no rosto ou no coração delas, apenas a compreensão de que precisavam morrer para que ele permanecesse vivo, e de que isso era parte da ordem inevitável das coisas.

Ele não era capaz de lembrar o que tinha acontecido, mas sabia, no seu sonho, que, de certa maneira, a vida de sua mãe e de sua irmã tinha sido sacrificada pela vida dele. Era um daqueles sonhos que, embora mantivessem o cenário típico de um sonho, representam uma continuidade da vida intelectual de uma pessoa, em que é possível se tornar ciente de fatos e ideias que ainda parecem novos e valiosos quando se está acordado. O que de repente impactou Winston dessa vez foi o fato de que a morte da mãe, ocorrida havia quase trinta anos, tinha sido trágica e triste de uma maneira que deixara de ser possível. A tragédia, ele percebia, pertencia a uma era antiga, uma época em que ainda existia privacidade, amor e amizade, e quando os membros de uma família ficavam um ao lado do outro sem precisar saber o motivo. A lembrança da mãe fustigava seu coração porque ela morrera amando-o, enquanto ele era jovem e egoísta demais para amá-la de volta, e porque, de alguma maneira que ele não lembrava, ela tinha se sacrificado a um conceito de lealdade que era privado e inalterável. Tais coisas, ele via, não podiam acontecer hoje em dia. Hoje havia medo, ódio e dor, mas não a dignidade da emoção, nenhum sofrimento profundo ou complexo. Parecia enxergar tudo isso nos grandes olhos da mãe e da irmã, olhando para ele de baixo, através da água verde, centenas de braças de profundidade, e ainda afundando.

De repente, ele estava de pé num gramado baixo e fofo, numa tarde de verão em que os raios enviesados do sol douravam o chão. O cenário que contemplava aparecia com tanta frequência nos seus sonhos que ele nunca teve certeza absoluta se já o vira no mundo real. Nos seus devaneios, chamava aquilo de Terra Dourada. Era um pasto velho, carcomido por coelhos, com uma trilha que o atravessava e buracos de toupeira aqui e ali. Na cerca-viva maltratada no lado oposto do campo, os galhos dos olmos sacudiam suavemente na brisa, suas folhas se agitavam somente em massas densas como o cabelo de uma mulher. Em algum lugar perto dali, mas fora do campo de visão, havia um córrego lento e límpido onde nadavam peixinhos nas piscinas sob os salgueiros.

A garota de cabelo escuro atravessava o campo em direção a eles. Com o que aparentou ser apenas um gesto, ela arrancou suas roupas e as jogou para o lado com desdém. Seu corpo era branco e macio, mas não despertava nenhum desejo nele. Na verdade, ele mal olhava para ela. O que o impressionou foi o gesto com que ela jogara as roupas longe. Com sua graça e despreocupação, ela parecia aniquilar toda uma cultura, um sistema de pensamento, como se o Grande Irmão, o Partido e a Polícia do Pensar pudessem ser varridos para o nada com um movimento singelo e esplêndido do braço. Esse gesto também pertencia a uma era antiga. Winston acordou com a palavra "Shakespeare" nos lábios.

A teletela emitia um apito de perfurar os ouvidos, que continuou na mesma nota por trinta segundos. Eram sete e quinze, hora de despertar dos funcionários de escritório. Winston arrastou seu corpo para fora da cama — nu, pois um membro do Partido Externo só recebia três mil cupons de roupa anualmente, e um conjunto de pijama saía seiscentos — e pegou uma camiseta suja e um par de shorts que estavam sobre uma cadeira. Os Exercícios Físicos começariam em três minutos. Logo se curvou por causa de um acesso de tosse violento que quase sempre o afligia assim que ele acordava. Esvaziava tanto os seus pulmões que ele só conseguia voltar a respirar ao se deitar de costas e inspirar profundamente várias vezes. Suas veias tinham saltado com o esforço da tosse, e a úlcera varicosa começara a coçar.

— Grupo de trinta a quarenta! — latiu uma voz feminina penetrante. — Grupo de trinta a quarenta! Nos seus lugares, por favor. Trinta a quarenta!

Winston saltou para a frente da teletela, onde já tinha aparecido a imagem de uma mulher jovem, magricela, mas musculosa, que vestia uma túnica e tênis de academia.

— Dobrem e estendam os braços! — ela comandou. — Sigam o meu ritmo. UM, dois, três, quatro! UM, dois, três, quatro! Vamos, camaradas, quero ver esforço! UM, dois, três, quatro! UM, dois, três, quatro!

A dor do acesso de tosse não tinha expulsado por completo da mente de Winston a impressão que o sonho deixara nele, e os movimentos rítmicos do exercício de certa forma recuperaram aquilo. Enquanto jogava os braços para frente e para trás, mecanicamente, exibindo a expressão de diversão sofrida que era considerada adequada para os Exercícios Físicos, lutava para conseguir lembrar-se do período obscuro de sua infância. Era algo extraordinário de tão difícil. Depois do fim da década de 1950, tudo desaparecera. Quando não era possível consultar registros externos, até os contornos de sua própria vida perdiam a nitidez. As pessoas se lembravam de grandes acontecimentos que talvez não tivessem acontecido, detalhes de incidentes, mesmo sem serem capazes de rememorar a atmosfera deles, e havia grandes períodos em branco em que não se conseguia encaixar nada. Tudo era diferente. Até os nomes dos países, suas formas no mapa eram diferentes. O Campo Aéreo Um, por exemplo, não tinha esse nome naqueles dias: era chamado de Inglaterra ou de Grã-Bretanha, embora ele tivesse quase certeza de que Londres sempre tivera esse nome.

Winston não conseguia se lembrar com certeza de uma época em que seu país não estivera em guerra, mas era evidente que houvera um intervalo bastante longo de paz durante sua infância, pois uma de suas primeiras memórias era de um ataque aéreo que pareceu surpreender a todos. Talvez tenha sido quando caiu a bomba atômica em Colchester. Não se lembrava do ataque em si, mas se recordava da mão de seu pai agarrando a dele enquanto corriam, descendo e descendo em algum lugar nas profundezas da terra, descendo em círculos e mais círculos por uma escada espiral que rangia sob seus pés e que, no fim, deixara suas pernas cansadas a ponto de ele começar a gemer e precisarem parar para descansar. Sua mãe, com seu jeito lento e onírico, os seguia, muito atrás. Ela carregava a irmã dele, ainda bebê — ou talvez fosse apenas um amontoado de cobertores; ele não tinha certeza se a sua irmã já tinha nascido na época. Finalmente chegaram a um lugar barulhento e lotado que ele percebera ser uma estação de metrô.

Havia pessoas sentadas por toda a laje do piso, e outras pessoas, juntas e muito apertadas, sentadas em beliches metálicos, uma em cima da outra. Winston e seus pais encontraram um lugar no chão para si, e perto deles um casal de idosos estava sentado lado a lado num beliche. O velho trajava um terno preto decente e uma boina preta colocada bem para trás no seu cabelo branquíssimo: seu rosto estava escarlate, e seus olhos eram azuis e cheios d'água. Fedia a gim. Parecia sair pelos poros de sua pele em vez de suor, e podia se imaginar que as lágrimas que brotavam nos seus olhos eram gim puro. Porém, apesar de estar um pouco bêbado, o homem também sofria uma dor que era genuína e insuportável. De sua maneira infantil, Winston compreendeu que algo terrível, algo imperdoável e irremediável, tinha acabado de ocorrer. Ele também achou que sabia o que era. Alguém que o velho amava — uma netinha, talvez — tinha sido morto. De poucos em poucos minutos, o velho repetia:

— A gente não devia ter confiado neles. Falei, mãe, não falei? Isso que dá confiar neles. Falei esse tempo todo. A gente num devia ter confiado nesses imbecis.

Mas em quais imbecis não deveriam ter confiado, isso Winston não conseguia lembrar agora.

Desde mais ou menos aquela época, a guerra tornou-se literalmente contínua, embora, para ser específico, não tenha sido sempre a mesma guerra. Por vários meses durante a infância dele, houvera lutas confusas nas próprias ruas de Londres, e ele se lembrava de algumas vividamente. Mas rastrear a história de todo esse período, dizer quem lutava com quem em cada momento, isso teria sido completamente impossível, já que não há registros escritos ou falados mencionando qualquer alinhamento além do existente. No momento atual, por exemplo, em 1984 (se de fato era 1984), a Oceania estava em guerra com a Eurásia e em aliança com a Lestásia. Nunca se admitia em público ou em particular que os três poderes, em algum momento, estiveram agrupados de maneira diferente. Na verdade, como Winston bem sabia, apenas quatro anos atrás, a Oceania estava em guerra com a Lestásia e era aliada da Eurásia. Mas isso era apenas uma parte do conhecimento furtivo que ele por acaso possuía, pois sua memória não estava sob suficiente controle. Oficialmente, a mudança de parceiros nunca ocorrera. A Oceania estava em guerra com a Eurásia; portanto, a Oceania sempre estivera em guerra com a Eurásia. O inimigo do momento sempre representava o mal absoluto, então qualquer acordo passado ou futuro era impossível.

O mais assustador, refletiu pela milésima vez enquanto forçava seus ombros dolorosamente para trás (com as mãos no quadril, eles rodopiavam o corpo a partir da cintura, um exercício que se supunha ser bom para os músculos das costas) — o mais assustador é que tudo poderia muito bem ser verdade. Se o Partido era capaz de enfiar a mão no passado e afirmar que isso ou aquilo de tal evento *nunca tinha acontecido*... com certeza, isso era mais aterrorizante do que a simples tortura ou a morte.

O Partido dizia que a Oceania nunca fora aliada da Eurásia. Ele, Winston Smith, sabia que a Oceania estivera numa aliança com a Eurásia havia pouco tempo, uns quatro anos atrás. No entanto, onde estava esse conhecimento? Só na sua própria consciência, que, de qualquer modo, logo seria aniquilada. E se todos os outros aceitassem a mentira que o Partido impunha — se todos os registros contassem a mesma coisa —, então a mentira entrava para a história e se tornava verdade. "Quem controla o passado", dizia o slogan do Partido, "controla o futuro: quem controla o presente, controla o passado." E, no entanto, o passado, apesar de sua natureza alterável, nunca tinha sido alterado. O que era verdade agora era verdade desde sempre e para sempre. Simples assim. Tudo o que se precisava era de uma série sem fim de vitórias sobre a própria memória. Chamavam isso de "controle da realidade". Em novilíngua, DUPLIPENSAR.

— Relaxar! — latiu a instrutora, um pouco mais simpática.

Winston deixou os braços caírem ao lado do corpo e aos poucos recuperou o ar nos pulmões. Sua mente deslizou para o mundo labiríntico do duplipensar. Saber e não saber, estar consciente da verdade completa enquanto contava mentiras cuidadosamente construídas, cultivar ao mesmo tempo duas opiniões que invalidavam uma a outra, sabendo que eram contraditórias e, mesmo assim, acreditando em ambas, usar a lógica contra a lógica, repudiar a moral enquanto afirmava ser dono dela, crer que a democracia era impossível e que o Partido era o guardião da democracia, esquecer seja lá o que fosse necessário esquecer, e então recuperar a memória daquilo quando fosse preciso, e logo esquecer de novo. E, acima de tudo, aplicar o mesmo processo ao processo em si. Essa era a sutileza final: conscientemente induzir a inconsciência, e então, mais uma vez, tornar-se inconsciente do ato de hipnose que se tinha acabado de realizar. Até a compreensão da palavra "duplipensar" envolvia o uso do duplipensar.

A instrutora chamara a atenção deles outra vez.

— E agora vamos ver quem consegue alcançar os dedos dos pés! — disse entusiasmada. — Dobrando só o quadril, por favor, camaradas. UM-dois! UM-dois!...

Winston detestava esse exercício, que provocava dores agudas dos calcanhares às nádegas e muitas vezes terminava causando outro acesso de tosse. A sensação quase agradável sumiu de suas meditações. O passado, ele refletiu, não apenas fora alterado; tinha sido de fato destruído. Pois como seria possível estabelecer o mais óbvio dos fatos quando não havia registros escritos fora de sua própria memória? Tentou se lembrar qual fora o primeiro ano em que ouvira falar do Grande Irmão. Achou que devia ter sido por volta da década de 1960, mas era impossível ter certeza.

Na história do Partido, é claro, o Grande Irmão figurava como líder e guardião da Revolução desde os primeiros dias. Seus feitos foram empurrados cada vez mais para trás no tempo até se estenderem rumo ao mundo fabuloso dos anos 1940 e 1930, quando os capitalistas em seus chapéus cilíndricos esquisitos ainda percorriam as ruas de Londres em carros reluzentes ou carruagens com laterais de vidro puxadas por cavalos. Não havia como saber o quanto essa lenda era verdadeira ou inventada. Winston não era sequer capaz de lembrar em que data o próprio Partido passara a existir. Não acreditava ter ouvido a palavra Ingsoc antes de 1960, mas talvez fosse possível que em VELHALÍNGUA — ou seja, "Socialismo Inglês" — tenha aparecido antes. Tudo se derretia numa névoa. Às vezes, de fato, era possível apontar uma mentira indubitável. Não era verdade, por exemplo, como constava nos livros de história do Partido, que o Partido inventara os aviões. Ele se lembrava de aviões desde sua primeira infância. Mas não dava para provar nada. Nunca havia provas. Apenas uma vez, em toda sua vida, ele segurara em mãos uma prova documental indiscutível da falsificação de um fato histórico. E nessa ocasião...

— Smith! — gritou a voz desagradável da teletela. — 6079 Smith W.! Sim, VOCÊ MESMO! Mais para baixo! Você consegue fazer melhor que isso. Você não está nem tentando. Mais baixo, por favor! AGORA SIM, camarada. Agora, relaxem, toda a equipe, e me observem.

Um suor quente e repentino começou a escorrer por todo o corpo de Winston. Seu rosto permaneceu completamente inescrutável. Nunca demonstrar desprezo! Nunca demonstrar ressentimento! Um simples piscar de olhos poderia denunciá-lo. Ele ficou observando a instrutora levantar os braços acima da cabeça e — não dá para dizer que com graça, mas com uma simplicidade e eficiência impressionante — curvou-se e encaixou a primeira falange do dedo debaixo dos pés.

— OLHEM SÓ, camaradas! É ASSIM que eu quero ver vocês fazerem. Olhem de novo para mim. Estou com trinta e nove anos e já tive quatro filhos. Agora, observem. — Ela se curvou mais uma vez. — MEUS joelhos estão retos. Todos conseguem se quiserem — acrescentou enquanto subia e se ajeitava. — Qualquer pessoa com menos de quarenta e cinco é perfeitamente capaz de tocar os dedos dos pés. Nem todos temos o privilégio de lutar na linha de frente, mas pelo menos podemos nos manter saudáveis. Lembrem-se dos rapazes no front Malabar! E os marinheiros da Fortaleza Flutuante! Pensem no que ELES tem que aguentar. Agora, tentem de novo. Melhorou, camarada, MUITO melhor — ela acrescentou, encorajadora, enquanto Winston, com um impulso violento, conseguiu tocar os dedos do pé sem curvar o joelho, pela primeira vez em muitos anos.

Capítulo 4

Com um suspiro profundo e inconsciente que nem mesmo a proximidade da teletela seria capaz de impedi-lo de soltar quando seu dia de trabalho começava, Winston puxou o falescreve na sua direção, soprou a poeira do bocal e colocou os óculos. Desenrolou e juntou quatro pequenos rolos de papel que já tinham aparecido no tubo pneumático no canto direito da sua mesa.

Havia três orifícios nas paredes do cubículo. À direita do falescreve, um pequeno tubo pneumático para mensagens escritas; à esquerda, um maior para jornais; e na do meio, de fácil alcance para Winston, uma fenda oblonga grande protegida por uma grade. Esta última servia para descartar papéis. Fendas similares existiam aos milhares ou dezenas de milhares ao longo do prédio, não apenas em todas as salas, mas também de tantos em tantos metros em cada corredor. Por algum motivo, receberam o apelido de "buracos da memória". Quando alguém sabia que um documento deveria ser destruído, ou até quando a pessoa via um pedaço de papel usado espalhado por aí, tinha-se a atitude automática de levantar a tampa do buraco da memória e jogar o papel ali, de onde seria transportado numa corrente de ar quente até uma das enormes fornalhas que estavam escondidas em algum canto do prédio.

Winston examinou os quatro rolos de papel que desenrolara. Cada um continha uma mensagem de apenas uma ou duas linhas, usando jargão abreviado — não era de fato novilíngua, mas consistia em grande parte de palavras da novilíngua — que era usado pelo Ministério para comunicação interna. Diziam:

times 17.3.84 gi fala malregistrada áfrica retificar

times 19.12.83 previsões 4º trimestre 83 erratas verificar edição atual
times 14.2.84 minimuitas malcitadas chocolate retificar

times 3.12.83 reportando gi ordemdodia duplimaisnãobom ref despessoas reescrever completo env antearquivar

Com um sentimento ligeiro de satisfação, Winston separou a quarta mensagem. Era um trabalho complexo e responsável e era melhor deixar aquilo para o fim. As outras três eram tarefas corriqueiras, embora a segunda provavelmente exigiria folhear, tediosamente, listas de números.

Winston digitou "números anteriores" na teletela e pediu as edições específicas do *The Times*, que saíram deslizando do tubo pneumático após poucos minutos de atraso. As mensagens que ele recebera se referiam a artigos ou notícias que, por um motivo ou outro, alguém achou necessário alterar ou, como dizia a mensagem oficial, retificar. Por exemplo, aparecia no *The Times* de 17 de março que o Grande Irmão, no seu discurso do dia anterior, tinha previsto que o front da Índia do Sul permaneceria tranquilo, mas uma ofensiva eurasiana logo seria lançada na África do Norte. Parecia que o Alto Comando Eurasiano acabou realizando uma ofensiva na Índia do Sul e deixou a África do Norte em paz. Portanto, era preciso reescrever o parágrafo do discurso do Grande Irmão de maneira que o fizesse prever o que de fato tinha ocorrido. Ou o caso do *The Times* de 19 de dezembro, que tinha publicado previsões oficiais da produção de vários bens de consumo no quarto trimestre de 1983, que também era o sexto trimestre do nono Plano Trienal. A edição de hoje continha uma declaração da produção de fato, a partir da qual concluía-se que as previsões estavam bastante equivocadas. O trabalho de Winston era retificar os números originais para que se adequassem aos posteriores. Quanto à terceira mensagem, referia-se a um erro muito simples que poderia ser corrigido em poucos minutos. Pouco tempo atrás, em fevereiro, o Ministério da Fartura tinha emitido uma promessa (um "compromisso categórico", foram as palavras oficiais) de que não haveria redução da ração de chocolate ao longo de 1984. Na verdade, Winston estava ciente de que a ração de chocolate seria reduzida de trinta para vinte gramas ao final daquela semana. Bastava substituir, na promessa original, um alerta de que provavelmente precisariam reduzir a ração em algum momento de abril.

Assim que Winston lidou com cada uma das mensagens, juntou as correções falescritas às cópias específicas do *The Times* e as enfiou no tubo pneumático. Então, com um movimento que era o mais inconsciente possível, amassou a mensagem original e todas as anotações que fizera e pôs tudo no buraco da memória, para que fossem devoradas pelas chamas.

Ele não sabia detalhes do que acontecia no labirinto invisível aos quais os tubos pneumáticos conduziam, mas tinha um conhecimento geral sobre o assunto. Logo que todas as correções necessárias de alguma edição específica do *The Times* tinham sido montadas e coladas, o número seria reimpresso, a cópia original seria destruída e a versão corrigida posta nos arquivos em seu lugar. Esse processo de alteração contínua aplicava-se não apenas a jornais, mas também a livros, periódicos, panfletos, pôsteres, filmes, trilhas sonoras, desenhos animados, fotografias — a qualquer tipo de literatura ou documentação que pudesse ter significado político ou ideológico. Dia a dia, e quase minuto a minuto, o passado era atualizado. Dessa maneira, poderia se mostrar com provas documentais que toda previsão feita pelo Partido era correta, e nenhum artigo noticioso ou expressão de opinião em conflito com as necessidades do momento permanecia registrado. Toda a história era um palimpsesto, rasurada por completo e reinscrita o quanto fosse necessário. Em nenhum dos casos seria possível, depois que a ação estivesse feita, provar que houvera qualquer forma de falsificação. A maior seção do Departamento de Registros, muito maior que aquela onde Winston trabalhava, consistia apenas em pessoas cuja tarefa era rastrear e coletar cópias de livros, jornais e outros documentos que foram considerados ultrapassados e precisavam ser destruídos. Uma edição do *The Times* que podia ter sido reescrita dezenas de vezes em razão das mudanças no alinhamento político, ou por causa de profecias equivocadas do Grande Irmão, ainda constava nos arquivos com sua data original, e não havia nenhuma outra cópia para contradizê-la. Os livros também eram constantemente recolhidos e reescritos, e eram invariavelmente republicados sem admitir que qualquer alteração tinha sido feita. Até as instruções por escrito que Winston recebia, e das quais ele sempre se desfazia assim que as atendia, nunca declaravam ou insinuavam que um ato de falsificação seria cometido: sempre havia essa referência a deslizes, erros, erratas, ou citações equivocadas que precisavam ser corrigidos por motivos de precisão.

Mas, na verdade, pensou enquanto reajustava os números do Ministério da Fartura, isso nem era falsificação. Era apenas a substituição de algo sem sentido por outra coisa também sem sentido. A maioria do material com o qual se lidava não tinha conexão com nada no mundo real, nem mesmo o tipo de conexão que faz parte de uma mentira direta. Estatísticas eram uma fantasia tanto na versão original como na retificada. Esperava-se, em boa parte do tempo, que o responsável saísse inventando números de cabeça. Por exemplo, a previsão do Ministério da Fartura estimava a produção de 145 milhões de pares de botas naquele trimestre. A cifra real era de 62 milhões. Winston, porém, ao reescrever a previsão, abaixou o valor para 57 milhões, assim seria possível fazer a afirmação típica de que a meta tinha sido superada. De qualquer maneira, 62 milhões estava tão longe da verdade quanto 57 milhões ou 145 milhões. Era muito provável que nenhuma bota tenha sido produzida. Mais provável ainda era que ninguém sabia ao certo quantas tinham sido fabricadas, e que pouco se importavam com isso. Tudo o que se sabia era que, a cada trimestre, constava no papel que um número astronômico de botas tinha sido produzido, enquanto talvez metade da população da Oceania andava descalça. E era assim com toda espécie de fato registrado, fosse grande ou pequeno. Tudo esmaecia até chegar a um mundo de sombras no qual, enfim, até a data do ano se tornava incerta.

Winston olhou para o corredor. No cubículo correspondente do outro lado havia um homem pequeno, de queixo escuro, com olhar meticuloso, chamado Tillotson. Trabalhava com afinco, com um jornal dobrado sobre o joelho e sua boca muito próxima ao bocal do falescreve. Tinha o jeito de quem tentava manter o que dizia em segredo entre ele e a teletela. Olhou para cima e seus óculos lançaram uma centelha hostil em direção a Winston.

Winston mal conhecia Tillotson, e não fazia ideia de qual era o trabalho dele. As pessoas do Departamento de Registros não saíam falando de seu trabalho. No corredor comprido e sem janelas, com sua fileira dupla de cubículos e seu farfalhar interminável de papéis e o zumbido de vozes murmurando nos falescreves, havia uma dezena de pessoas das quais Winston não sabia nem o nome, embora as visse diariamente, correndo de um lado para o outro nos corredores ou gesticulando nos Dois Minutos de Ódio. Sabia que no cubículo ao seu lado, a mulherzinha de cabelo castanho-claro trabalhava dia após dia, rastreando e deletando da Imprensa nomes de pessoas que tinham sido vaporizadas e, portanto, considerava-se que nunca tinham existido. Aquilo fazia certo sentido, pois o próprio marido dela tinha sido vaporizado poucos anos antes. E, a poucos cubículos de distância, estava uma criatura tranquila, ineficaz e sonhadora chamada Ampleforth, com orelhas muito peludas e um talento surpreendente para usar rimas e métricas, que se envolvia na produção de versões falsificadas — que recebiam o nome de textos definitivos — de poemas que haviam se tornado ideologicamente ofensivos, mas que, por um motivo ou outro, deviam ser mantidos nas antologias. E esse corredor, com cerca de cinquenta funcionários, era apenas uma subseção, uma célula única, no grande complexo do Departamento de Registros. Para além dali, acima, abaixo, havia outros enxames de funcionários engajados em uma quantidade inimaginável de trabalhos. Existiam enormes gráficas com seus subeditores, especialistas em tipografia, e estúdios bem equipados para falsificar fotografias. Havia a seção de teleprogramas com engenheiros, produtores e equipe de atores escolhidos especialmente pela sua habilidade de imitar vozes. Havia exércitos de funcionários de referência cujo trabalho era apenas listar livros e periódicos que precisavam ser recolhidos. Havia vastos depósitos onde os documentos corrigidos eram armazenados, e as fornalhas escondidas onde as cópias originais eram destruídas. E, em algum lugar ou outro, de forma bastante anônima, havia os cérebros diretores que coordenavam todo esse trabalho e definiam as diretrizes políticas que ditavam qual fragmento do passado deveria ser preservado, enquanto outro deveria ser falsificado, e outro, ainda, eliminado de toda existência.

E o Departamento de Registros, afinal, era em si apenas um ramo do Ministério da Verdade, cuja principal tarefa não era reconstruir o passado, mas fornecer aos cidadãos da Oceania jornais, filmes, manuais, programas de teletela, peças, romances com toda espécie concebível de informação, instrução ou entretenimento, de uma estátua a um slogan, de um poema lírico a um tratado de biologia, e de um livro infantil para aprender a soletrar a um dicionário de novilíngua. E o Ministério não precisava apenas suprir as múltiplas necessidades do partido, mas também repetir a operação inteira num nível mais baixo em benefício do proletariado. Havia toda uma cadeia de departamentos separados que lidavam com literatura, música, teatro e entretenimento geral para o proletariado. Produziam jornais toscos que continham quase nada além de esportes, crimes e astrologia, folhetins sensacionalistas baratos, filmes repletos de sexo e canções sentimentais compostas de forma totalmente mecânica em um tipo especial de caleidoscópio conhecido como versificador. Havia até uma subseção própria — PORNOSEC, como se dizia em novilíngua — para produzir pornografia de mais baixo nível, que era enviada em pacotes selados e que nenhum membro do Partido, além de quem trabalhava ali, podia assistir.

Três mensagens tinham deslizado para fora do tubo pneumático enquanto Winston trabalhava, mas eram assuntos fáceis de resolver, e ele se livrou delas antes de ser interrompido pelos Dois Minutos de Ódio. Quando terminou o Ódio, ele retornou ao seu cubículo, pegou o dicionário de novilíngua da estante, empurrou o falescreve para o lado, limpou seus óculos e ajeitou-se para realizar a principal tarefa da manhã.

O maior prazer da vida de Winston era seu trabalho. A maioria das tarefas era rotineira e tediosa, mas havia aquelas tão difíceis e intrincadas que era possível se perder nelas como nas profundezas de um problema matemático — delicadas falsificações nas quais não havia nada para guiá-lo além de seu conhecimento dos princípios do Ingsoc e de sua estimativa do que o Partido queria que dissesse. Winston era bom nesse tipo de coisa. Certa vez, confiaram a ele a retificação das principais manchetes do *The Times*, que foram totalmente escritas em novilíngua. Desenrolou a mensagem que havia separado mais cedo. Dizia:

times 3.12.83 reporta gi ordemdodia duplimaisnãobom ref despessoas reescrever completo env antearquivar

Em velhalíngua (ou inglês padrão), isso poderia ser dito da seguinte maneira:

A reportagem da Ordem do Dia do Grande Irmão no The Times de 3 de dezembro de 1983 é extremamente in-

satisfatória e faz referências a pessoas não existentes. Reescrever por completo e enviar seu rascunho a uma autoridade superior antes de arquivar.

Winston leu o artigo ofensivo. A Ordem do Dia do Grande Irmão, pelo que parece, era principalmente dedicada a elogiar uma organização conhecida como CCFF, que fornecia cigarros e outros artigos de conforto para os marinheiros nas Fortalezas Flutuantes. Um certo camarada Withers, um membro proeminente do Partido Interno, tinha sido destacado para menção especial e condecoração com a Ordem do Mérito Evidente, Segunda Classe.

Três meses depois, o CCFF foi dissolvido de repente, sem maiores motivos. Podia se supor que Withers e seus colegas tinham caído em desgraça, mas não havia notícias a respeito na Imprensa ou na teletela. Esperava-se isso, já que era incomum ofensores políticos serem julgados ou até denunciados em público. Os grandes expurgos envolvendo milhares de pessoas, com julgamentos públicos dos traidores e criminosos do pensamento que faziam confissões abjetas de seus crimes e eram depois executados, eram eventos especiais que só ocorriam de tantos em tantos anos. O mais comum eram pessoas que tinham provocado o desprazer do Partido apenas desaparecerem, e nunca mais se ouvia falar delas. Não se tinha a menor pista do que acontecia com elas. Em alguns casos, podiam nem mesmo estar mortas. Talvez umas trinta pessoas que Winston conhecia pessoalmente, sem contar seus pais, tinham desaparecido de uma hora para outra.

Winston coçou o nariz de leve com um clipe de papel. No cubículo do outro lado, camarada Tillotson ainda estava curvado, sigiloso, sobre o seu falescreve. Levantou a cabeça por um instante: mais uma centelha hostil dos óculos. Winston imaginava se o camarada Tillotson estava envolvido com as mesmas tarefas que ele. Era perfeitamente possível. Um trabalho tão complicado nunca seria confiado a apenas uma pessoa: por outro lado, entregá-lo a um comitê seria admitir abertamente que um ato de fabricação seria realizado. O mais provável era que uma dúzia de pessoas agora trabalhassem com versões rivais do que o Grande Irmão de fato tinha dito. E então algum grande cérebro do Partido Interno selecionaria essa ou aquela versão, faria uma reedição e colocaria em movimento os processos complexos de referências cruzadas requeridos, e a mentira escolhida entraria nos registros permanentes, tornando-se verdade.

Winston não sabia por que Withers tinha caído em desgraça. Talvez fosse por corrupção ou incompetência. Talvez o Grande Irmão estivesse apenas se livrando de um subordinado popular demais. Talvez Withers ou alguém próximo dele fosse suspeito de tendências heréticas. Ou, talvez — e isso era o mais provável de tudo — aquilo tivesse ocorrido apenas porque expurgos e vaporizações eram parte necessária da mecânica do governo. A única pista verdadeira estava nas palavras “ref despessoas”, indicativas de que Withers já estava morto. Não podia se presumir que isso acontecia invariavelmente a todos os presos. Às vezes, eram libertados e se permitia que permanecessem livres por um ou dois anos antes de sua execução. Muito de vez em quando, alguém que todos achavam que estava morto fazia uma reaparição fantasmagórica em algum julgamento público no qual comprometia centenas de outras pessoas com o seu testemunho antes de desaparecer, dessa vez para sempre. Withers, no entanto, já era uma DESPESSOA. Ele não existia: nunca existira. Winston decidiu que não seria suficiente só inverter o discurso do Grande Irmão. Seria melhor fazer com que esse tratasse de um assunto completamente desconectado do tema original.

Ele podia transformar o discurso em uma denúncia comum contra traidores e criminosos do pensamento, mas isso era um tanto óbvio demais, enquanto inventar uma vitória no front ou algum triunfo de superprodução no Nono Plano Trienal poderia complicar demais os registros. Necessitava-se de uma peça de fantasia pura. De repente, surgiu na sua mente, quase pronta, a imagem de um certo camarada Ogilvy, que morrera há pouco na batalha sob circunstâncias heroicas. Havia ocasiões em que o Grande Irmão devotava sua Ordem do Dia para celebrar algum membro do Partido humilde, de base, cuja vida e morte se elevavam a um exemplo a ser seguido. Hoje ele celebraria o camarada Ogilvy. Era verdade que não existia tal pessoa, mas poucas linhas de texto e algumas fotografias falsificadas logo o fariam existir.

Winston pensou por um instante e então puxou o falescreve em sua direção, e começou a ditar no estilo familiar do Grande Irmão: um estilo que era ao mesmo tempo militar e pedante, e, graças a um truque de fazer perguntas e logo respondê-las ("Que lições aprendemos deste fato, camaradas? A lição — que também é um dos princípios fundamentais do Ingsoc — de que..." etc. etc.), era fácil de imitar.

Aos três anos, o camarada Ogilvy rejeitou todos os brinquedos exceto um tambor, uma submetralhadora e o modelo de um helicóptero. Aos seis — um ano mais cedo, devido a uma folga especial das regras — ele se juntou aos Espiões, e aos nove já era líder de tropa. Aos onze, denunciara seu tio para a Polícia do Pensar depois de entreouvir uma conversa que achou ter tendências criminais. Aos dezessete, virou organizador do distrito da Liga Júnior Antissexo. Aos dezenove, havia desenvolvido uma granada de mão que foi adotada pelo Ministério da Paz e que, em seu primeiro teste, matou trinta e um prisioneiros eurasianos com uma só explosão. Aos vinte e três, morreu na guerra. Perseguido por jatos inimigos enquanto sobrevoava o Oceano Índico, transportando ordens importantes, ele amarrou a metralhadora como contrapeso no corpo e se jogou do helicóptero, carregando as ordens consigo — um fim, disse o Grande Irmão, impossível de contemplar sem sentir inveja. O Grande Irmão acrescentou alguns comentários sobre a pureza e a dedicação do camarada Ogilvy. Era um abstêmio completo, não fumava, não participava de atividades recreativas, exceto uma hora na academia, e tinha feito votos de celibato por acreditar que o casamento e o cuidado com a família eram incompatíveis com uma devoção ao dever vinte e quatro horas por dia. Não tinha assuntos para conversar além dos princípios do Ingsoc, e não tinha objetivo na vida além da derrota do inimigo eurasiano e a caça a espiões, sabotadores, criminosos do pensamento e traidores em geral.

Winston debateu consigo se deveria dar ao camarada Ogilvy a Ordem de Mérito Evidente: ao final, decidiu não o fazer, por causa das referências cruzadas que se tornariam necessárias.

Mais uma vez, olhou para o rival no cubículo oposto. Algo parecia informá-lo, com certeza, de que Tillotson estava ocupado com o mesmo trabalho. Não havia como saber qual versão seria finalmente adotada, mas ele sentiu uma convicção profunda de que seria a dele. O camarada Ogilvy, inimaginável uma hora atrás, agora era um fato. Achou curioso que era possível criar pessoas mortas, mas não pessoas vivas. O camarada Ogilvy, que nunca existira no presente, agora existia no passado, e depois que o ato de falsificação fosse esquecido, ele existiria de maneira tão autêntica, e com as mesmas provas, quanto Carlos Magno ou Júlio César.

Capítulo 5

Na cantina de teto baixo, nas profundezas do subterrâneo, a fila do almoço avançava aos solavancos e com lentidão. O salão já estava muito cheio e o barulho era ensurdecedor. A fumaça do ensopado vinha da grelha no balcão e trazia um cheiro metálico azedo que não chegava a se sobrepor aos vapores do Gim da Vitória. No canto extremo da sala havia um pequeno bar, só uma abertura na parede, onde o gim podia ser comprado por dez centavos a dose grande.

— Justo o homem que eu procurava — disse uma voz atrás de Winston.

Ele se virou. Era seu amigo Syme, que trabalhava no Departamento de Pesquisa. Talvez "amigo" não fosse a palavra exata. Não se tinha amigos hoje em dia, e sim camaradas: mas havia alguns camaradas cuja companhia era mais agradável que outras. Syme era filólogo, especialista em novilíngua. De fato, ele era um dos que integrava a equipe enorme de especialistas envolvidos na compilação da Décima Primeira Edição do Dicionário de Novilíngua. Era uma criatura minúscula, menor que Winston, com cabelo escuro e comprido, olhos protuberantes, tristes e sarcásticos, que pareciam perscrutar os do interlocutor com muita atenção enquanto ele falava.

— Queria perguntar se você tem alguma lâmina de barbear — disse.

— Nenhuma! — respondeu Winston, com uma espécie de pressa culpada. — Procurei por todo lugar. Não existem mais.

Todo mundo ficava pedindo lâminas. Na verdade, ele tinha duas não utilizadas que estava guardando. Elas estavam em falta havia meses. A qualquer momento podia faltar um artigo necessário que as lojas do Partido não seriam capazes de fornecer. Às vezes eram botões, às vezes lã para costura, às vezes cadarços; naquele momento, eram lâminas de barbear. Só conseguiria uma quem procurasse de forma mais ou menos furtiva no mercado "livre".

— Estou usando a mesma há seis semanas — acrescentou, mentindo.

A fila deu mais um solavanco para a frente. Ao pararem, virou-se e tornou a encarar Syme. Cada um pegou uma bandeja de metal engordurada de uma pilha ao final do balcão.

— Você foi ver os prisioneiros enforcados ontem? — perguntou Syme.

— Estava trabalhando — disse Winston, com indiferença. — Verei no cinema, acho.

— Um substituto muito inadequado — disse Syme.

Seus olhos sarcásticos percorreram o rosto de Winston. "Conheço você", seus olhos pareciam dizer, "consigo enxergar através de você. Sei muito bem por que você não foi ver os prisioneiros enforcados." De um jeito intelectual, Syme era venenosamente ortodoxo. Ele podia falar, com satisfação e júbilo desagradáveis, de ataques de helicóptero em vilarejos inimigos, de julgamentos e confissões de criminosos do pensamento, de execuções nos porões do Ministério do Amor. Falar com ele era em boa parte questão de tirá-lo desses assuntos e prendê-lo, se possível, nas minúcias técnicas da novilíngua, assunto que dominava e no qual se mostrava interessado. Winston virou a cabeça um pouco de lado para evitar o escrutínio daqueles olhos escuros e grandes.

— Foi um bom enforcamento — disse Syme, lembrando-se. — Acho que estraga um pouco quando amarram os pés juntos. Gosto de vê-los se debatendo. E, acima de tudo, no final, a língua saindo para fora, e azul, um azul bem brilhante. Esse é o detalhe que eu mais gosto.

— Próximo, faz favor! — gritou o proleta de avental branco com a concha na mão.

Winston e Syme empurraram suas bandejas para baixo da grade. Despejaram em cada bandeja o almoço regulamentar — um caneco de metal com ensopado rosa acinzentado, um naco de pão, um cubo de queijo, uma xícara de Café da Vitória sem leite, e uma pastilha de sacarina.

— Tem uma mesa ali, debaixo da teletela — disse Syme. — Vamos pegar um gim no caminho.

O gim foi servido em xícaras de porcelana sem alça. Atravessaram a sala lotada e colocaram suas bandejas sobre a mesa com tampo de metal, em um canto onde alguém deixara uma poça de ensopado, uma gororoba líquida que parecia vômito. Winston pegou sua xícara de gim, parou por um instante para se acalmar e entornou a substância com gosto de óleo. Depois de piscar para absorver as lágrimas dos olhos, notou, de repente, que estava com fome. Começou a engolir colheradas do ensopado, que, no meio daquele caldo aguado, tinha cubos de coisas rosadas que provavelmente eram uma carne mal preparada. Nenhum deles disse nada até esvaziarem seus canecos. Da mesa à esquerda de Winston, pouco atrás dele, alguém falava de forma rápida e contínua, uma tagarelice áspera, quase como o grasnido de um pato, que perfurava o murmúrio geral do salão.

— Como tá indo o Dicionário? — perguntou Winston, levantando a voz para se sobrepor ao ruído.

— Devagar — disse Syme. — Estou nos adjetivos. É fascinante.

Animou-se de imediato com a menção à novilíngua. Empurrou o caneco para o lado, pegou o naco de pão com sua mão delicada e o queijo com a outra, e inclinou-se sobre a mesa para conseguir falar sem gritar.

— A Décima Primeira Edição é a edição definitiva — disse. — Estamos levando a língua à sua forma final, a que permanecerá quando ninguém mais falar qualquer outra. Quando terminarmos essa, pessoas como você terão que aprender tudo de novo. Você acha, arrisco dizer, que nosso principal trabalho é o de inventar novas palavras. Longe disso! Estamos destruindo palavras, dezenas, centenas, todos os dias. Destrinchamos a linguagem até os ossos. A Décima Primeira Edição não terá uma só palavra que se tornará obsoleta antes do ano de 2050.

Ele deu uma mordida esfomeada no pão e engoliu alguns bocados, e então continuou falando, com uma espécie de paixão pedante. Seu rosto escuro e magro tinha se animado, seus olhos perderam a expressão de sarcasmo e ganharam um aspecto quase de sonhador.

— É uma coisa bela, a destruição de palavras. Claro que o grande desperdício está nos verbos e nos adjetivos, mas há centenas de substantivos de que podemos nos livrar também. Não estou falando só de sinônimos; também há os antônimos. Afinal, qual a justificativa para uma palavra, se há outra que é apenas o oposto daquela? Uma palavra contém seu oposto em si própria. Veja o caso de "bom". Se você tem "bom", para que ter uma palavra como "mau"? "Nãobom" funciona tão bem quanto; é até melhor, porque é um oposto exato, ao contrário da outra. Ou ainda, se você quer uma versão mais forte de "bom", qual é o sentido de ter toda uma série de palavras vagas e inúteis como "excelente", "esplêndido" e todo o resto? "Maisbom" cobre o sentido, ou "dobromaisbom", se quiser algo ainda mais forte. É claro que já usamos essas formas, mas na versão final da novilíngua não haverá mais nada. No fim, será possível lidar com toda a noção de bom e mau com apenas seis palavras; na verdade, com apenas uma. Não vê a beleza nisso, Winston? Foi originalmente uma ideia do G.I., é claro — ele acrescentou depois.

Uma espécie de ansiedade insossa tomou o rosto de Winston com a menção ao Grande Irmão. Não obstante, Syme detectou na mesma hora uma falta de entusiasmo.

— Você não aprecia de fato a novilíngua, Winston — ele disse, quase triste. — Mesmo quando escreve nela, você ainda pensa na velhalíngua. Li alguns dos artigos que você escreve para o *The Times* de vez em quando. São razoáveis, mas são traduções. No seu coração, você preferiria continuar com a velhalíngua, com toda a vagueza e as nuances inúteis de significado. Você não capta a beleza da destruição de palavras. Sabia que a novilíngua é a única língua no mundo cujo vocabulário diminui a cada ano?

Winston sabia disso, claro. Deu um sorriso que esperava ser simpático, sem confiar em si o bastante para falar algo. Syme mordeu outro fragmento do pão escuro, mastigou-o um pouco e continuou:

— Você não enxerga que todo o objetivo da novilíngua é estreitar o campo do pensamento? Ao final, tornaremos o crime do pensamento algo literalmente impossível, porque não haverá palavras para expressá-lo. Todo conceito que pode vir a ser necessário será expresso usando exatamente uma palavra, com seu significado rigidamente definido e todos os sentidos secundários apagados e esquecidos. Já na Décima Primeira Edição não estamos tão longe desse ponto. Mas o processo continuará por muito tempo depois que eu e você estivermos mortos. A cada ano, menos e menos palavras, e o campo de consciência um pouquinho menor. Mesmo agora, é claro, não há motivos ou desculpas para cometer um crime do pensamento. Trata-se apenas de uma questão de autodisciplina, de controle da realidade. Mas, ao final, não haverá necessidade sequer disso. A Revolução estará completa quando a linguagem estiver perfeita. A novilíngua é o Ingsoc e o Ingsoc é a novilíngua — acrescentou com uma espécie de satisfação mística. — Já pensou, Winston, que por volta dos anos 2050, no máximo, nem um só humano vivo será capaz de compreender uma conversa como a que estamos tendo agora?

— Exceto... — começou a falar Winston, inseguro, e parou.

Estava na ponta de sua língua: "Exceto os proletas", mas se controlou, não tinha certeza se o seu comentário não violava a ortodoxia. Syme, no entanto, previu o que ele ia dizer.

— Os proletas não são seres humanos — ele afirmou, de um jeito descuidado. — Por volta de 2050 (antes, é mais provável) todo o conhecimento real da velhalíngua terá desaparecido. Toda a literatura do passado terá sido destruída. Chaucer, Shakespeare, Milton, Byron existirão apenas em versões da novilíngua, não serão só diferentes, mas de fato terão se transformado em algo que está em contradição com o que eram antes. Até a literatura do Partido mudará. Até os slogans mudarão. Como manter um do tipo "liberdade é escravidão" quando o conceito de liberdade foi abolido? Toda a maneira de pensar será diferente. Na verdade, não haverá pensamento, não da maneira como o compreendemos agora. A ortodoxia significa não pensar, não precisar pensar. Ortodoxia é inconsciência.

Um dia desses, pensou Winston com uma convicção repentinamente profunda, Syme será vaporizado. Ele é inteligente demais. Ele enxerga tudo com muita clareza e fala de maneira direta. O Partido não gosta desse tipo de gente. Um dia ele vai desaparecer. Está escrito no rosto dele.

Winston tinha terminado o pão e o queijo. Virou um pouco de lado na cadeira para beber seu café. Na mesa à esquerda, o homem de voz estridente seguia tagarelando, sem nenhum remorso. Uma jovem que talvez fosse secretária dele, e que estava sentada de costas para Winston, escutava-o e parecia concordar enfaticamente com tudo o que ele dizia. De tempos em tempos, Winston escutava algum comentário como "acho que você está muito certo, concordo demais com você", dito com uma voz feminina boba e juvenil. Mas a outra voz não parava nem por um instante, nem quando a garota estava falando. Winston conhecia o homem de vista, embora não soubesse nada dele além de que tinha um cargo importante no Departamento de Ficção. Era um homem na faixa dos trinta, com um pescoço musculoso e uma boca grande e móvel. Sua cabeça estava um pouco jogada para trás e, por causa do ângulo em que estava sentado, seus óculos refletiam a luz e ofereciam a Winston dois círculos em branco em vez de olhos. O que pareceu um tanto horrível era que da enxurrada de palavras que se esparramava da boca dele era quase impossível distinguir alguma palavra. Winston só uma vez conseguiu captar uma frase — "eliminação completa e final do Goldsteinismo" — dita com muita velocidade e, pareceu, de uma só vez, como um bloco sólido de linotipo. De resto, era só barulho, um blá-blá-blá. E, ainda assim, mesmo sem conseguir entender o que o homem dizia, não havia dúvidas da natureza geral do que ele falava. Podia estar denunciando Goldstein e exigindo medidas mais severas contra criminosos do pensamento e sabotadores, podia estar fulminando as atrocidades do exército eurasiano, vangloriando o Grande Irmão ou os heróis no front Malabar — não fazia diferença. Seja lá o que fosse, dava para saber que cada palavra era pura ortodoxia, puro Ingsoc. Enquanto assistia ao rosto sem olhos com a mandíbula que subia e descia, Winston teve uma sensação curiosa de que aquilo não era um ser humano de verdade, mas uma espécie de boneco. Não era o cérebro do homem que falava, era sua laringe. O troço que saía de sua boca consistia em palavras, mas não era um discurso no sentido pleno: era um ruído emitido inconscientemente, como o grasnar de um pato.

Syme ficou em silêncio por um instante, desenhando padrões na poça de ensopado com a ponta da colher. A voz da outra mesa continuou grasnando, e era facilmente audível apesar da balbúrdia ao redor.

— Tem uma palavra em novilíngua — disse Syme — não sei se você conhece: PATOFALAR, grasnar como um pato. É uma dessas palavras interessantes com significados contraditórios. Aplicada a um oponente, é um ataque, aplicada a alguém com quem você concorda, é um elogio.

Não há dúvidas de que Syme será vaporizado, Winston pensou mais uma vez, e com uma espécie de tristeza, embora estivesse ciente de que Syme o desprezava e não gostava muito dele, e era bem capaz de denunciá-lo como criminoso do pensamento se visse algum motivo para isso. Tinha algo de sutilmente errado em Syme. Faltava-lhe algo: discrição, indiferença, uma espécie de estupidez que o salvaria. Não dava para dizer que ele não era ortodoxo. Acreditava nos princípios do Ingsoc, venerava o Grande Irmão, regozijava com as vitórias, detestava hereges, não apenas sinceramente, mas com um zelo incansável, sempre atualizado nas informações, algo que o membro comum do Partido não era. No entanto, ele sempre estava associado a certa má fama. Dizia coisas que seria melhor não dizer, lia livros demais, frequentava o Café da Castanheira, local cheio de pintores e músicos. Não havia lei, nem mesmo uma lei verbal, contra frequentar o Café da Castanheira e, no entanto, o lugar tinha uma reputação ruim. Os líderes antigos e desacreditados do Partido costumavam se reunir lá antes de serem enfim expurgados. O próprio Goldstein, dizia-se, fora visto lá algumas vezes, havia anos ou décadas. O destino de Syme não era difícil de prever. Porém, era um fato: se Syme captasse, nem que fosse por três segundos, a natureza das opiniões secretas de Winston, ele o denunciaria no mesmo minuto para a Polícia do Pensamento. Assim como qualquer outra pessoa, por sinal, mas Syme mais do que todos os outros. O zelo não era o bastante. A ortodoxia era a inconsciência.

Syme olhou para cima.

— Lá vem o Parsons — disse.

Algo no seu tom de voz parecia acrescentar: "aquele idiota". Parsons, vizinho de Winston nas Mansões da Vitória, estava de fato cruzando a sala — era um homem gorducho, de estatura média, cabelos claros e um rosto de sapo. Aos trinta e cinco anos, parecia já acumular capas de gordura no pescoço e na cintura, mas seus movimentos eram vigorosos e joviais. Sua aparência era a de um garotinho que cresceu muito, então mesmo que ele usasse os macacões obrigatórios, era quase impossível pensar nele com outra roupa que não a bermuda azul, a camisa cinza e o cachecol vermelho dos Espiões. Ao vê-lo, sempre se enxergava uma imagem de joelhos gordinhos e mangas arregaçadas mostrando braços fartos. Parsons, de fato, invariavelmente trajava bermuda quando tinha a desculpa de que faria uma trilha comunitária ou alguma outra atividade física. Cumprimentou os dois com um entusiasmado "Alô, alô!" e sentou-se à mesa, emanando um cheiro de suor intenso. Gotas de umidade saltavam por todo o seu rosto rosado. Sua capacidade de suar era extraordinária. Nos Centros Comunitários, sempre era possível saber que ele tinha jogado tênis de mesa, por causa da umidade na empunhadura da raquete. Syme tinha pego um pedaço de papel com uma coluna longa de palavras e estudava-o com uma caneta-tinteiro entre os dedos.

— Olha só quem está trabalhando no horário de almoço — disse Parsons, dando um cutucão em Winston. — Que disposição, hein? O que você tá fazendo, meu velho? Algo cabeçudo demais para mim, imagino. Smith, meu velho, deixa eu contar por que estou atrás de você. Aquele pagamento que você esqueceu de me dar.

— Qual? — perguntou Winston, automaticamente procurando dinheiro. Cerca de um quarto do salário de cada um tinha que ser separado para contribuições voluntárias, tão numerosas que era até difícil de acompanhar.

— Para a Semana do Ódio. Você sabe, o fundo coletado de porta em porta. Sou o tesoureiro do nosso quarteirão. Estamos fazendo um esforço total; vamos dar um show tremendo. Vou te contar, não será culpa minha se as nossas antigas Mansões da Vitória não tiverem o maior número de bandeiras da rua toda. Você me prometeu dois dólares.

Winston encontrou e entregou duas notas amassadas e sujas, que Parsons registrou num pequeno caderno, com a caligrafia limpa de um analfabeto.

— Por sinal, meu velho — ele disse —, ouvi falar que o meu pirralho atacou você com um estilingue ontem. Dei um belo sermão nele. Na verdade, falei que ia tirar o estilingue dele se fizesse isso de novo.

— Acho que ele ficou um pouco chateado por não ir à execução — disse Winston.

— Ah, bom... quer dizer, é o que se espera deles, não? Pirralhos safados, os dois, mas quanta disposição! Só pensam nos Espiões e na guerra, é claro. Cê sabe o que a minha filhota fez no sábado passado, quando a tropa dela estava numa trilha por Berkhamsted? Ela convenceu duas outras garotas a saírem com ela da trilha e passou a tarde toda seguindo um homem estranho. Ficaram na cola dele por duas horas, pela floresta, e então, quando chegaram a Amersham, entregaram-no para a patrulha.

— Por que fizeram isso? — perguntou Winston, um tanto abalado. Parsons prosseguiu, triunfante:

— Minha filha tinha certeza de que ele era algum agente inimigo; podia ter caído de paraquedas, por exemplo.

Mas eis a questão, meu velho. O que você acha que a levou a segui-lo em primeiro lugar? Ela notou que ele usava um tipo de calçado esquisito, nunca tinha visto ninguém usando aqueles sapatos. Então havia muitas chances de ele ser um estrangeiro. Muito esperto para uma pirralha de sete anos, hein?

— E o que aconteceu com o homem? — perguntou Winston.

— Ah, não sei dizer, é claro. Mas não ficaria surpreso se... — Parsons fez o gesto de mirar um rifle e estralou a língua imitando a explosão.

— Que bom — disse Syme, distraído, sem levantar os olhos da sua tira de papel.

— É claro que não podemos nos arriscar — concordou Winston, obediente.

— O que eu quero dizer é que estamos em guerra — disse Parsons.

Como uma espécie de confirmação, um barulho de trompete flutuou da teletela acima da cabeça deles. Porém, dessa vez não era para proclamar uma vitória militar, mas apenas um anúncio do Ministério da Fartura.

— Camaradas — bradou uma voz jovem e entusiasmada. — Atenção, camaradas! Temos notícias gloriosas. Ganhamos a batalha pela produção! Dados já consolidados referentes à produção de todas as categorias de bens de consumo mostram que o padrão de vida subiu em vinte por cento em relação ao ano passado. Por toda a Oceania, nesta manhã, houve manifestações espontâneas e irreprimíveis quando os trabalhadores saíram marchando das fábricas e escritórios num desfile pelas ruas com faixas que declaravam sua gratidão ao Grande Irmão pela vida nova e feliz que sua sábia liderança nos concedeu. Aqui estão as cifras completas. Produtos alimentícios...

A expressão "vida nova e feliz" foi repetida várias vezes. Era uma das favoritas do Ministério da Fartura. O trompete chamou a atenção de Parsons, que ficou ouvindo com uma espécie de solenidade embasbacada, uma espécie de tédio edificante. Ele não conseguia acompanhar as cifras, mas estava ciente de que eram, por algum motivo, causa para satisfação. Tinha puxado um cachimbo enorme e sujo que já estava meio cheio de tabaco carbonizado. Com o racionamento de tabaco a cem gramas por semana, quase não era possível encher todo um cachimbo. Winston fumava um Cigarro da Vitória que mantinha cuidadosamente na horizontal. O novo racionamento só começaria a partir do dia seguinte e lhe restavam apenas quatro cigarros. Naquele momento, tinha desligado os ouvidos para ruídos mais remotos e escutava o que saía da teletela. Parece que houve aqui e ali manifestações de agradecimento ao Grande Irmão pelo aumento da ração de chocolate para vinte gramas por semana. E, ontem mesmo, refletiu, tinha se anunciado que a ração seria *reduzida* para vinte gramas por semana. Como era possível alguém engolir essa, apenas vinte e quatro horas depois? Sim, as pessoas engoliam. Parsons engoliu com facilidade, com a estupidez de um animal. A criatura sem olhos da outra mesa engoliu aquilo com fanatismo, paixão, um desejo furioso de localizar, denunciar e vaporizar qualquer pessoa que ousasse sugerir que a ração da semana anterior era de trinta gramas. Syme também — de uma maneira mais complexa, envolvendo duplipensar, Syme engoliu aquilo. Será que ele estava *sozinho* na posse de uma memória?

As estatísticas fabulosas continuaram jorrando da teletela. Comparado com o ano anterior, havia mais comida, mais roupas, mais casas, mais móveis, mais panelas, mais combustível, mais navios, mais helicópteros, mais livros, mais bebês — mais tudo, exceto doença, crime e insanidade. Ano a ano, minuto a minuto, tudo e todos jorravam para o alto. Como Syme fizera antes, Winston pegou sua colher e ficou remexendo a poça pálida que escorria pela mesa, desenhando padrões num fio comprido que fluía dali. Ele meditou, ressentido, a respeito da textura física da vida. Sempre fora assim? A comida sempre tivera aquele gosto? Olhou ao redor do refeitório. Uma sala de teto baixo, lotada, com paredes sujas pelo contato de inúmeros corpos; mesas e cadeiras de metal maltratadas, tão próximas umas das outras que as pessoas se sentavam encostando cotovelos; colheres tortas, bandejas amassadas, xícaras brancas rústicas; todas as superfícies engorduradas, fuligem em todas as ranhuras; e uma mistura de cheiros azedos de gim e café ruins e ensopado metálico e roupas sujas. No estômago e na pele das pessoas sempre havia uma espécie de protesto, uma sensação de que lhes roubaram algo a que elas tinham direito. Era verdade que ele não se lembrava de nada tão diferente. Em qualquer período de que conseguia se lembrar com precisão, nunca houvera o bastante para comer, nunca se tivera meias ou cuecas sem furos, os móveis sempre foram capengas e puídos, os quartos mal aquecidos, os metrôs lotados, as casas caindo aos pedaços, o pão escuro, o chá uma raridade, café com gosto de sujeira, cigarros insuficientes — nada era barato e farto exceto o gim sintético. E, é claro, ao passo que o corpo da pessoa ia envelhecendo e a situação piorava, não era sinal de que *não* fazia parte da ordem natural das coisas o fato de que o coração adoecia com o desconforto, a sujeira e a escassez, os invernos intermináveis, as meias grudentas, os elevadores que nunca funcionavam, a água gelada, o sabão áspero, os cigarros que se desfaziam, a comida com seus sabores ruins e estranhos? Alguém só poderia achar aquilo intolerável se possuísse uma espécie de memória ancestral de como as coisas foram diferentes um dia.

Olhou ao redor do refeitório de novo. Quase todo mundo era feio, e seria feio mesmo se vestisse algo além dos macacões azuis de uniforme. No canto extremo do salão, sentado sozinho à mesa, havia um homem mirrado, que curiosamente lembrava um besouro, tomando uma xícara de café, com seus olhinhos que se lançavam com suspeita de um lado para o outro. Como era fácil, pensou Winston, acreditar, se não se olhasse ao redor, que o tipo físico definido como ideal pelo Partido — jovens altos e musculosos e damas com seios fartos, de cabelos loiros, vigorosos, bronzeados, despreocupados — existia e era até predominante.

Na verdade, pelo que era capaz de julgar, a maioria das pessoas na Pista de Pouso Um eram pequenas, enfermiças e de cabelos escuros. Era curioso como esse tipo meio besouro se proliferava nos Ministérios: homenzinhos atarracados, que ficavam gorduchos desde cedo, com pernas curtas, movimentos rápidos e curtos, e rostos rechonchudos e inescrutáveis, com olhos pequenininhos. Era o tipo que mais parecia florescer sob o jugo do Partido.

O anúncio do Ministério da Fartura terminou com outro soprar de trompete e cedeu espaço para uma música metálica. Parsons, que angariava um entusiasmo vago do bombardeio de cifras, tirou o cachimbo da boca.

— O Ministério da Fartura com certeza fez um bom trabalho esse ano — ele disse, balançando a cabeça. — Por sinal, meu velho Smith, você não teria alguma lâmina de barbear para me emprestar?

— Nenhuma — respondeu Winston. — Estou usando a mesma há seis semanas.

— Ah, bem... Achei que valia a pena perguntar, meu velho.

— Sinto muito — disse Winston.

A voz de pato da mesa ao lado, silenciada durante o anúncio do Ministério, recomeçou a grasnar, tão alto quanto antes. Por algum motivo, Winston de repente pensou na sra. Parsons, com seu cabelo ralo e o pó nas rugas da face. Dentro de dois anos, aquelas crianças a denunciariam para a Polícia do Pensar. A sra. Parsons seria vaporizada. Syme seria vaporizado. Winston seria vaporizado. O'Brien seria vaporizado. Parsons, por outro lado, nunca seria vaporizado.

A criatura sem olhos com a voz de pato nunca seria vaporizada. Os homens mirrados que pareciam besouros, andando de maneira tão ligeira pelos corredores labirínticos dos Ministérios, também não seriam vaporizados. E a garota de cabelo escuro, a garota do Departamento de Ficção... ela nunca seria vaporizada também. Ele parecia saber instintivamente quem sobreviveria e quem pereceria, embora não fosse fácil de dizer o que levava alguém a sobreviver.

Naquele momento, foi arrancado de seus devaneios por uma sacudida violenta. A garota da mesa ao lado tinha se virado e olhava para ele. Era a garota de cabelo escuro. Ela olhava para ele de lado, mas com uma intensidade curiosa. No instante em que os dois se encararam, ela desviou os olhos.

O suor começou a escorrer da nuca de Winston. Um baque de terror o percorreu. Desapareceu quase no mesmo instante, mas deixou nele uma inquietação persistente. Por que ela o observava? Por que ela continuava seguindo-o? Infelizmente, não conseguia lembrar se ela já estava sentada à mesa quando ele chegou, ou se tinha aparecido depois. Mas ontem, de qualquer modo, durante os Dois Minutos de Ódio, sentara-se logo atrás dele sem motivo aparente. Era bastante provável que o objetivo dela fosse ouvi-lo e garantir que ele estava gritando alto o suficiente.

Um pensamento retornou: provavelmente ela não era de fato membro da Polícia do Pensar, mas eram justo os espiões amadores que representavam o maior perigo. Ele não sabia por quanto tempo ela tinha o encarado, mas talvez tenham sido uns cinco minutos, e era possível que nem todas as expressões dele estivessem sob controle completo. Era terrivelmente perigoso deixar seus pensamentos vagarem em um lugar público ou ao alcance de uma teletela. O menor detalhe poderia denunciá-lo. Um tique nervoso, um olhar inconsciente de ansiedade, o hábito de murmurar consigo mesmo — qualquer coisa que indicasse anormalidade, ou algo a esconder. De todo modo, ter uma expressão imprópria no rosto (parecer incrédulo quando anunciavam uma vitória, por exemplo) era, em si, uma ofensa digna de punição. Havia até uma palavra para isso em novilíngua: chamavam de CRIMERROSTO.

A garota ficou de costas para ele outra vez. Talvez, afinal de contas, ela não estivesse de fato seguindo-o, talvez tenha sido apenas uma coincidência ela ter sentado tão perto dele dois dias consecutivos. Seu cigarro tinha se apagado e ele o colocou com cuidado na ponta da mesa. Terminaria de fumá-lo depois do trabalho, se conseguisse manter o tabaco dentro dele. Era bastante provável que a pessoa da mesa ao lado fosse um espião da Polícia do Pensar, e bastante provável que ele iria para o Ministério do Amor dentro de três dias, mas uma ponta de cigarro não deve ser desperdiçada. Syme dobrou sua tira de papel e guardou-a no bolso. Parsons voltou a falar.

— Já te contei, meu velho — ele disse, rindo com o cachimbo na boca — da vez que os meus dois pirralhos tacaram fogo na saia da velha do mercado porque eles a viram enrolando salsichas num pôster do G.I.? Chegaram sorrateiros atrás dela e atearam fogo com uma caixa de fósforos. Ela se queimou feio, que eu saiba. Que pestinhas, hein? Mas espertos como uma raposa! Hoje em dia dão um treinamento de primeira nos Espiões; melhor que na minha época, até. Sabe qual foi a última coisa que deram para eles? Cones de ouvido para escutar através dos buracos de fechadura! Minha menina trouxe um desses para casa uma noite, experimentou na porta da nossa sala de estar, e concluiu que dava para ouvir duas vezes mais do que só com a orelha grudada no buraco. Claro que é só um brinquedo, você sabe. Ainda assim, dá a ideia certa para eles, hein?

Nesse momento, a teletela soltou um assovio penetrante. Era o sinal de voltar ao trabalho. Todos os três homens se levantaram para juntar-se à batalha para entrar nos elevadores, e o tabaco remanescente caiu do cigarro de Winston.

Capítulo 6

Winston estava escrevendo no seu diário:

> Foi há três anos. Numa noite escura, numa rua lateral estreita, perto de uma dessas grandes estações de trem. Ela estava parada, encostada na parede perto da entrada de um prédio, debaixo de um poste de luz que quase não iluminava. Tinha um rosto jovem, com maquiagem carregada. Foi com certeza a maquiagem que me chamou a atenção, a brancura, como uma máscara, e os lábios de um vermelho intenso. Mulheres do Partido nunca pintam o rosto. Não havia mais ninguém na rua, e nenhuma teletela. Ela disse dois dólares. Eu...

Naquela hora, era difícil demais continuar. Ele fechou os olhos e pressionou os dedos contra eles, tentando expulsar a visão que reaparecia. Teve quase uma tentação incontrolável de gritar vários palavrões o mais alto possível. Ou de bater a cabeça contra a parede, chutar a mesa e arremessar o pote de tinta pela janela — fazer qualquer coisa violenta, barulhenta ou dolorosa que pudesse apagar a lembrança que o atormentava.

O pior inimigo de uma pessoa, refletiu, era o seu próprio sistema nervoso. A qualquer momento, a tensão dentro do sujeito podia ser traduzida em algum sintoma visível. Pensou num homem por quem passara na rua algumas semanas antes; um homem bastante comum, um membro do

Partido, entre trinta e cinco e quarenta anos, magro e alto, carregando uma maleta. Estavam a poucos metros de distância quando o lado esquerdo do rosto do homem se contorceu de repente, numa espécie de espasmo. Aconteceu de novo quando passaram um pelo outro: era apenas uma contração, um tremelico, rápido como o clique do obturador de uma câmera, mas obviamente algo habitual. Lembrou-se do que havia pensado na época: esse coitado já era. E o assustador é que muito provavelmente aquela ação era inconsciente. O perigo mais fatal de todos era falar dormindo. Não havia como se proteger contra isso, pelo que ele via.

Ele respirou fundo e continuou escrevendo:

> Entrei com ela, atravessamos um quintal e fomos para a cozinha de um porão. Havia uma cama contra a parede, e uma luminária numa mesa com a luz bem fraca. Ela...

Winston estava muito incomodado. Com vontade de cuspir. Pensou ao mesmo tempo na mulher na cozinha do porão e em Katharine, sua esposa. Ele era casado — tinha sido casado, de qualquer modo; provavelmente ainda estava casado, pois, até onde sabia, sua esposa não estava morta. Ele parecia respirar outra vez o odor quente e abafado da cozinha, um cheiro composto de insetos, roupas sujas e um perfume barato execrável, mas ainda assim atraente, porque nenhuma mulher do Partido podia usar perfume, nem podia se imaginar que fizessem isso. Só os proletas usavam. Na mente dele, o cheiro tinha uma ligação indissociável com sexo.

Aquele encontro com a mulher fora seu primeiro lapso em mais ou menos dois anos. Era proibido lidar com prostitutas, é claro, mas era uma daquelas regras que se podiam quebrar de vez em quando. Era perigoso, mas não uma questão de vida ou morte. Ser pego com uma prostituta podia levar a cinco anos em um campo de trabalho forçado, não mais do que isso, se o sujeito não tivesse cometido nenhuma outra ofensa. E era fácil, desde que se evitasse ser pego no ato. Os bairros mais pobres estavam atulhados de mulheres dispostas a se vender. Algumas podiam ser pagas com uma garrafa de gim, porque os proletas não deveriam beber. De forma tácita, o Partido tinha até uma tendência a encorajar a prostituição, como um escape para instintos que não podiam ser completamente suprimidos. Só a devassidão não importava tanto, desde que fosse furtiva e sem prazer, e só com mulheres de uma classe desprezada e inferior. O crime imperdoável era promiscuidade entre membros do Partido. Porém — embora esse fosse um dos crimes que os acusados nos grandes expurgos sempre confessavam — era difícil imaginar que isso acontecesse de fato.

O objetivo do Partido não era apenas prevenir homens e mulheres de criarem laços que poderiam não ser capazes de controlar. Sua finalidade real, não declarada, era a de remover todo o prazer do ato sexual. O inimigo não era tanto o amor, mas o erotismo, dentro ou fora do casamento. Todos os casamentos entre membros do Partido deveriam ser aprovados por um comitê convocado por esse motivo e — embora tal critério nunca fosse declarado — a permissão sempre era rejeitada se o casal em questão dava a impressão de sentir atração um pelo outro. O único objetivo reconhecido do casamento era gerar crianças para servirem ao Partido. A relação sexual deveria ser vista como uma operação menor e levemente repulsiva, como ter um enema. Isso também nunca era verbalizado, mas insinuado a todos membros do Partido desde a infância. Havia até organizações como a Liga Juvenil Antissexo, que advogavam celibato completo para ambos os sexos. Todas as crianças deviam ser geradas por inseminação artificial (INSEMART, em novilíngua) e criadas em instituições públicas. Winston estava ciente de que isso não deveria ser levado tão a sério, mas de certa maneira se encaixava na ideologia do Partido como um todo. O Partido tentava matar o instinto sexual ou, se este não pudesse ser morto, então o distorceriam e o difamariam. Ele não sabia por que, mas parecia natural que assim fosse. E, no que dizia respeito às mulheres, os esforços do Partido tinham sido muito bem-sucedidos.

Pensou mais uma vez em Katharine. Devia fazer nove, dez — quase onze — anos desde que se separaram. Era curioso como ele raramente pensava nela. Passava dias a fio sem lembrar que algum dia fora casado. Só ficaram juntos por quinze meses. O Partido não permitia o divórcio, mas incentivava separações quando não havia filhos.

Katharine era uma moça alta, de cabelo claro, que andava ereta, com movimentos esplêndidos. Tinha um rosto aquilino e forte, que poderia ser chamado de nobre, até descobrirem que não havia quase nada por trás dele. Bem no início da vida de casado ele decidira — embora talvez só porque a conhecia mais intimamente do que conhecia a maioria das pessoas — que ela era, sem exceções, a mente mais estúpida, vulgar e vazia que já encontrara. Não tinha nada na cabeça que não fosse um slogan, e não havia absolutamente nenhuma imbecilidade em que ela não fosse capaz de acreditar se o Partido a oferecesse. "A trilha sonora humana" era o apelido que ele lhe dera em sua cabeça. Ainda assim, ele conseguiria aguentar viver com ela se não fosse por uma coisa: sexo.

Assim que ele a tocava, ela parecia se retrair e enrijecer. Abraçá-la era como abraçar um boneco de madeira articulado. E o mais estranho era que mesmo se ela o pressionava contra si, ele tinha a sensação de que, ao mesmo tempo, ela o empurrava para longe com toda sua força. A rigidez de seus músculos dava essa impressão. Ela deitava ali de olhos fechados, sem resistir ou cooperar, mas *submissa*. Era extraordinário de tão constrangedor e, depois de um tempo, horrível. Mas, mesmo então, ele conseguiria viver com ela se concordassem em manter o celibato. O curioso foi que a própria Katharine se recusou. Eles deveriam, ela disse, gerar um filho se pudessem. Então a performance continuou acontecendo, com regularidade semanal, quando possível. Ela até o lembrava do assunto de manhã, como algo que precisava ser feito naquela noite ou seria esquecido. Ela tinha dois nomes para isso. Um era "fazer um bebê", e o outro era "nosso dever com o Partido" (sim, ela de fato usara essa expressão). Logo, ele passou a ter verdadeiro horror quando chegava o dia. Por sorte, nenhum filho veio, e ao final ela concordou em desistir de tentar, e logo depois se separaram.

Winston deu um suspiro inaudível. Pegou sua caneta mais uma vez e escreveu:

> Ela se jogou na cama e, de uma só vez, sem nenhum tipo de preliminar, da maneira mais horrível e grosseira que se pode imaginar, levantou a saia. Eu...

Ele se viu ali parado na luz fraca do abajur, com o cheiro de insetos e perfume barato nas narinas, e em seu coração agora sentia derrota e ressentimento, que até aquele momento estavam misturados com a lembrança do corpo branco de Katharine, congelado para sempre pelo poder hipnótico do Partido. Por que sempre teve que ser desse jeito? Por que ele não pudera ter uma mulher de fato, em vez daqueles encontros sórdidos em intervalos de anos? Mas um caso de amor real era o evento mais impensável de todos. As mulheres do Partido eram todas iguais. A castidade estava enraizada nelas como parte da lealdade ao Partido. Graças a um condicionamento que começava desde cedo, com brincadeiras e água gelada, com as besteiras que forçavam goela abaixo na escola, nos Espiões e na Liga Juvenil, com palestras, desfiles, canções, slogans e música marcial, o sentimento natural fora tirado delas. A racionalidade de Winston dizia que devia haver exceções, mas seu coração não acreditava nisso. Todas eram inconquistáveis, como o

Partido pretendia que fossem. E o que ele queria, mais até do que ser amado, era romper essa muralha da virtude, mesmo se fosse uma só vez durante toda sua vida. O ato sexual, bem realizado, era uma rebelião. O desejo era um crime do pensamento. Despertar o desejo em Katharine, mesmo se ele tivesse conseguido isso, seria uma sedução, ainda que ela fosse sua esposa.

Mas o resto da história precisava ser contado. Ele escreveu:

Levantei o abajur. Quando a enxerguei, iluminada...

Depois de tanta escuridão, a luz fraca da lâmpada de querosene parecia muito clara. Pela primeira vez ele conseguira enxergar direito a mulher. Dera um passo em sua direção e então parara, cheio de luxúria e pavor. Tinha a consciência dolorosa do risco que correra ao ir lá. Era perfeitamente possível que as patrulhas o pegassem na saída: por isso, podiam muito bem estar esperando do lado de fora da porta naquele instante. Se ele saísse, mesmo sem ter feito o que fora fazer lá...!

Tinha que ser escrito, tinha que ser confessado. O que ele vira de repente na luz do lampião era que a mulher era *velha*. A maquiagem era tão espessa que parecia capaz de rachar como uma máscara de papelão. Havia tufos brancos no seu cabelo; mas o detalhe verdadeiramente pavoroso era que sua boca ficava um pouco aberta, revelando nada além de uma escuridão cavernosa. Ela não tinha dentes.

Ele escreveu apressado, numa caligrafia mal-acabada:

> Quando eu a vi na luz, ela era uma mulher bastante velha, de no mínimo cinquenta anos. Mas segui adiante de qualquer maneira.

Ele pressionou os dedos contra as pálpebras mais uma vez. Finalmente escrevera aquilo, mas não fazia diferença. A terapia não funcionara. A ânsia de gritar palavrões o mais alto possível era tão forte quanto sempre fora.

Capítulo 7

"Se há esperança", escreveu Winston, "está nos proletas."

Se havia esperança, ela *precisava* estar nos proletas, porque só nessas massas desprezadas, oitenta e cinco por cento da população da Oceania, poderia ser gerada a força para destruir o Partido. O Partido não podia ser derrubado de dentro. Seus inimigos, se é que os possuíam, não tinham como se reunir ou até identificar um ao outro. Mesmo se existisse a lendária Irmandade, algo bastante possível, era inconcebível que seus membros pudessem se agregar em números maiores do que duas ou três pessoas. Rebelião significava um olhar, uma inflexão da voz, no máximo uma palavra sussurrada. Mas os proletas, se eles conseguissem de alguma maneira se tornar conscientes da própria força, não haveria necessidade de conspirar. Precisariam somente se erguer e se sacudir, como um cavalo que afasta as moscas. Se quisessem, poderiam explodir o Partido em vários pedacinhos amanhã de manhã. Com certeza, cedo ou tarde, pensariam nisso. E, no entanto...!

Ele se lembrou de uma vez em que estava caminhando por uma rua lotada quando um grito tremendo de centenas de vozes de mulheres estourara em uma rua lateral um pouco adiante. Era um berro formidável de raiva e desespero, um "A-a-a-ah!" profundo e ruidoso que continuara soando, como a reverberação de um sino. Seu coração dera um pulo. Começou!, ele chegou a pensar. Uma revolta! Os proletas estão se libertando, até que enfim! Quando chegou ao local, viu uma multidão de duzentas ou trezentas mulheres ao redor dos camelôs no mercado de rua com rostos tão trágicos que pareciam ser passageiras num navio em naufrágio. Mas, naquele momento, o desespero geral se dividira em uma profusão de brigas individuais. Parece que um dos camelôs estava vendendo frigideiras de latão. Produtos frágeis e horrorosos, mas era dificílimo conseguir qualquer tipo de panela. O estoque tinha acabado de repente. As mulheres que conseguiram comprar, empurradas pelas outras, tentavam escapar com suas frigideiras enquanto dezenas de outras causavam uma baderna ao redor do camelô, acusando o comerciante de favoritismo e de ter mais frigideiras escondidas em algum lugar. Houvera um novo acesso de gritos. Duas mulheres gorduchas, uma delas com o cabelo caindo no rosto, tinham pegado a mesma frigideira e tentavam arrancar o objeto das mãos uma da outra. Por um momento, as duas puxaram ao mesmo tempo, e de repente o cabo se soltara. Winston as observara com nojo. E, ainda assim, por um instante, que poder assombroso tinha aquele berro de centenas de gargantas! Por que não gritavam assim para as coisas que de fato importavam?

Ele escreveu:

> Até se tornarem conscientes, nunca se rebelarão, e até se rebelarem, não se tornarão conscientes.

Isso, refletiu, poderia ser quase a transcrição de uma apostila do Partido. O Partido afirmava, é claro, ter libertado os proletas da escravidão. Antes da Revolução, eles foram oprimidos de modo terrível pelos capitalistas, passavam fome e eram chicoteados, as mulheres eram forçadas a trabalhar nas minas de carvão (mulheres ainda trabalhavam nas minas de carvão, para falar a verdade), as crianças eram vendidas para as fábricas aos seis anos. Mas, ao mesmo tempo, e isso se encaixava nos Princípios do duplipensar, o Partido ensinava que os proletas eram naturalmente inferiores e deveriam ser dominados, como animais, por meio da aplicação de algumas regras simples. Na verdade, sabia-se muito pouco a respeito dos proletas. Não era necessário saber muito. Desde que eles continuassem trabalhando e procriando, suas outras atividades pouco importavam. Deixados por conta própria, como gado nos pampas argentinos, tinham retornado a um estilo de vida que parecia natural para eles, uma espécie de padrão ancestral. Nasciam, cresciam nas sarjetas, iam trabalhar aos doze anos, passavam por um breve período de florescimento da beleza e do desejo sexual, casavam aos vinte, chegavam à meia-idade aos trinta, e a maioria morria aos sessenta. Trabalho braçal pesado, cuidar de casa e das crianças, pequenas brigas com os vizinhos, filmes, futebol, cerveja e, acima de tudo, apostas ocupavam o horizonte de suas mentes. Não era difícil mantê-los sob controle. Alguns agentes da Polícia do Pensar estavam sempre entre eles, espalhando boatos falsos, marcando e eliminando os poucos indivíduos que julgavam capazes de se tornar perigosos: mas não tentavam doutriná-los com a ideologia do Partido. Não era desejável que os proletas tivessem sentimentos políticos fortes. Tudo o que se exigia deles era um patriotismo primitivo ao qual se podia apelar sempre que necessário para aceitarem uma jornada de trabalho mais longa e uma ração reduzida. E mesmo quando ficavam descontentes, o que às vezes acontecia, esse descontentamento não levava a nada, porque sem uma ideia ampla, só conseguiam focar em queixas mesquinhas e específicas. Os maiores males passavam despercebidos. A maioria dos proletas sequer tinha teletelas em casa. Até a Polícia Civil interferia pouco na vida deles. Havia uma vasta criminalidade em Londres, todo um universo dentro do mundo composto de ladrões, bandidos, prostitutas, traficantes e vigaristas de toda espécie; mas como tudo acontecia entre os próprios proletas, não importava. Em todas as questões morais, podiam seguir seus códigos ancestrais. O puritanismo sexual do Partido não lhes era imposto. Promiscuidade não era punida, o divórcio era permitido. Em relação a isso, até o culto religioso seria permitido se os proletas demonstrassem precisar ou querer isso. Não estavam sob suspeita. Como dizia o slogan do Partido: "Proletas e animais são livres".

Winston se abaixou e coçou com cuidado a sua úlcera varicosa. Começara a coçar outra vez. A coisa à qual sempre se retornava era a impossibilidade de saber como era a vida antes da Revolução. Tirou da gaveta a cópia de um livro de História para crianças que ele pegara emprestado da sra. Parsons e começou a copiar um trecho no seu diário:

Antigamente (constava), antes da gloriosa Revolução, Londres não era a linda cidade que conhecemos hoje em dia. Era um lugar sombrio, sujo e miserável onde quase ninguém tinha o suficiente para comer e centenas e milhares de pessoas pobres não tinham botas nos pés ou um teto sob o qual dormir. Crianças não mais velhas do que você precisavam trabalhar doze horas por dia para senhores cruéis que os chicoteavam se fossem lentos demais e só os alimentavam com migalhas de pão e água. Mas entre toda essa terrível pobreza havia algumas casas grandes e belas, habitadas por ricos que tinham até trinta servos trabalhando para eles. Esses ricos eram chamados de capitalistas. Eram homens gordos e feios com cara de mau, como o que aparece na foto da página seguinte. Você pode ver que ele está vestindo um casaco longo preto, que era chamado de sobretudo, e um chapéu esquisito e brilhante no formato de um cano de chaminé que era chamado de cartola. Esse era o uniforme dos capitalistas, e ninguém mais podia vestir tal roupa. Os capitalistas eram donos de tudo no mundo, e todas as outras pessoas eram suas escravas. Eram donos de toda a terra, todas as fábricas e todo o dinheiro. Se alguém os desobedecesse, eles poderiam colocar a pessoa na cadeia ou tirar seu emprego para que morresse de fome. Quando qualquer pessoa comum falava com um capitalista, ela tinha que se curvar a ele, tirar o chapéu e se referir a ele como "Senhor". O chefe de todos os capitalistas era chamado de Rei e...

Mas ele conhecia o resto da lengalenga. Haveria menções a bispos com suas mangas de algodão fino, juízes com suas túnicas de pele de arminho, pelourinho, cepo, roda de moinho de tortura, gato de nove caudas, o Banquete do Prefeito, e o costume de beijar os dedos dos pés do Papa. Havia também algo chamado de *jus primae noctis*, que provavelmente não seria mencionado no livro para crianças. Era a lei que determinava que todos os capitalistas tinham o direito de ir para a cama com qualquer mulher que trabalhasse em uma de suas fábricas.

Como era possível saber o quanto era mentira? *Talvez* fosse verdade que o ser humano médio estava melhor agora do que antes da Revolução. A única prova contrária era o protesto mudo nos próprios ossos das pessoas, o sentimento instintivo de que as condições na qual viviam eram intoleráveis e que, em alguma outra época, deviam ser diferentes. O que o impressionava era que a verdadeira característica da vida moderna não era a crueldade e a insegurança, mas a precariedade, a esqualidez e a apatia. Se uma pessoa olhasse para a própria vida, veria que não tinha a menor semelhança com as mentiras transmitidas pelas teletelas ou até com os ideais que o Partido tentava alcançar. Grandes partes dela, até para membros do Partido, eram neutras e não políticas, uma questão de trabalhar arduamente em empregos enfadonhos, lutar por um espaço no Tubo, cerzir uma meia velha, mendigar um tablete de sacarina, poupar uma ponta de cigarro. O ideal definido pelo Partido era algo enorme, terrível e reluzente — um mundo de aço e concreto, de máquinas monstruosas e armas aterrorizantes —, uma nação de guerreiros e de fanáticos que marchavam em perfeita união, todos pensando os mesmos pensamentos e gritando os mesmos slogans, trabalhando perpetuamente, brigando, triunfando, perseguindo — três milhões de pessoas com o mesmo rosto. A realidade eram cidades decadentes e precárias onde pessoas subnutridas iam e vinham com sapatos furados, em casas remendadas do século XIX que sempre cheiravam a repolho e a banheiros sujos. Ele parecia ter uma visão de Londres, vasta e em ruínas, a cidade de um milhão de lixeiras misturada a um retrato da sra. Parsons, uma mulher de rosto angular e cabelo ralo, desamparada, fuçando num cano de esgoto entupido.

Ele se abaixou e coçou mais uma vez o tornozelo. Dia e noite as teletelas feriam os ouvidos de todos com estatísticas, provando que as pessoas hoje tinham mais alimento, mais roupas, casas melhores, recreações superiores — viviam mais tempo, trabalhavam menos horas, eram mais altas, mais saudáveis, mais fortes, mais felizes, mais inteligentes e mais educadas se comparado a cinquenta anos antes. Não era possível provar ou refutar uma só palavra daquilo. O Partido afirmava, por exemplo, que hoje quarenta por cento dos proletas adultos eram alfabetizados; antes da Revolução, dizia-se que o número era de apenas quinze por cento. O Partido afirmava que a taxa de mortalidade infantil agora era de apenas cento e sessenta a cada mil, enquanto antes da Revolução era de trezentos — e assim por diante. Era como uma equação simples com duas variáveis. Podia muito bem ser que, literalmente, todas as palavras em todos os livros de História, até aquilo que as pessoas aceitavam sem questionar, fosse fantasia pura. Pois tudo o que ele sabia é que talvez nunca tenha existido uma lei como a *jus primae noctis*, ou criaturas como os capitalistas, ou vestimentas como a cartola.

Tudo desaparecia na névoa. O passado era apagado e o apagamento era esquecido, a mentira se tornava verdade. Somente uma vez em sua vida ele possuíra — *depois* do evento, isso que importava — uma prova concreta, inconfundível, de um ato de falsificação. Ele a segurara entre os dedos por longos trinta segundos. Em 1973, deve ter sido — seja como for, era mais ou menos na época em que ele e Katharine se separaram. Mas a data realmente importante era de sete ou oito anos antes.

A história começava de fato em meados dos anos 1960, o período dos grandes expurgos em que os primeiros líderes da Revolução foram eliminados de uma vez por todas. Quando chegou 1970, não havia sobrado ninguém além do próprio Grande Irmão. Todos os restantes, naquela época, já tinham sido expostos como traidores e contrarrevolucionários. Goldstein fugira e estava escondido sabe-se lá onde, e os outros, alguns tinham apenas desaparecido, enquanto a maioria fora executada depois de julgamentos públicos espetaculosos em que confessavam seus crimes. Entre os últimos sobreviventes estavam três homens chamados Jones, Aaronson e Rutherford. Deve ter sido em 1965 que esses três foram presos. Como era de costume, tinham desaparecido por uns anos, então ninguém sabia ao certo se estavam vivos ou mortos, e então, de repente, surgiam à tona para se incriminar, do jeito de sempre. Tinham confessado fornecer informações ao inimigo (que na época também era a Eurásia), desvio de fundos públicos, assassinato de vários membros de confiança do Partido, intrigas contra a liderança do Grande Irmão que começaram muito antes da Revolução e atos de sabotagem causadores da morte de centenas de milhares de pessoas. Depois de confessar esses crimes, eram perdoados, reinstaurados ao Partido e recebiam postos que, na verdade, eram vagas de quase nenhum esforço, que apenas pareciam importantes. Todos os três haviam escrito artigos longos e abjetos no *The Times* analisando os motivos por que desertaram e prometendo reconciliar-se.

Algum tempo depois de serem libertos, Winston tinha de fato visto os três no Café da Castanheira. Ele se lembrava do tipo de fascínio apavorado com o qual observava-os de canto de olho. Eram homens muito mais velhos que ele, relíquias do mundo antigo, quase as últimas grandes figuras remanescentes dos dias heroicos do Partido. Ainda restava neles um leve brilho do glamour da luta subterrânea e da guerra civil. Ele tinha a sensação, embora já naquela época os fatos e as datas estivessem cada vez mais borrados, de que já tinha ouvido o nome deles anos antes de ouvir o do Grande Irmão. Porém, eles também eram foras da lei, inimigos, intocáveis, condenados com certeza absoluta à extinção dentro de um ou dois anos. Ninguém que caiu nas mãos da Polícia do Pensar conseguiu escapar ao final. Eram cadáveres esperando para ser mandados ao túmulo.

Não havia ninguém nas mesas mais próximas a eles. Não era sábio ser visto perto de tais pessoas. Estavam sentados em silêncio diante de copos de gim aromatizado com cravo, a especialidade do lugar. Dos três, foi Rutherford quem mais impressionou Winston com sua aparência. Rutherford um dia fora um famoso caricaturista, cujas tirinhas brutais ajudaram a inflamar a opinião pública antes e durante a Revolução. Mesmo agora, entre longos intervalos, suas tiras apareciam no *The Times*. Eram apenas uma imitação do seu estilo antigo, e curiosamente sem vida e pouco convincente. Sempre eram uma repetição de temas velhos — cortiços, crianças esfomeadas, brigas de rua, capitalistas de cartola — até nas barricadas os capitalistas pareciam se agarrar às suas cartolas numa tentativa interminável e desesperançada de voltar ao passado. Ele era um homem monstruoso, com uma juba de cabelo grisalho e oleoso, o rosto inchado e enrugado, com lábios negroides grossos. Deve ter sido imensamente forte algum dia; agora, seu corpo enorme estava molenga, caído, com banhas que pendiam para todos os lados. Parecia desabar diante dos seus olhos, como uma montanha desmoronando.

Estavam no horário solitário das quinze. Winston não conseguia lembrar o que o levou àquele café em tal horário. O lugar estava quase vazio. Uma música metálica vazava das teletelas. Os três homens ficaram sentados no seu canto praticamente imóveis, sem jamais abrir a boca para falar. Sem ser chamado, o garçom trouxe outros copos cheios de gim. Havia um tabuleiro de xadrez ao lado deles, com as peças no lugar, mas ninguém começara o jogo. E então, por talvez meio minuto, algo aconteceu com as teletelas. A melodia que estava tocando mudou, assim como o tom da música. Ouviu-se, então... É difícil demais de descrever. Era uma nota peculiar, quebradiça, triturada, de escárnio: na sua mente, Winston a chamava de nota amarela. E depois uma voz da teletela passou a cantar:

Sob a frondosa castanheira
Eu vendi você e você me vendeu:
Lá estão eles e aqui estamos nós
Sob a frondosa castanheira

Os três homens nem se mexeram. Porém, quando Winston deu mais uma olhada no rosto arruinado de Rutherford, viu que seus olhos estavam cheios de lágrimas. E, pela primeira vez, percebeu, com uma espécie de calafrio interior, e sem saber *por que* tivera esse calafrio, que tanto Aaronson como Rutherford estavam com o nariz quebrado.

Pouco depois, os três foram presos de novo. Parece que tinham se envolvido em novas conspirações assim que saíram da cadeia. No segundo julgamento, confessaram seus antigos crimes mais uma vez, ainda acrescentando toda uma nova leva. Foram executados, e seu destino foi registrado nas histórias do Partido, um aviso à posteridade. Cerca de cinco anos depois disso, em 1973, Winston desenrolava um maço de documentos que tinham acabado de saltar do tubo pneumático para sua mesa, quando se deparou com um fragmento de papel que evidentemente fora passado entre os outros e esquecido. No instante que o desdobrou, viu como era significativo. Tratava-se de meia página arrancada do *The Times* de cerca de dez anos antes — a parte de cima da página, de modo que incluía a data —, e continha uma fotografia dos representantes do Partido em alguma função em Nova York. Em proeminência, no meio do grupo encontravam-se Jones, Aaronson e Rutherford. Eram inconfundíveis e, de qualquer maneira, seus nomes estavam na legenda abaixo.

A questão é que, em ambos os julgamentos, os três haviam confessado que naquela data estavam em solo eurasiano. Tinham decolado num aeroporto secreto no Canadá para um encontro em algum lugar na Sibéria, onde encontraram-se com membros do Estado Maior da Eurásia, e entregaram-lhes segredos militares importantes. A data ficou gravada na memória de Winston porque era equinócio de verão; mas toda a história devia estar registrada em inúmeros outros lugares também. Só havia uma conclusão possível: as confissões eram falsas.

É claro que tudo isso, em si, não era uma descoberta. Mesmo naquela época, Winston não achava que as pessoas eliminadas em expurgos tinham de fato cometido os crimes dos quais eram acusadas. Mas isso era uma prova concreta; um fragmento do passado abolido, como um fóssil que vem à tona no estrato errado e destrói uma teoria geológica. Era o suficiente para explodir o Partido em pequenos átomos caso, de alguma maneira, pudesse ser publicada, para que o mundo todo visse e reconhecesse sua importância.

Ele continuou trabalhando. Assim que viu o que era a fotografia, e o que ela significava, cobriu-a com outra folha de papel. Por sorte, quando ele a esticara, não estava virada para a teletela.

Colocou sua caderneta sobre os joelhos e empurrou a cadeira para trás para se afastar o máximo possível da teletela. Não era difícil manter o rosto sem expressão, e até a respiração podia ser controlada com algum esforço: mas não se podia controlar as batidas do coração, e a teletela era delicada o bastante para captá-las. Deixou passar o que julgou ser dez minutos, atormentado o tempo todo com o medo de que algum acidente — uma espécie de vento encanado repentino soprando pela sua mesa, por exemplo — o denunciasse. Então, sem descobri-la outra vez, deixou a fotografia cair no buraco da memória, junto com outros papéis a ser descartados. Dentro de mais um minuto, talvez, já teria virado cinzas.

Isso fora há dez, onze anos. Hoje, provavelmente, ele teria guardado a fotografia. Era curioso como o fato de tê-la segurado entre seus dedos parecia fazer diferença para ele até agora, quando a fotografia em si, assim como o evento que essa registrava, era apenas uma lembrança. Será que o controle do Partido sobre o passado era menos forte, ele se perguntou, porque uma prova que não existia mais *algum dia* chegara a existir?

Mas hoje, supondo que de alguma maneira ela pudesse ser recuperada das cinzas, a fotografia podia nem ser mais alguma prova. Na época em que ele fizera essa descoberta, a Oceania não estava mais em guerra com a Eurásia, e deve ter sido para os agentes da Lestásia que os três mortos haviam traído o país. Desde então, houvera outras mudanças — duas, três, ele não conseguia se lembrar de quantas. É muito provável que as confissões tenham sido reescritas e reescritas até os fatos originais e as datas perderem qualquer importância. O passado não era apenas alterado, mas era alterado de modo contínuo. O que mais o afligia, dando uma sensação de pesadelo, era que ele nunca tinha conseguido entender claramente por que uma impostura tão grande fora cometida. As vantagens imediatas de falsificar o passado eram óbvias, mas o motivo final era misterioso. Ele pegou mais uma vez a caneta e escreveu:

Eu entendo COMO: não entendo O PORQUÊ.

Ele se perguntou, como fizera tantas vezes antes, se ele mesmo era um lunático. Talvez um lunático fosse apenas uma minoria de uma pessoa só. Em certo momento, fora sinal de loucura achar que a Terra girava em torno do Sol; hoje, seria loucura acreditar que o passado é inalterável. Ele podia estar *sozinho* naquela crença, e se estivesse, então era um lunático. Mas essa ideia não o perturbava tanto; o horror é que ele também podia estar errado.

Pegou o livro de história para crianças e olhou para o retrato do Grande Irmão no frontispício. Os olhos hipnóticos fitavam os seus próprios olhos. Era como se uma força enorme pressionasse quem olhava — algo que penetrava dentro do crânio da pessoa, golpeando seu cérebro, afugentando suas crenças, quase persuadindo-a a negar a evidência de seus sentidos. Ao final, o Partido anunciaria que dois mais dois eram cinco, e a pessoa teria que acreditar naquilo. Era inevitável que afirmassem isso cedo ou tarde: a lógica da posição deles exigia isso. Não apenas a validade da experiência, mas a própria existência da realidade externa era negada de maneira tácita por sua filosofia. A heresia das heresias era o senso comum. E o aterrorizante não era o fato de poderem matar uma pessoa por pensar diferente, mas que talvez eles tivessem razão. Pois, afinal, como sabemos que dois mais dois são quatro? Ou que a força da gravidade funciona? Ou que o passado é inalterável? Se tanto o passado como o mundo externo só existem dentro da mente, e a mente em si é controlável, então...?

Mas não! Sua coragem pareceu se fortalecer de repente. O rosto de O'Brien flutuou em sua mente, sem nenhuma associação óbvia. Ele sabia, com mais certeza do que nunca, que O'Brien estava do seu lado. Ele estava escrevendo aquele diário dedicado a O'Brien — *para* O'Brien: era como uma carta interminável que ninguém nunca leria, mas era destinada a uma pessoa específica e, portanto, tinha razão de existir.

O Partido disse que era preciso rejeitar as provas que os olhos e ouvidos forneciam. Esse era o comando decisivo, e mais essencial de todos. Seu coração afundou ao pensar no enorme poder reunido contra ele, a facilidade com que um intelectual qualquer do Partido o derrubaria num debate, os argumentos sutis que ele não seria capaz de entender, quem dirá responder. E, no entanto, ele estava certo! Eles estavam errados e ele estava certo. O óbvio, o tolo e o verdadeiro tinham que ser defendidos. Truísmos são verdadeiros, agarre-se a isso! O mundo sólido existe, suas leis não mudaram. Pedras são duras, a água é molhada, objetos sem apoio caem em direção ao centro da Terra. Com a sensação de que falava com O'Brien, e também de que definia um axioma importante, escreveu:

A liberdade é a liberdade de dizer que dois mais dois são quatro. Se isso é garantido, tudo decorre daí.

Capítulo 8

De algum lugar ao fim de uma viela, o cheiro de café torrado — café de verdade, não Café da Vitória — veio flutuando pela rua. Winston parou involuntariamente. Por talvez dois segundos ele retornou para o mundo semiesquecido de sua infância. Então uma porta bateu, parecendo cortar o cheiro de maneira abrupta, como se o cheiro fosse um som.

Tinha caminhado vários quilômetros pelas ruas pavimentadas, e sua úlcera varicosa estava latejando. Essa fora a segunda vez em três semanas que ele perdera uma noite no Centro Comunitário: uma atitude imprudente, pois todos podiam ter certeza de que a sua frequência no Centro era monitorada com atenção. Em princípio, um membro do Partido não tinha tempo livre, e nunca estava a sós, exceto na cama. Presumia-se que quando não estivesse trabalhando, comendo ou dormindo, ele participaria de alguma forma de recreação comunal; fazer algo que sugerisse um apreço pela solidão, até sair para caminhar sozinho, era um pouco perigoso. Havia uma palavra para isso em novilíngua: PROPRIVIDA, que significava individualismo ou excentricidade. Mas, naquela noite, quando ele saiu do Ministério, a amenidade do ar de abril o deixou tentado. O céu era de um azul mais quente do que ele vira o resto do ano, e de repente a noite longa e barulhenta no Centro, com os jogos entediantes e exaustivos, as palestras, a camaradagem que rangeria se não fosse lubrificada pelo gim, tudo isso pareceu intolerável. Por impulso, ele se afastou do ponto de ônibus e começou a vagar pelo labirinto de Londres, primeiro ao sul, depois ao leste, e enfim ao norte outra vez, perdendo-se por ruas desconhecidas e quase sem se importar com a direção que tomava.

"Se há esperança", ele escrevera no diário, "está nos proletas." As palavras voltavam para ele, uma declaração de verdade mística e de absurdo palpável. Ele estava em algum lugar no bairro pobre, pouco seguro, marrom, ao nordeste do que algum dia fora a Estação Saint Pancras. Caminhava por uma rua de pedras com casinhas de dois andares que tinham portas surradas dando direto para a calçada, e que, de certo modo, lembravam tocas de rato. Havia poças de água suja aqui e ali entre as pedras. Entrando e saindo das casas escuras, e descendo vielas estreitas que se dividiam para ambos os lados, enxames numerosos de pessoas — garotas na flor da idade, com batom borrado, e os rapazes que saíam atrás das garotas, e mulheres inchadas que se balançavam, mostrando como essas moças seriam dentro de dez anos, e criaturas velhas e curvadas avançando com pés tortos, e crianças de pés descalços, todos machucados, que brincavam nas poças e se dispersavam aos gritos irritados das mães. Mais ou menos um quarto das janelas da rua estavam quebradas e cobertas com papelão. A maioria das pessoas não dava nenhuma bola para Winston; poucas o olharam com uma espécie de curiosidade resguardada. Duas mulheres monstruosas com braços vermelhos como tijolo cruzados diante dos aventais papeavam à entrada de uma casa. Winston captou trechos da conversa ao se aproximar.

— Sim, falei pr'ela, tá tudo de boa, tô falando, mas se cê tivesse no meu lugar, cê tinha feito o mesmo que eu.

— É moleza criticar, tô falando, mas cê num tem os mesmo problema que eu.

— Ah — disse a outra. — Bem nessa. Bem nessa, sabe.

As vozes estridentes pararam de súbito. A mulher o estudou com um silêncio hostil quando ele passou. Mas não era exatamente hostilidade; apenas uma espécie de cautela, um endurecimento momentâneo, como quando passava um animal desconhecido. Os macacões azuis do Partido não eram uma visão típica numa rua como aquela. De fato, não era inteligente ser visto em tais lugares, a não ser que se tivesse um motivo específico para estar lá. As patrulhas podiam abordar o sujeito que se deparasse com elas. "Posso ver seus documentos, camarada? O que está fazendo aqui? Que horas você saiu do trabalho? Esse é o caminho que você costuma fazer de volta para casa?" — e assim por diante. Não que houvesse uma regra contra voltar para casa por um caminho diferente: mas isso era o bastante para chamar atenção da Polícia do Pensar.

De repente, a rua inteira se envolveu numa comoção. Gritos surgiam de todos os lados. As pessoas entravam nas suas casas como coelhos na toca. Uma moça saltou de uma porta pouco adiante de Winston, agarrou uma criancinha que brincava na poça, enrolou-a com seu avental e saltou de volta para dentro, tudo num só movimento. Ao mesmo tempo, um homem com um terno preto amassado como uma sanfona emergiu de um beco lateral, correu na direção de Winston e apontou agitado para o céu.

— Vapor! — gritou. — Cuidado, chefia! Explosão a caminho! Se agacha, rápido!

"Vapor" era o apelido que, por algum motivo, os proletas usavam para falar de mísseis. Winston no mesmo instante se jogou no chão. Os proletas quase sempre tinham razão quando davam um alerta desses. Pareciam possuir uma espécie de instinto que os informava, segundos antes, quando um míssil se aproximava, embora os mísseis supostamente viajassem mais rápido que o som. Winston dobrou os braços sobre a cabeça. Houve um rugido que pareceu fazer a calçada ofegar; uma chuva de objetos luminosos caiu às suas costas. Quando ele se levantou, descobriu estar coberto de fragmentos de vidro da janela mais próxima.

Seguiu caminhando. A bomba havia demolido um grupo de casas a duzentos metros dali. Uma coluna preta de fumaça pairava no céu, e abaixo dela havia uma nuvem de poeira de gesso ao redor das ruínas, onde já se formava uma multidão. Havia uma pequena pilha de gesso na calçada à frente dele, e no meio dela ele podia enxergar um filete vermelho brilhante. Quando se aproximou, viu que era uma mão humana decepada na altura do pulso. Tirando a ponta ensanguentada, a mão estava tão embranquecida que parecia gesso.

Chutou a coisa para a sarjeta e então, para evitar a multidão, desceu à direita numa rua. Dentro de três ou quatro minutos, tinha saído da área atingida pela bomba, e a vida sórdida que pululava nas ruas seguia como se nada tivesse acontecido. Eram quase vinte horas, e os lugares de bebida que os proletas frequentam (eles chamam de botecos) estavam lotados de clientes. Das suas portas basculantes sujas, que abriam e fechavam sem parar, vinha um cheiro de urina, ferragem e cerveja azeda. Num ângulo formado pela fachada protuberante de uma casa, três homens estavam de pé, muito próximos uns dos outros, e o do meio segurava um jornal dobrado que os outros dois estudavam por cima do ombro dele. Mesmo antes de estar perto o bastante para ler a expressão no rosto deles, Winston podia ver, em cada linha do seu corpo, como estavam compenetrados. Era óbvio que estavam lendo notícias muito sérias. Ele estava a alguns passos de distância deles quando de repente o grupo se separou e dois dos homens entraram numa querela violenta. Por um instante, pareciam prestes a trocar socos.

— Cê não tá me ouvindo? Tô te dizendo, nenhum número terminado em sete ganhou nos últimos catorze meses!

— Ganhou sim, poxa!

— Não, ganhou nada! Lá em casa anotei todos os resultados no papel nos últimos dois anos. Anoto tudo, direitinho feito um relógio. E tô te dizendo, não tem número terminado em sete...

— Foi, o sete ganhou mesmo! Sou quase capaz de dizer o número inteiro. Quatro zero sete, terminava assim. Foi em fevereiro, segunda semana de fevereiro.

— Fevereiro a sua vó! Tá tudo anotado, preto no branco. E vou te dizer, não tem nenhum número...

— Ah, deixem disso! — disse o terceiro homem.

Conversavam a respeito da Loteria. Winston olhou para trás depois de se afastar uns trinta metros. Eles ainda estavam discutindo com rostos enérgicos e vívidos. A Loteria, com seu pagamento semanal de prêmios enormes, era o único evento público ao qual os proletas prestavam bastante atenção. O provável é que a Loteria fosse, para milhões de proletas, a principal, se não a única razão para continuarem vivos. Era a alegria deles, sua festa, seu analgésico, seu estímulo intelectual. Quando se tratava da Loteria, até pessoas que mal sabiam ler e escrever pareciam capazes de cálculos complexos e feitos impressionantes de memória. Havia toda uma tribo de homens que ganhavam a vida apenas vendendo sistemas, previsões e amuletos da sorte. Winston não tinha nada a ver com a Loteria, que era gerida pelo Ministério da Fartura, mas ele estava ciente (na verdade, todos do Partido estavam) de que os prêmios eram, em boa medida, imaginários. Só pequenas quantias eram de fato distribuídas, pois os vencedores dos grandes prêmios eram pessoas não existentes. Na falta de uma comunicação real entre uma parte da Oceania e a outra, não era algo difícil de organizar.

Mas se havia esperança, estava nos proletas. Era preciso se agarrar a isso. Quando se colocava em palavras, parecia lógico, mas quando se olhava os seres humanos circulando na rua é que essa ideia se tornava um ato de fé. A rua na qual ele tinha virado era a descida de uma ladeira. Ele teve a sensação de já ter estado naquele bairro, e de que havia uma grande avenida não muito longe dali. De algum lugar adiante veio o barulho de gritos. A rua fazia uma curva brusca e acabava numa escadaria que levava a um beco alagado onde poucos comerciantes vendiam vegetais que pareciam ter passado do ponto. Naquele momento, Winston lembrou onde estava. O beco conduzia à rua principal e na próxima curva, a menos de cinco minutos dali, estava a loja de bugigangas onde ele comprara o caderno em branco que usava agora como diário. E numa pequena papelaria, não muito distante, ele comprara seu porta-canetas e o frasco de tinta.

Parou por um instante no topo dos degraus. Do lado oposto do beco havia um botequinho sujo cujas janelas pareciam estar cobertas de gelo, mas na verdade era apenas pó. Um senhor muito idoso, curvado, mas ativo, com bigodes brancos que saltavam para a frente como os de um camarão, empurrou a porta basculante e entrou. Enquanto Winston observava ali parado, ocorreu-lhe que o velho, que devia ter pelo menos oitenta anos, já era de meia-idade quando aconteceu a Revolução. Ele e poucos como ele eram os últimos elos existentes com o mundo desaparecido do capitalismo. No Partido em si não restava muita gente cujas ideias tinham sido formadas antes da Revolução. A geração mais velha fora majoritariamente eliminada nos expurgos dos anos 1950 e 1960, e os poucos que sobreviveram ficaram tão aterrorizados que renderam por completo seu intelecto. Se ainda havia algum ser vivo capaz de oferecer um registro verdadeiro das condições de vida do começo do século, só podia ser um proleta. De repente, o trecho do livro de História que ele tinha transcrito ao seu diário voltou à mente de Winston, e um impulso lunático tomou conta dele. Ele entraria no boteco, forjaria uma amizade com o velho e o questionaria. Diria: "Conte-me sobre sua vida quando você era jovem. Como era naquela época? As coisas eram melhores ou piores do que agora?".

Apressado, para que não tivesse tempo de sentir medo, desceu os degraus e atravessou a rua estreita. Era loucura, claro. Como sempre, não havia uma regra definida sobre falar com proletas ou frequentar seus botecos, mas era incomum demais para não chamar a atenção. Se as patrulhas aparecessem, ele podia argumentar que passara mal de repente, mas não era provável que acreditassem. Empurrou a porta e um terrível fedor queijoso de cerveja azeda o atingiu com tudo. Quando ele entrou, o barulho das vozes despencou para metade do volume. Podia sentir que todos olhavam seu macacão azul. Uma partida de dardos que era jogada no outro canto do salão foi interrompida por quase meio minuto. O velho que ele seguira estava de pé diante do balcão, numa espécie de discussão com o barman, um jovem grande, forte, com nariz de gancho e braços enormes. Vários outros estavam ao redor dele, assistindo à cena com os copos em mãos.

— Pedi dum jeito educado, não? — disse o velho, endireitando os ombros, briguento. — Cê tá me dizendo que não tem caneca de *pint* nesse boteco maldito?

— E o que diabos é um *pint*? — perguntou o barman, inclinando-se para a frente, com a ponta dos dedos no balcão.

— Óia só pra ele! Se chama de barman e não faz ideia do que é um *pint*. Ora bolas, um *pint* é metade dum quarto, e tem quatro quartos no galão. Daqui a pouco tenho que te ensinar até o bê-a-bá.

— Nunca ouvi falar disso — logo respondeu o barman. — Litro e meio litro, só isso que a gente serve. Os copos tão na estante na tua frente.

— Eu gosto de *pint* — insistiu o velho.

— Cê podia ter me tirado um pint fácil, fácil.

— A gente não tinha essas porras de litro quando eu era jovem.

— Quando você era jovem, todos nós morávamos nas árvores — disse o barman, lançando um olhar para os outros clientes.

Estouraram risadas, e parecia que o desconforto causado pela chegada de Winston desaparecera. O rosto branco do velho bigodudo ficou cor-de-rosa. Ele se virou, resmungando, e esbarrou em Winston, que o agarrou gentilmente pelo braço.

— Posso te oferecer uma bebida? — ele disse.

— Cê é um cavalheiro — respondeu o outro, endireitando mais uma vez os ombros. Ele parecia não ter percebido o macacão azul de Winston. — *Pint*! — ele acrescentou, agressivo, ao barman. — *Pint* da loira!

O barman despejou duas doses de meio litro de uma cerveja marrom escura em copos grossos que ele enxaguara num balde debaixo do balcão. Os proletas não deveriam beber gim, embora conseguissem obter a bebida com certa facilidade. O jogo de dardos voltou a todo vapor, e o grupo de homens no bar começou a falar de bilhetes da Loteria. A presença de Winston foi esquecida por um instante. Havia uma mesinha debaixo da janela onde ele e o velho podiam conversar sem medo de ser ouvidos. Era algo horrível de tão perigoso, mas de todo modo, não havia teletelas no local, algo que ele confirmou ao entrar.

— Ele podia ter me tirado um *pint* — resmungou o velho enquanto se acomodava atrás do copo. — Meio litro não é suficiente. Num satisfaz. E o litro inteiro é demais. Acorda minha bexiga. Sem falar no preço.

— Você deve ter visto mudanças enormes desde que era jovem — disse Winston, hesitante.

Os olhos azuis e pálidos do velho se deslocaram do tabuleiro de dardos para o balcão, do balcão para a porta do banheiro masculino, como se esperasse que as mudanças citadas tivessem ocorrido no bar.

— A cerveja era melhor — ele disse, enfim. — E mais barata! Quando eu era jovem, a cerveja leve (a gente chamava de loira) custava quatro contos. Isso foi antes da guerra, claro.

— Que guerra foi essa? — perguntou Winston.

— Todas — respondeu o velho, de forma vaga. Ele pegou o copo e seus ombros se endireitaram mais uma vez. — Saúde e tudo de bom procê!

Naquele pescoço magro, o pomo de Adão do velho fez um movimento para cima e para baixo de rapidez surpreendente e a cerveja desapareceu. Winston foi ao balcão e voltou com mais dois copos de meio litro. O velho parecia ter esquecido seu preconceito contra beber um litro inteiro.

— Você é muito mais velho do que eu — disse Winston. — Você devia ser adulto antes mesmo de eu ter nascido. Consegue se lembrar de como era antigamente, antes da Revolução? As pessoas da minha idade não sabem nada a respeito dessa época. Só podemos ler nos livros, e o que os livros contam pode não ser verdade. Queria que você opinasse a respeito disso. Os livros de História dizem que a vida antes da Revolução era completamente diferente de agora. Que havia uma opressão das mais terríveis, injustiça, pobreza pior do que qualquer coisa que conseguimos imaginar. Aqui em Londres, a maioria das pessoas nunca teve o suficiente para comer, do nascimento até a morte. Metade nem tinha botas para os pés. Trabalhavam doze horas por dia, saíam da escola aos nove, dividiam um quarto entre dez pessoas. E, ao mesmo tempo, havia um grupo muito seleto de pessoas, só uns poucos milhares, eram chamados de capitalistas, que eram ricos e poderosos. Possuíam tudo que havia para se possuir. Viviam em casas suntuosas e enormes, com trinta servos, andavam em carros e em carruagens puxadas por quatro cavalos, bebiam champanha, usavam cartola...

O velho se animou de repente.

— Cartolas! — disse. — Engraçado cê falar disso. Isso me veio à cabeça ontem, nem sei por quê. Tava só pensando: num vejo uma cartola faz anos. Saíram de moda mesmo, hein. A última vez que eu usei uma foi no funeral da minha cunhada. E isso faz... bom, não sei dar a data exata, mas faz uns cinquenta anos. Claro que aluguei só pro evento, cê sabe.

— As cartolas não importam tanto — disse Winston, com paciência. — A questão é: esses capitalistas, eles e alguns poucos advogados, padres e assim por diante, que viviam como eles, eram os senhores da terra. Tudo existia em benefício deles. Você, o povo comum, os trabalhadores eram seus escravos. Podiam fazer o que quisessem com as pessoas. Podiam despachá-las para o Canadá, como se fossem gado. Podiam dormir com suas filhas, se quisessem. Podiam ordenar que as pessoas fossem chicoteadas com um troço chamado gato de nove caudas. Era preciso tirar o chapéu quando passava por eles. Todo capitalista andava com uma gangue de lacaios que...

O velho se animou outra vez.

— Lacaios! — exclamou. — Taí uma palavra que não escuto faz um tempão! Lacaios! Isso me faz voltar muitos anos. Eu me lembro, ih, faz séculos; eu ia pro Hyde Park no domingo à tarde escutar os caras discursando. Exército da Salvação, católicos romanos, judeus, indianos... tinha tudo quanto era gente. E tinha um cara, bom, não posso te dizer o nome, mas era fera no discurso. E botava pra quebrar! "Lacaios!", ele dizia, "lacaios da burguesia! Puxa-sacos da classe dominante!" Parasitas era outra palavra. E hienas, ele chamava os figuras de hienas. Claro que tava falando do Partido Trabalhista, cê me entende.

Winston teve a sensação de que falavam de coisas diferentes.

— O que eu queria mesmo saber — disse — é se você sente que é mais livre agora do que naquela época. Você é tratado de maneira mais humana? Antigamente, os ricos, as pessoas no topo...

— A Câmara dos Lordes — acrescentou o velho, reminiscente.

— A Câmara dos Lordes, pode ser. O que estou perguntando é se essas pessoas podiam tratar você como alguém inferior, apenas porque eram ricos e você pobre. É um fato, por exemplo, que tinha que chamá-los de "senhor" e tirar o chapéu quando passava por eles?

O velho pareceu estar imerso em pensamento. Ele bebeu quase um quarto da cerveja antes de responder.

— Sim — ele disse. — Gostavam que a gente tocasse no chapéu para eles. Demonstrava respeito. Eu não concordava com isso, mas fiz várias vezes. Tive que fazer, vamos dizer.

— E era comum... estou só citando o que li em livros de história... era comum que essa gente e seus servos empurrassem você da calçada para a sarjeta?

— Um me empurrou uma vez dessas — disse o velho. — Lembro como se fosse ontem. Era noite da Corrida de Barcos, o pessoal ficava em polvorosa nessa noite, e eu esbarrei num cara jovem na avenida Shaftesbury. Um tipo figurão: camisa social, cartola, sobretudo preto. O cara tava meio em ziguezague pela calçada e esbarrei nele sem querer, e ele fala, "ei, olha pronde cê tá andando", e eu falo, "quem cê acha que é, cê não é dono da calçada não", e ele, "vou arrancar sua cabeça se você ficar de frescura comigo", e eu, "cê tá bêbado, te entrego pros porco em meio minuto". E cê não vai acreditar, ele botou a mão no meu peito e me deu um empurrão que quase eu fui parar debaixo dum ônibus. Bom, na época eu era jovem, e eu ia dar uma daquelas nele, só tinha...

Uma sensação de desamparo abateu Winston. A memória do velho não passava de um amontoado de detalhes inúteis. Era possível interrogá-lo o dia inteiro sem conseguir uma só informação de verdade. As histórias do Partido podiam muito bem ser verdadeiras, até certo ponto; podiam até ser completamente verdadeiras. Ele fez uma última tentativa.

— Talvez eu não tenha sido claro — disse. — O que eu quero dizer é o seguinte. Você está vivo há muito tempo; viveu metade da vida antes da Revolução. Em 1925, por exemplo, você já era adulto. Pode me dizer o que você lembra, se a vida em 1925 era melhor ou pior do que agora? Se pudesse escolher, preferiria viver naquela época ou agora?

O velho olhou meditativo para o tabuleiro de dardos. Terminou sua cerveja, com mais lentidão. Quando tornou a falar, foi com um ar filosófico e tolerante, como se a cerveja o tivesse amaciado.

— Sei o que cê espera que eu te diga — ele falou. — Cê espera que eu te diga que prefiro ser jovem outra vez. A maioria das pessoas preferem ser jovens, se você perguntar pra elas. Cê tá saudável e forte. Quando cê chega na minha idade, cê nunca tá bem. Sofro dum troço terrível nos pés, minha bexiga é terrível. Me tira da cama seis, sete vezes por noite. Por outro lado, tem altas vantagens em ser um cara velho. Não se tem as mesmas preocupações. Não se mete com mulher, e isso é ótimo.

— Não ando com mulher faz uns trinta anos, cê acredita?

— Nem quero, tem isso.

Winston se recostou contra a janela. Não adiantava insistir. Ele ia comprar mais cerveja quando o velho de repente se levantou e andou rápido em direção ao urinol fedorento do outro lado do lugar. O meio litro extra já estava fazendo efeito. Winston ficou sentado por um ou dois minutos fitando seu copo vazio e quase não percebeu quando seus pés o levaram de volta para a rua. Dentro de vinte anos no máximo, refletiu, a pergunta simples e enorme "A vida era melhor antes da Revolução?" deixaria de uma vez por todas de ser respondível. Mas, na verdade, mesmo agora era impossível de ser respondida, pois os poucos sobreviventes dispersos do mundo antigo eram incapazes de comparar uma época à outra. Lembravam-se de um milhão de coisas inúteis, uma briga com um colega de trabalho, a busca por uma bomba de ar de bicicleta perdida, a expressão do rosto de uma irmã morta há muito tempo, os redemoinhos de poeira numa manhã ventosa setenta anos antes — mas todos os fatos relevantes ficavam fora de seus campos de visão. Eram como formigas, que podem enxergar os pequenos objetos, mas não os grandes. E quando a memória falhava e os registros escritos haviam sido falsificados... quando isso ocorreu, a afirmação do Partido de que tinham melhorado as condições da vida humana precisava ser aceita, porque não existia e nunca poderia voltar a existir qualquer padrão para comparar.

Naquele momento, o trem de seu pensamento freou abruptamente. Ele parou e olhou para cima. Encontrava-se numa rua estreita, com poucas lojas escuras, espalhadas entre casebres. Logo acima de sua cabeça havia três bolas de metal descoloridas que pareciam algum dia ter sido douradas. Parecia reconhecer o local. É claro! Estava do lado de fora da loja de quinquilharias onde comprara o diário.

Um arrepio de medo o atravessou. Fora uma atitude bastante impulsiva a de comprar o caderno, para começo de conversa, e ele jurara nunca mais chegar perto do lugar. E, no entanto, quando ele permitiu se perder em pensamentos, seus pés o levaram de volta para ali, agindo por conta própria. Era justamente contra esse tipo de impulso suicida que ele esperava se proteger ao abrir o diário. Ao mesmo tempo, ele notou que, embora fossem quase vinte e uma horas, a loja ainda estava aberta. Com a sensação de que seria menos suspeito se ficasse lá dentro em vez de perambular pela calçada, entrou. Se fosse questionado, poderia dar o argumento plausível de que buscava lâminas de barbear.

O proprietário tinha acendido um lampião de querosene do qual emanava um cheiro amigável, ainda que sujo. Era um homem na faixa dos sessenta, frágil e curvado, com um nariz longo e benevolente, e olhos tranquilos distorcidos pelas lentes grossas dos óculos. Seu cabelo era quase branco, mas suas sobrancelhas eram peludas e ainda pretas. Seus óculos, seus movimentos delicados e espalhafatosos e o fato de que ele vestia uma jaqueta velha de veludo preto davam-lhe um ar abstrato de intelectual, como se ele tivesse sido uma espécie de literato, ou talvez músico. Sua voz era macia, como se fosse esmaecida, e seu jeito de falar, menos degradado do que o da maioria dos proletas.

— Reconheci o senhor na calçada — ele disse, de imediato. — Comprou aquele álbum de memórias de mocinhas. Papel lindo, sem dúvida. Cor de creme, costumávamos chamar. Não se faz papel assim há... arrisco dizer que faz uns cinquenta anos. — Ele observou Winston por cima dos óculos. — Está buscando algo de especial? Ou só veio dar uma olhada?

— Estava de passagem — respondeu Winston, com vagueza. — Só resolvi dar uma olhada. Não procuro nada em específico.

— Está certo — disse o outro —, porque acho que não tenho como satisfazê-lo. — Ele fez um gesto de desculpas com a palma da mão. — Veja só a situação; uma loja vazia, pode-se dizer. Cá entre nós, os antiquários estão acabando. Não há mais demanda, nem estoque. Móveis, porcelana, vidro, tudo isso foi gradativamente acabando. E claro, a maioria dos objetos de metal foi fundida. Não vejo um candelabro de bronze há anos.

O interior apertado da loja estava desconfortavelmente cheio, mas quase nada ali tinha o menor valor. O espaço no chão era muito restrito, porque em todas as paredes estavam empilhadas inumeráveis molduras. Na janela havia bandejas com porcas e parafusos, cinzéis gastos, canivetes com lâminas quebradas, relógios manchados que nem fingiam funcionar, e outras tralhas variadas. Só numa pequena mesa no canto havia uma pilha de quinquilharias — uma caixa de rapé envernizada, broches de ágata e assim por diante — que podia ter algo de interessante. Enquanto Winston se aproximava da mesa, uma coisa redonda e lisa chamou a sua atenção, brilhando suavemente sob a luz do lampião, e ele a pegou.

Era um pedaço pesado de vidro, recurvado num lado, plano no outro, formando quase um hemisfério. Tinha uma suavidade peculiar, como de água da chuva, tanto na cor como na textura. No seu cerne, ampliado pela superfície convexa, havia um objeto estranho, rosa e emaranhado que lembrava uma rosa ou uma anêmona.

— O que é isto? — perguntou Winston, fascinado.

— Isso é um coral — respondeu o velho. — Deve ter vindo do oceano Índico. Costumavam guardar dentro de um vidro. Isso não foi feito há menos de cem anos. Mais, a julgar pelo visual.

— Que coisa linda — disse Winston.

— É mesmo lindo — disse o outro, demonstrando apreço. — Mas poucas pessoas acham isso hoje em dia. — Ele tossiu. — Agora, se por ventura você quiser comprar, custa quatro dólares. Lembro quando seria capaz de vender algo assim por oito libras, e oito libras eram... bom, não sei calcular, mas era muito dinheiro. Mas quem se importa com antiguidades genuínas hoje em dia, até as poucas que restam?

Winston pagou de imediato os quatro dólares e colocou o objeto desejado no bolso. O que o atraía não era tanto a sua beleza, mas o ar de algo que parecia pertencer a uma época muito distinta da atual. O vidro suave, como água da chuva, era diferente de qualquer outro vidro que ele já vira. A coisa era duas vezes mais atrativa por causa da sua aparente inutilidade, embora ele pudesse imaginar que algum dia fora usada como peso de papel. Pesava muito no seu bolso, mas, por sorte, seu volume não era tão visível. Era esquisito, até comprometedor, que um membro do Partido possuísse aquilo. Qualquer coisa velha e, na verdade, qualquer coisa bela era sempre levemente suspeita. Dava para notar que o velho ficara mais animado depois de receber os quatro dólares. Winston percebeu que ele teria aceito até três ou dois.

— Há outro cômodo lá em cima que pode interessar o senhor — ele disse. — Não tem muita coisa. Só umas poucas peças. Precisamos de luz se formos subir.

Ele acendeu outro lampião e, com suas costas curvadas, guiou o caminho devagar, subindo uma escadaria íngreme e desgastada, e atravessando uma passagem estreita até chegarem num quarto que não dava para a rua, mas para um pátio de paralelepípedos e uma floresta de chaminés. Winston notou que os móveis ainda estavam dispostos como se o quarto fosse habitado. Havia uma tira de carpete no chão, um ou dois quadros na parede, e uma poltrona funda e desleixada junto à lareira. Um relógio de vidro à moda antiga tiquetaqueava sobre a lareira. Abaixo da janela, ocupando quase um quarto do espaço do cômodo, havia uma cama enorme ainda com um colchão sobre ela.

— Moramos aqui até a minha esposa morrer — disse o velho, meio pedindo desculpas. — Estou vendendo o mobiliário pouco a pouco. Essa é uma bela cama de mogno, ou pelo menos seria, se desse para tirar os insetos dela. Mas arrisco dizer que você a acha um pouco pesadona.

Segurava o lampião bem no alto para iluminar todo o cômodo, e na luz quente e fraca, o lugar parecia estranhamente convidativo. Passou pela mente de Winston o pensamento de que talvez fosse bem fácil alugar o quarto por alguns poucos dólares por semana, se ele se arriscasse. Era uma ideia selvagem, impossível, que deveria ser abandonada logo depois de pensada; mas o quarto despertara nele uma espécie de nostalgia, de memória ancestral. Parecia saber exatamente como era sentar-se num quarto daqueles, numa poltrona ao lado do fogo da lareira, com seus pés na guarda e uma chaleira no gancho; completamente a sós, completamente seguro, sem ninguém o vigiar, nenhuma voz o perseguir, nenhum som além dos apitos da chaleira e do tique-taque amigável do relógio.

— Não há teletela! — não pôde evitar de murmurar.

— Ah — disse o velho. — Nunca tive um troço desses. Caro demais. E nunca senti a necessidade, por algum motivo. Olha, tem uma bela mesa dobrável ali no canto. Mas é claro que você teria que colocar novas dobradiças se quiser usá-la.

Havia uma pequena estante de livros no outro canto, e Winston já tinha se dirigido para lá. Só tinha porcaria. A caça e a destruição de livros fora realizada de forma exaustiva nas casas dos proletas, assim como em todos os outros lugares. Era improvável que existisse em qualquer lugar da Oceania um exemplar de um livro impresso antes de 1960. O velho, ainda carregando o lampião, estava parado diante de um quadro numa moldura de jacarandá pendurada em frente à cama, do outro lado da lareira.

— Agora, se você de repente estiver interessado em impressões antigas... — ele começou a falar, delicadamente.

Winston foi lá examinar a imagem. Era uma gravura em aço de um prédio oval com janelas retangulares, com uma torre pequena na frente. Havia uma grade ao redor do prédio, e atrás parecia haver uma estátua. Winston ficou olhando para aquilo por uns instantes. Parecia vagamente familiar, ainda que ele não se lembrasse da estátua.

— A moldura está presa à parede — disse o velho —, mas posso desparafusá-la para você.

— Conheço esse prédio — disse Winston, enfim. — Agora são ruínas. Ficam no meio da rua do lado de fora do Palácio da Justiça.

— Isso. Do lado de fora do Tribunal. Foi bombardeado em... ah, faz tantos anos. Foi uma igreja, algum dia, o nome era São Clemente dos Dinamarqueses. — Ele sorriu como quem pede desculpas, como se estivesse consciente de ter dito algo um pouco ridículo, e acrescentou: — Laranjas e limões, dizem os sinos da São Clemente!

— Como é que é? — perguntou Winston.

— Ah, "Laranjas e limões, dizem os sinos da São Clemente!" é uma musiquinha que cantávamos quando eu era garoto. Não lembro como continua, mas sei como acaba: "Eis uma vela que ilumina o caminho até sua cama / Eis um machado para cortar sua cabeça." Era uma espécie de dança. Levantavam os braços para você passar por baixo, e, quando chegavam no "Eis um machado para cortar sua cabeça", abaixavam os braços e te pegavam. Era só com nomes de igrejas. Todas as igrejas de Londres apareciam... todas as principais, quero dizer.

Winston ficou pensando, de maneira vaga, de que século era aquela igreja. Sempre era difícil determinar a idade de um prédio em Londres. Qualquer coisa grande e impressionante, de aparência mais ou menos nova, era declarada como construída depois da Revolução, enquanto qualquer outra que sem dúvida pertencesse a um período anterior era associada a uma época obscura chamada Idade Média. Constava que os séculos de capitalismo não haviam produzido nada de valor. Era tão difícil aprender História a partir da arquitetura quanto a partir dos livros. Estátuas, placas, pedras memoriais, nome das ruas... tudo que pudesse iluminar o passado tinha sido alterado de maneira sistemática.

— Nunca soube que era uma igreja — ele disse.

— Sobraram várias delas, na verdade — disse o velho —, embora tenham recebido novas funções. Agora, como era o resto da musiquinha? Ah, lembrei! "Laranjas e limões, dizem os sinos da São Clemente, você me deve três tostões, dizem os sinos da São Martinho...", bom, só lembro até aí. Um tostão era como uma pequena moeda de cobre, parecia um centavo.

— Onde ficava essa São Martinho? — perguntou Winston.

— São Martinho? Essa ainda está de pé. Fica na Praça da Vitória, ao lado da galeria de arte. Uma construção com uma espécie de pátio triangular e pilares na frente, uma grande escadaria.

Winston conhecia bem o lugar. Era um museu dedicado a exposições de propaganda política de diferentes tipos: réplicas de mísseis e das Fortalezas Flutuantes, cenas reconstruídas com bonecos de cera que ilustravam as atrocidades dos inimigos, coisas assim.

— São Martinho do Campo, esse era o nome — complementou o velho —, embora não me lembre de campos ao redor.

Winston não comprou o quadro. Seria uma posse ainda mais incongruente do que o peso de papel de vidro, e impossível de transportar para casa, a não ser que fosse tirado da moldura. Mas ficou mais uns minutos ali conversando com o velho, cujo nome, ele descobriu, não era Weeks — como se poderia deduzir da fachada da loja — mas Charrington. O sr. Charrington, pelo visto, era um viúvo de sessenta e três anos que havia morado naquela loja durante trinta anos. Durante todo esse tempo ele pensara em mudar o nome da loja na fachada, mas nunca chegara a fazer isso. Ao longo de toda a conversa deles, a musiquinha lembrada pela metade continuou correndo pela cabeça de Winston. Laranjas e limões, dizem os sinos da São Clemente, você me deve três tostões, dizem os sinos da São Martinho! Era curioso, mas quando você repetia os versos, tinha a ilusão de ouvir sinos de verdade, os sinos de uma Londres perdida que ainda existia em algum lugar ou outro, disfarçada e esquecida. De um campanário fantasmagórico a outro, parecia ouvi-los ressoando muito alto. E, no entanto, ele não conseguia lembrar de algum dia na vida ter escutado um sino de igreja.

Afastou-se do sr. Charrington e desceu sozinho as escadas, para não deixar o velho vê-lo conferindo a rua antes de sair pela porta. Já tinha decidido que, após um intervalo considerável — um mês, digamos — ele se arriscaria a retornar à loja. Talvez não fosse mais perigoso do que faltar uma noite no Centro. Primeiro, o risco grave tinha sido retornar ali depois de comprar o diário e sem saber se o proprietário era confiável. Porém...!

Sim, pensou outra vez, ele retornaria. Compraria mais restos de belas quinquilharias. Compraria a gravura da São Clemente dos Dinamarqueses, a tiraria da moldura e a carregaria de volta para casa, oculta debaixo da jaqueta do seu macacão. Arrancaria o resto daquele poema da memória do sr. Charrington. Até o projeto lunático de alugar o quarto do andar de cima piscou de novo por um instante em sua mente. Por talvez cinco segundos, a empolgação o deixou descuidado, e ele saiu para a calçada sem dar uma olhada prévia pela janela. Ele até começou a cantarolar uma melodia improvisada:

Laranjas e limões, dizem os sinos da São Clemente, você me deve três tostões, dizem...

De repente, foi como se o seu coração virasse gelo e suas vísceras, água. Uma pessoa de macacão azul vinha descendo pela calçada, e não estava a mais de dez metros de distância. Era a moça do Departamento de Ficção, a garota de cabelo escuro. A luz era fraca, mas era fácil reconhecê-la. Ela encarou o rosto dele e prosseguiu caminhando com rapidez, como se não o tivesse visto.

Por alguns segundos, Winston ficou paralisado demais para se mexer. Então virou à direita e se afastou a passos largos, sem notar que estava indo para o lado errado. De todo modo, uma questão tinha sido sanada. Não restavam dúvidas de que a garota o espionava. Devia ter seguido Winston até ali, porque não era crível que ela caminhasse pela mesma ruela obscura, na mesma noite, a quilômetros de distância de qualquer quarteirão onde os membros do Partido moravam. Era muita coincidência para ser verdade. Tanto fazia se ela era de fato uma agente da Polícia do Pensar ou apenas uma espiã amadora instigada a ser oficiosa. Ela já o observara o suficiente. Provavelmente o vira entrar no boteco também.

Ficou difícil de caminhar. O pedaço de vidro no bolso dele batia contra a coxa a cada passo, e ele cogitou tirá-lo e jogar longe. A pior coisa era a dor na sua barriga. Por alguns minutos ele teve a sensação de que morreria se não chegasse a um banheiro em breve. Mas não havia banheiros públicos em um lugar como aquele. O espasmo passou, deixando uma dor amorfa.

A rua era um beco sem saída. Winston parou por vários segundos, perguntando-se o que fazer, e então virou-se e começou a refazer os passos. Ao se virar, ocorreu-lhe que a mulher só passara por ele havia três minutos, e se corresse, poderia alcançá-la. Poderia segui-la até chegarem a um lugar isolado e esmagar seu crânio com uma pedra do paralelepípedo. O pedaço de vidro no seu bolso também era pesado o bastante para a tarefa. Mas abandonou de imediato a ideia, pois só a noção de fazer um esforço físico já era insuportável. Ele não conseguia correr, dar um golpe. Além disso, ela era jovem e vigorosa e capaz de se defender. Ele também pensou em correr ao Centro Comunitário e ficar lá até o lugar fechar, para estabelecer um álibi parcial para a noite. Mas isso também era impossível. Uma lassidão tomou conta dele. Tudo o que queria era voltar rápido para casa, sentar-se e ficar quieto.

Já tinha passado das vinte e duas horas quando ele chegou no apartamento. As luzes seriam desligadas na central às vinte e três. Ele entrou na cozinha e engoliu quase uma xícara inteira de Gim da Vitória. Então foi para a mesa na alcova, sentou-se, pegou o diário da gaveta. Mas não o abriu de imediato. Uma voz feminina estridente guinchava uma música patriota. Sentou-se encarando a capa marmorizada do livro, tentando, sem sucesso, calar a voz de sua consciência.

Pegavam as pessoas à noite, sempre à noite. O mais adequado a se fazer seria se matar antes que o capturassem.

Sem dúvida, algumas pessoas faziam isso. Muitas das desaparições eram, na verdade, suicídios. Mas era preciso uma coragem desesperada para se matar num mundo sem armas de fogo ou algum veneno rápido e infalível. Pensou, com uma espécie de espanto, a respeito da inutilidade biológica da dor e do medo, a traição do corpo humano que sempre se congela e fica inerte bem no momento em que se precisa realizar um esforço especial. Ele podia ter silenciado a moça de cabelo escuro se tivesse agido rápido o bastante, mas foi justo por causa do extremo perigo que ele perdera o poder para agir. Impressionava-o que, em momentos de crise, nunca se luta contra um inimigo externo, mas sempre contra o próprio corpo. Até agora, apesar do gim, a dor amorfa em sua barriga tornava impossível ter dois pensamentos consecutivos. E era assim, percebeu, em todas as situações aparentemente heroicas ou trágicas. No campo de batalha, na sala de tortura, num naufrágio, os problemas que se enfrentam são sempre esquecidos, porque o corpo incha até preencher o universo, e até quando não se está paralisado de medo ou gritando de dor, a vida é uma luta momento a momento contra a fome, o frio ou a falta de sono, contra a acidez no estômago ou a dor de dente.

Abriu o diário. Era importante escrever algo. A mulher na teletela emendou outra canção. A voz dela parecia grudar no cérebro dele como estilhaços de vidro. Tentou pensar em O'Brien, para quem, ou a quem, o diário era escrito, mas em vez disso, passou a pensar nas coisas que ocorreriam depois que a Polícia do Pensar o levasse. Não importaria se matavam uma pessoa de primeira. O sujeito esperava ser morto. Mas antes da morte (ninguém falava dessas coisas, mas todos sabiam) havia a performance da confissão que precisava ser realizada: rastejar no chão implorando por perdão, o estalo dos ossos quebrados, os dentes esmagados, os tufos ensanguentados de cabelo.

Para que suportar aquilo, se o fim era sempre o mesmo? Por que não era possível cortar alguns dias ou semanas de sua vida? Ninguém escapava da detecção, e ninguém nunca deixava de confessar. Quando uma pessoa sucumbia de vez ao crimepensar, era certo que um dia estaria morta. Por que, então, aquele horror, que não mudava nada, tinha que se cravar no futuro?

Tentou evocar a imagem de O'Brien de novo, com um pouco mais de sucesso dessa vez. "Nós nos encontraremos no lugar onde não há escuridão", O'Brien lhe dissera. Ele sabia o que aquilo significava, ou achava que sabia. O lugar onde não há escuridão é o futuro imaginado, que nunca era possível ver, mas que, por presciência, era possível partilhar misticamente. Mas com aquela voz da teletela azucrinando seus ouvidos, ele não era capaz de levar o pensamento adiante. Botou um cigarro na boca. Metade do tabaco caiu no mesmo instante na sua língua, um pó amargo que era difícil de cuspir. O rosto do Grande Irmão dominou sua mente, tirando o de O'Brien. Assim como fizera alguns dias antes, ele tirou uma moeda do bolso e olhou para ela. O rosto o encarava, calmo, pesado, protetor; mas que tipo de sorriso se escondia por trás daquele bigode escuro? As palavras voltaram como um mau presságio:

GUERRA É PAZ
LIBERDADE É ESCRAVIDÃO
IGNORÂNCIA É FORÇA

Parte 2

Capítulo 1

No meio da manhã, Winston se levantou do seu cubículo e foi ao banheiro.

Uma figura solitária andava na sua direção, vinda do outro canto do corredor longo e bem iluminado. Era a moça de cabelo escuro. Tinham se passado quatro dias desde que se deparara com ela do lado de fora da loja de quinquilharias. Quando ela se aproximou, ele percebeu que seu braço direito estava numa tipoia, algo que não se percebia à distância, porque era da mesma cor que o macacão. Talvez ela tivesse esmagado a mão ao girar um dos grandes caleidoscópios usados para "adequar" o enredo dos romances. Era um acidente comum no Departamento de Ficção.

Estavam a cerca de quatro metros um do outro quando a moça tropeçou e quase deu de cara no chão. Ela soltou um grito de dor agudo. Deve ter caído justo no braço machucado. Winston parou. A garota tinha conseguido se ajoelhar. O rosto dela ficou amarelo pálido, e sua boca estava mais vermelha do que nunca. Os olhos dela estavam fixos nos dele, com uma expressão suplicante que mais parecia de medo do que de dor.

Uma emoção curiosa brotou no coração de Winston. Diante dele havia um inimigo que tentava matá-lo; diante dele também estava uma criatura humana, com dor e talvez um osso quebrado. Ele já tinha avançado, de forma instintiva, para ajudá-la. No momento em que a viu cair sobre o braço na tipoia, foi como se ele sentisse a dor em seu próprio corpo.

— Você se machucou? — ele perguntou.

— Não foi nada. O meu braço. Vou ficar bem logo, logo.

Ela falou como se o seu coração tremulasse. Com certeza ficou muito pálida.

— Não quebrou nada?

— Não, estou bem. Doeu na hora, só isso.

Ela estendeu sua mão livre na direção dele, e ele a ajudou a se levantar. Ela recuperara parte da cor no rosto e parecia estar muito melhor.

— Não foi nada — ela repetiu logo depois. — Só dei uma batida no pulso. Obrigada, camarada!

E ao dizer isso, ela seguiu andando na mesma direção, com o passo decidido, como se nada tivesse acontecido. Todo o incidente não durou mais que meio minuto. Todos tinham adquirido, como um instinto, a capacidade de não demonstrar sentimentos na expressão do rosto, e de qualquer maneira, eles estavam bem na frente de uma teletela quando aquilo aconteceu. Não obstante, foi muito difícil não demonstrar uma surpresa momentânea, pois nos dois ou três segundos em que ele a ajudou a se levantar, a moça deslizara algo na mão dele. Não havia dúvidas de que o fizera de forma intencional. Era algo pequeno e plano. Enquanto ele passava pela porta do banheiro, botou o objeto no bolso e o sentiu com a ponta dos dedos. Era um pedaço de papel dobrado na forma de um quadrado.

Enquanto estava no urinol, conseguiu, mexendo mais os dedos, desdobrar o papel. Era óbvio que havia uma mensagem escrita. Por um instante, sentiu a tentação de entrar em uma das cabines e lê-lo de uma vez. Mas isso seria uma idiotice chocante, como ele bem sabia. Não havia nenhum lugar que as teletelas vigiavam mais continuamente.

Voltou ao cubículo, sentou-se, jogou o fragmento de papel casualmente entre as outras folhas na sua mesa, colocou os óculos e puxou o falescreve na sua direção. "Cinco minutos", disse a si, "cinco minutos no mínimo!" Seu coração pulsava no peito num volume assustador. Por sorte, a tarefa que realizava era rotineira, a retificação de uma lista longa de números, e não exigia muita atenção.

Seja lá o que estivesse escrito no papel, devia ter algum significado político. Para ele, só havia duas possibilidades. Uma, muito mais provável, era que a garota era agente da Polícia do Pensar, como ele temia. Não sabia por que a Polícia do Pensar entregaria mensagens dessa maneira, mas talvez tivessem seus motivos. O que estava escrito no papel podia ser uma ameaça, uma intimação, uma ordem para que cometesse suicídio, uma armadilha qualquer. Mas havia outra possibilidade, mais selvagem, que insistia em aparecer, por mais que ele tentasse suprimi-la. A de que a mensagem não vinha da Polícia do Pensar, mas de alguma organização clandestina. Talvez a Irmandade existisse, afinal de contas! Talvez a moça participasse dela! Sem dúvida era uma ideia absurda, mas surgiu na sua cabeça assim que ele sentiu o papel chegar à sua mão. Só alguns minutos depois a outra explicação mais provável lhe ocorreu. E mesmo agora, embora seu intelecto dissesse que a mensagem possivelmente significava a morte... ainda assim, ele não acreditava nisso, e a esperança ilógica persistia, e seu coração batia com força, e ele tinha dificuldade de não falar com voz trêmula ao murmurar as cifras no falescreve.

Enrolou o trabalho completo e colocou-o no tubo pneumático. Tinham se passado oito minutos. Reajustou os óculos no nariz, suspirou e puxou a próxima pilha de trabalho na sua direção, com o pedaço de papel no topo. Ele o desdobrou. Estava escrito, numa letra grande e irregular:

EU TE AMO.

Por vários segundos, ficou chocado demais até para jogar aquele troço incriminador no buraco da memória. Quando o fez, embora conhecesse muito bem os riscos de demonstrar muito interesse, não resistiu a ler a mensagem de novo, só para ter certeza de que as palavras estavam mesmo lá.

Foi muito difícil trabalhar pelo resto da manhã. Pior do que precisar focar sua mente numa série de trabalhos chatos era a necessidade de esconder da teletela a sua agitação. Ele sentia como se um fogo ardesse na sua barriga. O almoço no refeitório quente, lotado e barulhento foi um tormento. Ele esperava ficar sozinho por um tempo durante o horário de almoço, mas por azar, o imbecil do Parsons colou atrás dele, e o fedor do seu suor quase derrotava o cheiro metálico do ensopado, e engatou numa enxurrada de tagarelice sobre as preparações para a Semana do Ódio. Estava especialmente entusiasmado com uma réplica em papel machê da cabeça do Grande Irmão, com dois metros de largura, que estava sendo elaborada para a ocasião pela tropa de Espiões à qual pertencia sua filha. A coisa mais irritante era que, naquela algazarra de vozes, Winston mal conseguia escutar o que Parsons dizia, e precisava pedir várias vezes para ele repetir seus comentários insensatos. Só por um instante vislumbrou a moça, na mesa com outras duas mulheres ao final do salão. Ela parecia não tê-lo visto, e ele não olhou mais para aquela direção.

A tarde foi mais fácil de suportar. Logo depois do almoço chegou um trabalho difícil e delicado que podia levar muitas horas e necessitava que ele deixasse todo o resto de lado. Consistia em falsificar uma série de relatórios de produção de dois anos antes, de modo que um membro proeminente do Partido Interno, que agora estava sob suspeita, perdesse a credibilidade. Era o tipo de coisa em que Winston era bom, e por mais de duas horas conseguiu tirar a garota da cabeça. Então, a lembrança de seu rosto reapareceu, junto com um desejo violento e intolerável de ficar a sós. Até que ficasse sozinho, seria impossível pensar no que havia ocorrido. Hoje à noite ele teria que ir ao Centro Comunitário. Ele devorou outra comida insossa no refeitório, correu para o Centro, participou da estupidez solene de um "grupo de discussão", jogou duas partidas de pingue-pongue, engoliu vários copos de gim e ficou sentado por meia hora durante uma palestra intitulada "Ingsoc em relação ao xadrez". Sua alma se contorcia de tédio, mas pela primeira vez ele não teve o impulso de fugir da noite no

Centro. Ao ler as palavras EU TE AMO, um desejo de permanecer vivo brotara nele, e correr pequenos riscos, de repente, parecia algo estúpido. Só às vinte e três horas, quando estava em casa, na sua cama — na escuridão, a salvo até da teletela desde que ficasse em silêncio —, ele conseguiu pensar naquilo de forma contínua.

Havia um problema físico para ser resolvido: como entrar em contato com a garota e marcar um encontro. Ele não estava mais considerando a possibilidade de ela preparar-lhe uma armadilha. Sabia que não era o caso em razão do nervosismo inconfundível dela ao entregar o recado. Era claro que ela estava apavorada, com razão. A ideia de rejeitar sua investida também não passou pela cabeça dele. Apenas cinco noites antes ele cogitava esmagar o crânio dela com um pedregulho, mas isso não importava. Pensou no corpo jovem dela nu, como vira em seu sonho. Ele a imaginou como uma idiota igual a todas as outras, a cabeça cheia de mentiras e ódio, a barriga cheia de gelo. Uma espécie de tremor febril o dominou ao pensar que ele poderia perdê-la, que aquele corpo branco e jovem poderia escorregar de suas mãos! O que ele temia, mais do que qualquer outra coisa, era que ela apenas mudasse de ideia se ele não entrasse logo em contato. Mas a dificuldade física de encontrá-la era enorme. Era como tentar fazer um movimento no xadrez depois de receber um xeque. Para onde virasse, havia uma teletela encarando-o. Na verdade, pensara em todas as possibilidades de se comunicar com ela cinco minutos depois de ler o recado; mas agora, com tempo para pensar, repassou-as uma a uma, como se depositasse uma fileira de instrumentos numa mesa.

Era óbvio que o tipo de encontro que acontecera naquela manhã não podia se repetir. Se ela trabalhasse no Departamento de Registros seria mais simples, em comparação, mas ele tinha uma ideia muito vaga de onde ficava o Departamento de Ficção no prédio, e não tinha nenhum pretexto para ir lá. Se soubesse onde ela morava, e a que horas saía do trabalho, podia desviar para encontrá-la em algum lugar no caminho para casa; mas tentar segui-la até em casa não era seguro, porque precisaria ficar vagando pelo lado de fora do Ministério, e alguém iria percebê-lo. Quanto a mandar uma carta pelo correio, isso estava fora de cogitação. Não era segredo que todas as cartas eram abertas. Na verdade, poucas pessoas escreviam cartas. Havia cartões-postais com uma lista longa de frases caso você precisasse mandar uma carta, e você riscava as que não serviam. De qualquer maneira, ele não sabia o nome da garota, que dirá o seu endereço. Enfim, decidiu que o lugar mais seguro seria o refeitório. Se conseguisse encontrá-la sozinha numa mesa, em algum lugar no meio do salão, não muito perto das teletelas, e com um vozerio suficiente de conversas ao redor — se essas condições durassem, digamos, trinta segundos, seria possível trocar algumas palavras.

Por uma semana, a vida foi como um sonho inquieto. No dia seguinte, ela não apareceu no refeitório até o momento em que ele estava saindo, depois de soar o apito. Podia-se presumir que tinham mudado o turno dela para um posterior. Passaram um pelo outro sem trocar um olhar. No dia seguinte, ela estava no refeitório no horário de sempre, mas com três outras mulheres, e logo abaixo de uma teletela. Depois, por três dias pavorosos ela sequer apareceu. Todo o corpo e a mente dele pareciam padecer de uma sensibilidade insuportável, uma espécie de transparência, que transformava cada movimento, cada som, cada contato, cada palavra que ele falava ou ouvia, numa agonia. Nem em sonhos ele escapava da imagem dela. Não tocou no diário nesses dias. O alívio, se havia algum, estava no seu trabalho, que o fazia esquecer de si por dez minutos seguidos. Não fazia ideia do que tinha acontecido com ela. Não tinha como se informar. Podia ter sido vaporizada, podia ter se suicidado, podia ter sido transferida para o outro lado da Oceania; o pior e mais provável era que ela apenas mudara de ideia e decidira evitá-lo.

No dia seguinte ela reapareceu. O braço não estava mais na tipoia e ela tinha um esparadrapo ao redor do pulso. O alívio de vê-la foi tão grande que ele não se conteve e a encarou por vários segundos. No dia seguinte, quase conseguiu falar com ela. Quando ele chegou ao refeitório, ela estava sentada numa mesa longe da parede e bastante isolada. Era cedo e o lugar não estava muito cheio. A fila avançou até que Winston estava quase chegando ao balcão, e então ficou dois minutos parada porque alguém na frente reclamava que não recebera seu tablete de sacarina. Mas a garota continuava sozinha quando Winston pegou a bandeja e começou a caminhar em direção à mesa dela. Andou casualmente rumo a ela, com os olhos em busca de um espaço na mesa à sua frente. Mais dois segundos e conseguiria. Então uma voz vinda detrás dele o chamou:

— Smith! — Ele fingiu não escutar. — Smith! — repetiu a voz, mais alto. Não tinha o que fazer. Virou-se. Um jovem loiro, com cara de tonto, chamado Wilsher, que ele mal conhecia, o convidava com um sorriso a se sentar no lugar vago em sua mesa. Não era seguro recusar. Depois de ter sido reconhecido, ele não podia ir sentar-se com uma garota sozinha. Iam perceber. Ele se sentou com um sorriso amigável. O rosto loiro e idiota retribuiu o sorriso. Winston teve uma alucinação em que cravava uma picareta bem no meio daquele rosto. A mesa da garota se encheu poucos minutos depois.

Mas ela devia ter visto ele caminhar em sua direção, e talvez se tocasse do plano. No dia seguinte, ele cuidou para chegar cedo. E lá estava ela, numa mesa mais ou menos no mesmo local, sozinha outra vez. A pessoa logo à frente dele na fila era um homem pequeno, rápido, com um jeito de besouro, um rosto achatado e olhos diminutos e desconfiados. Ao passo que Winston se afastou do balcão com a bandeja, ele viu que o pequeno homem andava na direção da mesa da garota. Suas esperanças afundaram outra vez. Havia um lugar livre a uma mesa de distância, mas havia algo na aparência do pequeno homem sugerindo que ele se importava tanto com o próprio conforto que escolheria a mesa mais vazia de todas. Com o coração congelado, Winston o seguiu. Qualquer outra coisa exceto ficar a sós com a garota seria inútil. Naquele momento, houve uma tremenda colisão. O homenzinho estava caído de quatro. Sua bandeja saíra voando, dois jorros de sopa e café escorrendo pelo chão. Levantou-se, lançando um olhar maligno a Winston, suspeitando que ele o derrubara. Mas estava tudo bem. Cinco segundos depois, com o coração trovejante, Winston estava sentado à mesa com a garota.

Ele não a encarou. Desmontou a bandeja e começou a comer. Era importante falar de uma vez, antes que alguém aparecesse, mas agora um medo terrível o dominava. Tinha se passado uma semana desde que ela o abordara. Ela podia ter mudado de ideia, ela devia ter mudado de ideia! Era impossível que aquele caso tivesse um final feliz; tais coisas não aconteciam na vida real. Ele podia ter desistido de vez de falar se naquele instante não visse Ampleforth, o poeta de orelhas peludas, dando voltas pelo refeitório com uma bandeja, procurando onde sentar. De uma maneira vaga, Ampleforth estava ligado a Winston, e com certeza sentaria na sua mesa se o visse. Ele tinha talvez um minuto para agir. Tanto Winston como a garota comiam ritmados. Tomavam um ensopado ralo, na verdade, uma sopa de vagem. Winston começou a falar num murmurar baixo. Nenhum dos dois olhou para cima; levavam a comida aguada para a boca com a colher firmemente, e entre uma colherada e outra, trocaram as poucas palavras necessárias em vozes baixas e monocórdias.

— A que horas você sai do trabalho?

— Dezoito e trinta.

— Onde podemos nos encontrar?

— Praça da Vitória, perto do monumento.

— Está cheio de teletelas.

— Não importa, se houver bastante gente.

— Algum sinal?

— Não. Não venha na minha direção até me ver cercada de gente. E não olhe para mim. Só fique em algum lugar perto de mim.

— A que horas?

— Dezenove.

— Certo.

Ampleforth não viu Winston e sentou-se em outra mesa. Não tornaram a conversar e, levando em conta que eram pessoas sentadas nas duas pontas da mesma mesa, não pareciam se conhecer. A garota terminou de almoçar com rapidez e partiu, enquanto Winston permaneceu para fumar um cigarro.

Winston chegou à Praça da Vitória antes do horário combinado. Ele vagou ao redor da base da enorme coluna que trazia, no topo, uma estátua do Grande Irmão, olhando o céu, para o sul, em direção ao local onde derrubara os aviões eurasianos (anos antes eram os aviões lestasianos) na Batalha da Pista de Pouso Um. Na rua à frente havia uma estátua de um homem montado num cavalo que deveria representar Oliver Cromwell. Cinco minutos depois do horário combinado, a garota ainda não tinha aparecido. Winston foi tomado por um medo terrível mais uma vez. Ela não ia aparecer, ela tinha mudado de ideia! Ele caminhou lentamente para a parte norte da praça e sentiu um prazer pálido em identificar a Igreja de São Martinho, cujos sinos, quando tinha sinos, soavam "Você me deve três tostões". Então viu a garota parada diante da base do monumento, lendo ou fingindo ler um pôster que subia a coluna em espiral. Não era seguro aproximar-se dela até que mais pessoas aparecessem. Havia teletelas por todo o lugar. Mas, naquele momento, houve uma algazarra de gritos junto ao ruído de veículos pesados vindos de algum lugar à esquerda. De repente, todos pareciam atravessar a praça correndo. A garota se esgueirou rapidamente ao redor dos leões na base do monumento e se juntou à multidão. Winston fez o mesmo. Ao correr, entendeu pelos gritos que um comboio de prisioneiros eurasianos estava passando.

Uma massa densa de pessoas já bloqueava o lado sul da praça. Winston, que em geral era uma pessoa que gravitava por fora de uma aglomeração, agora empurrava, esgueirava-se, acotovelava no meio da multidão. Logo estava a um braço de distância da garota, mas o caminho estava bloqueado por um proleta enorme, e uma mulher quase tão enorme — sua esposa, supunha-se — que pareciam formar um muro impenetrável de carne. Winston se contorceu pelo lado e com um movimento violento conseguiu passar o ombro entre eles. Por um instante, sentiu como se suas entranhas fossem esmigalhadas entre os dois quadris musculosos, e então conseguiu atravessar, suando um pouco. Estava ao lado dela. Ombro a ombro, ambos olhavam fixo para o que estava diante deles.

Uma fila comprida de caminhões passava com lentidão pela rua, com guardas de rosto impassível armados com submetralhadoras, parados eretos em cada ponta. Nos caminhões, pequenos homens amarelos em uniformes esfarrapados e esverdeados estavam apinhados juntos, grudados uns nos outros. Seus rostos tristes, de feições da Mongólia, olhavam para fora da lateral dos caminhões, com total falta de curiosidade. De vez em quando, um caminhão dava um solavanco e se escutava o tilintar de metais: todos os prisioneiros usavam grilhões. Passava um caminhão com rostos tristes atrás do outro. Winston sabia que estavam lá, mas só os via de forma intermitente. O ombro da garota, e seu braço, até o cotovelo, estava pressionado contra o dele. Sua bochecha estava próxima a ponto de ele quase sentir o calor dela. Ela liderava a situação, assim como fizera no refeitório. Começou a falar com a mesma voz inexpressiva de antes, com os lábios quase sem se mover, um mero murmúrio que era facilmente abafado pela algazarra de vozes e pelo ronco dos caminhões.

— Consegue me ouvir?

— Sim.

— Consegue tirar folga no domingo?

— Sim.

— Então me escute com atenção. Precisa se lembrar disso. Vá para a Estação Paddington...

Com uma precisão militar que o impressionou, ela traçou a rota que ele devia seguir. Uma jornada de meia hora de trem; virar à esquerda na estação; dois quilômetros pela estrada; um portão sem a barra de cima; uma trilha pelo campo; uma rua com grama; um caminho entre dois arbustos; uma árvore morta com musgo. Era como se houvesse um mapa dentro da cabeça dela.

— Vai lembrar disso tudo? — murmurou, enfim.

— Sim.

— Vire à esquerda, direita, esquerda outra vez. O portão não tem a parte de cima.

— Sim. Que horas?

— Lá pelas quinze. Talvez você precise esperar. Vou chegar lá seguindo outro caminho. Tem certeza que lembra de tudo?

— Sim.

— Então se afaste de mim o mais rápido possível.

Ela nem precisava dizer isso. Mas, naquele instante, não conseguiam se livrar da multidão. Os caminhões ainda passavam em fila, as pessoas, insaciáveis, seguiam os observando boquiabertas. De início, houve algumas vaias e assovios, mas vieram só de membros do Partido na multidão, e então logo parou. A emoção predominante era apenas a de curiosidade. Estrangeiros, fossem da Eurásia ou da Lestásia, eram uma espécie de animal estranho. Nunca eram vistos, literalmente, exceto como prisioneiros, e mesmo como prisioneiros, só era possível vislumbrá-los por um instante. Ninguém sabia o que faziam com eles, além de que alguns eram enforcados como criminosos de guerra: os outros apenas desapareciam, supunha-se que eram enviados aos campos de trabalho forçado. Os rostos mongóis redondos tinham dado espaço a faces mais europeias, sujas, barbudas e exaustas. Acima das bochechas esfoladas, os olhos deles encaravam os de Winston, às vezes com uma intensidade estranha, e desviavam o olhar outra vez. O comboio chegava ao fim. No último caminhão, ele conseguiu ver um idoso, seu rosto era uma massa de cabelo grisalho, e ele estava parado de pé, com os pulsos cruzados à frente, como se estivesse acostumado a andar com eles presos. Tinha quase chegado a hora de Winston se separar da garota. Mas, no último instante, enquanto a multidão ainda os pressionava, a mão dela veio na direção da dele e deu um apertão fugaz.

Isso não durou nem dez segundos, mas pareceu que suas mãos ficaram juntas por muito tempo. Ele conseguiu conhecer cada detalhe da mão dela. Explorou os seus longos dedos, as unhas bem aparadas, a palma endurecida de tanto trabalho com sua fileira de calos, a pele suave abaixo do pulso. Só de senti-la, era capaz de reconhecê-la de vista. No mesmo instante, ocorreu-lhe que ele não sabia qual era a cor dos olhos dela. Provavelmente castanhos, mas as pessoas de cabelo escuro às vezes têm olhos azuis. Virar sua cabeça e olhar para ela seria uma loucura inconcebível. Com as mãos dadas, invisíveis entre os corpos que os pressionavam, eles mantiveram o olhar fixo para a frente, e não eram os olhos da garota que fitavam Winston, mas os do prisioneiro idoso, com pesar, entre tufos de cabelo.

Capítulo 2

Winston caminhou pela rua inundada de luz e sombra, pisando em poças douradas sempre que a vegetação deixava uma brecha. Sob as árvores à sua esquerda, o chão estava enevoado de tantas campânulas. O ar parecia beijar a pele dos que passavam. Era 2 de maio. De algum lugar do coração do bosque vinha o zumbido de pombas.

Ele tinha se adiantado um pouco. A jornada não fora difícil, e a garota tinha com certeza tanta experiência que ele estava menos assustado do que normalmente estaria. Supunha-se que ela era confiável para encontrar um lugar seguro. Em geral, não se podia presumir estar mais seguro no campo do que em Londres. Não havia teletelas, claro, mas sempre havia o risco de microfones escondidos capazes de captar e reconhecer a voz; além disso, não era fácil viajar por conta própria sem chamar a atenção. Para percorrer distâncias menores que cem quilômetros, não era preciso um visto no passaporte, mas às vezes havia patrulhas nas estações de trem que examinavam os documentos de qualquer membro do Partido que encontrassem, e lhe faziam perguntas estranhas. No entanto, nenhum patrulheiro apareceu, e durante a caminhada que partiu da estação, Winston lançou olhares cautelosos para trás para garantir que não era seguido. O trem estava repleto de proletas, num ânimo de feriado por causa do clima de verão. O vagão com assentos de madeira no qual viajou estava quase transbordando com apenas uma família enorme, que ia de uma bisavó desdentada a um bebê de um mês, saindo para passar a tarde com os parentes no campo e, como explicaram livremente para Winston, para conseguir um pouco de manteiga no mercado clandestino.

A rua se alargou e em um minuto ele chegou à trilha que ela mencionara, uma mera pista para gado que se embrenhava entre os arbustos. Estava sem relógio, mas não podia ser mais do que quinze horas. A massa de campânulas era tão espessa que era impossível não pisar em algumas flores. Ajoelhou-se e começou a colher algumas para matar o tempo, porém com a ideia vaga de que gostaria de ter um punhado de flores para oferecer à garota quando se encontrassem. Reuniu um buquê e sentia seu cheiro um pouco enjoativo quando um som vindo de trás fez com que paralisasse, o inconfundível ruído de galhos pisoteados. Continuou colhendo campânulas. Era o melhor a se fazer. Podia ser a garota, ou alguém poderia estar seguindo-o. Virar para trás seria demonstrar culpa. Ele colheu outra e mais uma. Uma mão encostou de leve no seu ombro.

Olhou para cima. Era a garota. Ela balançou a cabeça, um sinal claro de que deveria permanecer em silêncio, e então separou os arbustos e o conduziu pelo caminho por meio de uma trilha estreita que entrava na floresta. Era óbvio que ela já tinha percorrido aquele caminho, pois era capaz de desviar dos pontos pantanosos, como se estivesse habituada àquilo. Winston a seguiu, ainda segurando seu buquê de flores. Sua primeira sensação foi de alívio, mas enquanto ele observava o corpo forte e esguio dela movendo-se à sua frente, com o cinto escarlate apertado o bastante para ressaltar a curva do quadril, foi tomado por uma sensação intensa de inferioridade. Mesmo agora parecia bastante provável que ela viraria, olharia para ele e se arrependeria. A doçura do ar e o verde das folhas o intimidavam. Ainda na caminhada a partir da estação, o brilho do sol de maio fizera com que ele se sentisse sujo e debilitado, uma criatura que só vive em lugares fechados, com a fuligem de Londres nos poros da pele. Ocorreu-lhe que até o momento, era provável que ela nunca o tivesse visto a céu aberto, à luz do sol. Chegaram à árvore caída da qual ela falara. A garota pulou por cima e abriu à força uma passagem entre os arbustos, que não pareciam ter abertura nenhuma. Winston a seguiu e descobriu que chegaram a uma clareira natural, um pequeno monte coberto de grama, cercado por árvores altas que o isolavam por completo. A garota parou e se virou.

— Chegamos — ela disse.

Ele a fitava a vários passos de distância. Ainda não tinha coragem de se aproximar.

— Não quis falar nada na trilha — ela prosseguiu —, caso tivesse algum microfone escondido lá. Acho que não tem, mas vai saber. Sempre existe a chance de um dos porcos reconhecer a nossa voz. Aqui estamos seguros.

Ele ainda não tinha coragem de abordá-la.

— Estamos seguros aqui? — ele repetiu, de um jeito estúpido.

— Sim, olhe para as árvores. — Eram pequenos freixos, que em algum momento tinham sido derrubados e voltado a crescer, formando uma floresta de postes, e nenhum era mais grosso do que o punho de um ser humano. — Não há nada grande o bastante para esconder um microfone. Além disso, já estive aqui antes.

Só trocavam conversa fiada. Ele conseguiu se aproximar um pouco agora. Ela parou diante dele, muito ereta, com um sorriso no rosto que parecia um pouco irônico, como se perguntasse por que ele demorava tanto para agir. As campânulas tinham despencado no chão. Pareciam ter caído por decisão própria. Ele pegou a mão dela.

— Você acredita — ele disse — que até agora eu não sabia qual era a cor dos seus olhos? — Eram castanhos, ele notou, um castanho claro, com cílios pretos. — Agora que você me viu como de fato sou, ainda suporta me olhar?

— Sim, tranquilamente.

— Tenho trinta e nove anos. Tenho uma esposa da qual não consigo me livrar. Tenho veias varicosas. Tenho dentes falsos.

— Não me importo nem um pouco — disse a garota.

No instante seguinte, e era difícil dizer quem tomou a atitude, ela estava em seus braços. No início, ele não sentiu nada além de incredulidade pura. O corpo jovem pressionado contra o dele, a massa de cabelo escuro contra o seu rosto e sim! ela tinha erguido o rosto e ele estava beijando aquela boca vermelha e ampla. Ela envolveu o pescoço dele nos braços e o chamava de querido, precioso, amado. Ele a levou para o chão, e ela não resistiu, ele podia fazer o que quisesse com ela. Mas a verdade é que ele não tinha nenhuma sensação física além do contato. Tudo o que sentia era incredulidade e orgulho. Estava feliz que aquilo estava acontecendo, mas não tinha desejo físico. Era cedo demais, a juventude e beleza dela o assustavam, ele tinha se acostumado a viver sem mulheres — não sabia o motivo. A garota se levantou e tirou uma campânula do cabelo. Ela se sentou à sua frente, colocando o braço ao redor da cintura dele.

— Não se preocupe, querido. Não tenha pressa. Temos a tarde toda. Não é um esconderijo esplêndido? Descobri o lugar quando me perdi durante uma trilha comunitária. Era possível escutar a cem metros de distância se alguém estava vindo.

— Qual é o seu nome? — perguntou Winston.

— Julia. Eu sei o seu. Winston. Winston Smith.

— Como você descobriu isso?

— Suponho que sou melhor em descobrir coisas do que você, querido. Me diz, o que você achava de mim antes de receber aquele recado?

Ele não se sentiu tentado a mentir. Era uma espécie de oferenda de amor começar falando o pior desde o início.

— Eu detestava ver você — ele disse. — Queria estuprá-la e assassiná-la depois. Duas semanas atrás, pensei seriamente em esmagar sua cabeça com um pedregulho. Se quer mesmo saber, achei que você estava envolvida com a Polícia do Pensar.

A garota deu uma risada prazerosa, levando esses comentários como um elogio à excelência do seu disfarce.

— Não, da Polícia do Pensar? Você não pensou mesmo nisso!

— Bom, talvez não exatamente nisso. Mas, a julgar pela sua aparência geral (só por você ser jovem e saudável, veja bem) eu achei que você provavelmente...

— Você achou que eu era uma integrante do Partido muito boa. Pura nas palavras e ações. Cartazes, procissões, slogans, jogos, trilhas comunitárias, todas essas coisas. E você achou que se tivesse a mínima chance, eu o denunciaria como criminoso do pensamento e você seria morto?

— Sim, algo do tipo. Muitas jovens são assim, você sabe.

— É culpa dessa porcaria — ela disse, arrancando a faixa escarlate da Liga Juvenil Antissexo e arremessando-a num galho. E então, como se ao tocar no quadril se lembrasse de algo, ela apalpou o bolso do macacão e tirou um pequeno pedaço de chocolate. Dividiu-o em dois e deu um dos pedaços a Winston. Mesmo antes de pegar, ele soube pelo cheiro que aquele não era um chocolate comum. Era escuro e reluzente, e estava enrolado em papel alumínio. Chocolate, em geral, era uma coisa marrom farelenta, e a melhor maneira de descrever seu gosto era dizer que parecia fumaça de uma fogueira feita de lixo. Mas, alguma vez ou outra, ele provara o chocolate do tipo que ela lhe oferecera. O cheiro despertou nele alguma lembrança que não conseguia localizar com exatidão, mas que era poderosa e perturbadora.

— Onde você arranjou isso? — perguntou.

— Mercado clandestino — ela respondeu com indiferença. — Na verdade, sou esse tipo de garota, olhando de fora. Sou boa nos jogos. Fui líder de tropa nos Espiões. Faço trabalho voluntário três noites por semana para a Liga Juvenil Antissexo. Passei horas e horas colando aquelas porcarias de cartazes por Londres. Sempre carrego uma das pontas das faixas nas procissões. Sempre pareço alegre e nunca recuso nada. Sempre grito com a multidão, disso que estou falando. É a única maneira de permanecer segura.

O primeiro fragmento de chocolate derreteu na língua de Winston. O gosto era delicioso. Mas ainda havia aquela lembrança percorrendo os recantos de sua consciência, algo que ele sentia com intensidade, mas não conseguia reduzir a uma forma definitiva, como um objeto percebido na periferia da visão. Afastou-a de si, ciente de que era apenas uma lembrança de alguma ação que ele gostaria de desfazer, mas que não podia.

— Você é muito jovem — disse. — Tem dez ou quinze anos a menos que eu. O que a atraiu num homem como eu?

— Foi algo no seu rosto. Pensei que podia arriscar. Sou boa em detectar pessoas que não pertencem àquilo. Logo que eu o vi, soube que você estava contra *eles*.

Eles, referia-se, pelo jeito, ao Partido, e acima de tudo, ao Partido Interno, de quem ela falava com um desprezo aberto que deixava Winston desconfortável, embora ele soubesse que lá, de todos os lugares, era onde podiam se sentir seguros. Uma coisa que o impressionou nela foi a sua linguagem grosseira. Membros do Partido não deveriam xingar, e raras vezes Winston falava palavrões em voz alta, de qualquer maneira. Julia, no entanto, parecia incapaz de mencionar o Partido, e o Partido Interno em especial, sem usar o tipo de palavras que você via pichadas em becos fétidos. Ele não se incomodava com aquilo. Era apenas um sintoma de sua revolta contra o Partido e tudo o que isso representava, e de alguma maneira parecia natural e saudável, como o espirro de um cavalo que fareja um feno podre. Tinham saído da clareira e vagavam mais uma vez pelas sombras quadriculadas, com os braços ao redor da cintura um do outro quando a trilha era ampla o bastante para que caminhassem lado a lado. Notou como a cintura dela parecia mais suave agora que estava sem aquela faixa. Não falavam mais alto que um sussurro. Fora da clareira, Julia disse, era melhor andar em silêncio. Eles tinham chegado à saída do pequeno bosque. Ela o parou.

— Não saia em campo aberto. Pode ter alguém de olho. Vamos ficar bem se permanecermos atrás dos galhos.

Estavam parados à sombra de arbustos de avelã. A luz do sol, filtrada por inúmeras folhas, ainda ardia nos seus rostos. Winston olhou para o campo adiante e passou por um choque lento e curioso de reconhecimento. Ele o conhecia de vista. Um pasto antigo, de grama curta, com uma trilha para atravessá-lo e montículos de toupeira aqui e acolá. Na cerca-viva esfarrapada do lado oposto aos galhos, olmos sacudiam quase imperceptivelmente com a brisa, e suas folhas se mexiam como massas densas de cabelo de mulher. Com certeza em algum lugar perto dali, mas fora do campo de visão, deveria haver um riacho com poças verdes onde peixinhos nadavam, não?

— Não tem um riacho aqui perto? — ele sussurrou.

— Isso, tem um riacho sim. Fica na margem do outro campo, na verdade. Tem peixes nadando ali, peixes imensos. Dá para vê-los nas poças sob os salgueiros, sacudindo a cauda.

— É a Terra Dourada, quase isso — murmurou ele.

— Terra Dourada?

— Não é nada. Uma paisagem que às vezes vejo em sonhos.

— Olhe! — sussurrou Julia.

Um sabiá pousou num ramo a não mais de cinco metros de distância, quase na altura do rosto deles. Talvez o pássaro não os tenha visto. Abriu suas asas, reencaixou-as com cuidado, abaixou a cabeça por um instante, como se fizesse uma reverência ao sol, e então começou a entoar uma canção torrencial. No silêncio da tarde, o volume daquilo era assustador. Winston e Julia ficaram juntos ali, fascinados. A música continuou por minutos e minutos, com variações surpreendentes, sem nunca se repetir, quase como se o pássaro quisesse exibir como era virtuoso. Às vezes parava por uns segundos, abria e fechava as asas, e então inchava seu peito manchado e caía de novo na cantoria. Winston assistiu àquilo com uma espécie de reverência. Para quem, por que aquele pássaro cantava? Nenhum parceiro para cópula, nenhum rival lhe assistia. O que o levava a sentar na margem daquele bosque solitário e despejar sua música sobre o nada?

Ele se perguntou se havia, afinal, um microfone escondido ali perto. Ele e Julia apenas cochichavam, e não seria possível ouvir o que falavam, mas o som do sabiá seria captado. Talvez do outro lado do instrumento houvesse um homem pequeno, parecido com um besouro, ouvindo com atenção — ouvindo aquilo. Mas, aos poucos, o fluxo da música tirou todas as especulações de sua cabeça. Era como se tivessem derramado sobre ele um líquido misturado com a luz do sol filtrada pelas folhas. Ele parou de pensar e apenas sentiu. A cintura da garota na curva do seu braço era quente e macia. Ele a puxou para perto, de modo a ficarem frente a frente; o corpo dela pareceu derreter no dele. Onde suas mãos mexiam, ela parecia ceder como água. Suas bocas se uniram; era muito diferente dos beijos duros que haviam trocado antes. Quando afastaram os rostos de novo, ambos suspiraram profundamente. O pássaro se assustou e fugiu num bater de asas.

Winston pôs os lábios na orelha dela.

— *Agora* — ele sussurrou.

— Aqui não — ela cochichou. — Vamos voltar para o esconderijo. É mais seguro.

Rapidamente, com o ocasional estalar de galhos, voltaram para a clareira. Quando estavam mais uma vez dentro do círculo de árvores, ela se virou e o encarou. Os dois ofegavam, mas o sorriso tinha reaparecido no canto da boca dela. Ela ficou olhando-o por um instante, e então pegou no zíper do próprio macacão. E sim, foi quase como no sonho. Com a mesma destreza que ele imaginara, ela arrancara as roupas, e quando as jogou para o lado, foi com o mesmo gesto magnífico que parecia aniquilar toda uma civilização. O branco do corpo dela reluzia ao sol. Mas, por um instante, ele não olhou aquele corpo; seus olhos estavam ancorados no rosto cheio de sardas, com aquele sorriso leve e corajoso. Ele se ajoelhou diante dela e pegou nas suas mãos.

— Você já fez isso antes?

— Claro. Centenas de vezes; bom, muitas vezes, seja como for.

— Com membros do Partido?

— Sim, sempre com membros do Partido.

— Com membros do Partido Interno?

— Não, não com aqueles porcos. Mas muitos *fariam* isso se tivessem a menor oportunidade. Não são tão santos quanto dizem ser.

O coração dele deu um pulo. Ela tinha feito aquilo várias vezes; ele desejou que fossem centenas, milhares. Tudo que indicasse uma corrupção o preenchia com uma esperança selvagem. Vai saber, talvez o Partido fosse podre sob a superfície, e seu culto ao trabalho e abnegação fosse apenas uma farsa que escondia a iniquidade. Se fosse possível infectar um bando deles com lepra ou sífilis, ele teria feito isso com prazer! Qualquer coisa que os apodrecesse, enfraquecesse, debilitasse! Ele a puxou para baixo, e agora estavam os dois ajoelhados, face a face.

— Escuta. Quanto maior o número de homens com que você esteve, mais eu te amo. Compreende?

— Sim, perfeitamente.

— Detesto a pureza, detesto o bem! Não quero que exista virtude em nenhum lugar. Quero que todos sejam corruptos até os ossos.

— Bom, então acho que serei adequada, querido. Sou corrupta até os ossos.

— Você gosta de fazer isso? Não estou falando apenas de mim: a coisa em si.

— Eu adoro.

Isso era o que ele mais queria ouvir, acima de tudo. Não apenas o amor de uma pessoa, mas o instinto animal, o desejo simples e que não diferenciava: essa era a força que estilhaçaria o Partido. Ele a pressionou contra a grama, entre as campânulas caídas. Dessa vez não teve dificuldade. O arfar do peito, subindo e descendo, reduziu a uma velocidade normal, e os dois caíram numa espécie de desamparo prazeroso. O sol parecia ter ficado mais quente. Ambos estavam sonolentos. Ele alcançou o macacão descartado e cobriu-a parcialmente. Quase no mesmo instante, pegaram no sono e dormiram por cerca de meia hora.

Winston foi o primeiro a acordar. Ele se sentou e observou o rosto sardento dela, ainda na paz do sono, usando a própria palma da mão como travesseiro. Exceto pela boca, não se podia dizer que ela era bonita. Havia uma ou duas rugas ao redor dos olhos, quando se olhava com atenção. O cabelo preto e curto era grosso e macio. Ele pensou que ainda não sabia qual era o sobrenome dela ou onde ela morava.

O corpo forte e jovem, agora dormindo desamparado, despertou nele um sentimento protetor e de pena. Mas a ternura irracional que ele sentira sob a avelaneira, enquanto o sabiá cantava, ainda não tinha voltado por completo. Ele puxou o macacão para o lado e estudou a pele branca e suave dela. No passado, ele pensou, um homem olhava o corpo de uma mulher, via que era desejável, e fim de história. Mas agora não era mais possível ter amor ou luxúria puros. Nenhuma emoção era pura, porque tudo estava mesclado com medo e ódio. O abraço deles foi uma batalha, o clímax uma vitória. Foi um golpe desferido contra o Partido. Era um ato político.

Capítulo 3

— Só podemos vir mais uma vez aqui — disse Julia. — Em geral, é seguro usar duas vezes o mesmo esconderijo. Mas só daqui a um ou dois meses, é claro.

Assim que ela acordou, seu humor tinha mudado. Tornou-se alerta e agia como uma mulher de negócios, vestiu as roupas, amarrou a faixa escarlate na cintura e começou a organizar os detalhes do retorno dos dois para casa. Parecia natural que ele deixasse isso para ela. Ela com certeza tinha uma esperteza prática que Winston não possuía, e também parecia contar com um conhecimento da região rural ao redor de Londres, armazenado após inúmeras trilhas comunitárias. A rota que ela lhe indicou era bastante diferente daquela por onde ele viera, e o conduzia a outra estação de trem.

— Nunca vá para casa pelo mesmo trajeto que você veio — ela disse, como se enunciasse um princípio geral importante. Ela iria embora primeiro, e Winston precisava esperar meia hora antes de sair.

Ela disse o nome de um lugar no qual podiam se encontrar depois do trabalho dali a quatro noites. Era uma rua em um dos bairros mais pobres, onde havia uma feira ao ar livre, em geral barulhenta e lotada. Ela andaria entre as tendas, fingindo estar em busca de cadarços ou linha de costura. Se achasse que o terreno estava limpo, assoaria o nariz quando ele se aproximasse; do contrário, ele teria que passar por ela sem demonstrar que a reconhecia. Porém, com sorte, no meio da multidão, seria seguro falar por quinze minutos e combinar outro encontro.

— Agora tenho que ir — ela disse, assim que ele dominou as instruções. — Tenho que estar de volta às dezenove e trinta. Preciso dedicar duas horas à Liga Juvenil Antissexo, distribuir panfletos ou algo assim. Não é um saco? Pode me pentear? Tô com algum galhinho na cabeça? Tem certeza? Então adeus, meu amor, adeus!

Ela se jogou nos braços dele, beijou-o de maneira quase violenta, e em um instante depois embrenhou-se pelas árvores, desaparecendo no bosque quase sem fazer barulho. Ele ainda não sabia o sobrenome dela ou seu endereço. Porém, não importava, pois era inconcebível que pudessem se encontrar entre quatro paredes ou trocar qualquer forma de comunicação escrita.

E acabou que nunca voltaram para a clareira no bosque. Durante o mês de maio, só conseguiram fazer amor em mais uma ocasião. Foi em outro esconderijo que Julia conhecia, no campanário de uma igreja em ruínas, numa parte do país que tinha sido atingida por uma bomba atômica trinta anos antes. Era um bom esconderijo uma vez que estavam lá, o problema é que chegar até ele era muito perigoso. De resto, só podiam se encontrar nas ruas, em um lugar diferente a cada noite e nunca por mais de meia hora. Nas ruas era possível conversar até certo ponto. Ao descerem calçadas cheias de pedestres, não muito próximos, e sem nunca olharem um para o outro, podiam manter uma conversa curiosa e intermitente que se acendia e apagava como a luz de um farol, mergulhando de repente no silêncio pela aproximação de uma pessoa com uniforme do Partido ou pela proximidade de uma teletela, e retomada minutos depois no meio de uma frase, e interrompida de forma abrupta quando se separavam no ponto combinado, e então retomada quase sem introduções no dia seguinte. Julia parecia estar bastante acostumada a esse tipo de conversa, que ela chamava de "falar em parcelas". Ela também era surpreendentemente adepta da fala sem mover os lábios. Só uma vez, em quase um mês de encontros noturnos, conseguiram trocar um beijo. Passavam em silêncio por uma rua paralela (Julia nunca conversava quando estavam fora das avenidas principais) quando houve um estrondo ensurdecedor, a terra arfou, o ar escureceu e Winston se viu deitado de lado, ferido e apavorado. Um míssil devia ter caído ali perto. De repente, viu que o rosto de Julia estava a poucos centímetros do seu, de uma branquidão de morte, branco como um giz. Até seus lábios estavam brancos. Ela tinha morrido! Ele a apertou contra si e descobriu que beijava um rosto quente e vivo. Mas havia alguma coisa empoeirada que colou nos seus lábios. O rosto dos dois apresentava uma camada grossa de gesso.

Algumas noites, chegavam ao ponto de encontro e precisavam passar um pelo outro sem trocar um sinal, porque um patrulheiro tinha aparecido na esquina ou um helicóptero pairava acima deles. Mesmo se fosse menos perigoso, ainda seria difícil reservar um tempo para que se encontrassem. A jornada de trabalho de Winston era de sessenta horas semanais, e a de Julia era ainda maior, e os dias de folga dos dois variavam conforme a pressão do trabalho e não costumavam coincidir. Julia, de qualquer maneira, quase nunca tinha uma noite completamente livre. Ela passava uma quantidade incrível de horas frequentando palestras e comícios, distribuindo literatura para a Liga Juvenil Antissexo, preparando as faixas para a Semana do Ódio, arrecadando doações para a campanha de economia e outras atividades do tipo. Valia a pena, ela disse, era camuflagem. Quem mantiver essas pequenas regras, pode romper as grandes. Ela até persuadiu Winston a ceder mais uma de suas noites se inscrevendo para um trabalho em meio-período com munição, algo realizado de forma voluntária por membros dedicados do Partido. Então, uma noite por semana, Winston vivenciava quatro horas de tédio paralisante, parafusando pedacinhos de metal que eram provavelmente partes de rastilhos de bombas, numa oficina mal iluminada e com vento frio encanado, onde o som das batidas de martelo se intercalava de um jeito tenebroso com a música das teletelas.

Quando se encontraram na torre da igreja, puderam preencher as lacunas de suas conversas fragmentadas. Era uma tarde abrasadora. O ar na pequena câmara quadrada abaixo dos sinos estava quente e estagnado, e tinha um cheiro avassalador de cocô de pombos. Ficaram sentados conversando por horas no chão empoeirado, cheio de galhos, se revezando para levantar de tempos em tempos para conferir pelas seteiras se ninguém se aproximava.

Julia tinha vinte e seis anos. Morava numa pensão com outras trinta garotas ("Sempre aquele fedor de mulher! Como odeio mulheres!", ela disse, num aparte), e trabalhava, como ele tinha suposto, nas máquinas de escrever romances no Departamento de Ficção. Ela gostava de seu trabalho, que consistia principalmente em operar e manter um motor elétrico poderoso, mas complexo. Ela não era "esperta", mas gostava de usar as mãos e se sentia em casa com o maquinário. Era capaz de descrever todo o processo de compor um romance, da diretriz geral emitida pelo Comitê de Planejamento até os toques finais da Equipe de Reescrita. Mas não se interessava pelo produto finalizado. Ela "não gostava muito de ler", disse. Livros eram apenas uma mercadoria que precisava ser produzida, como geleia ou cadarços de coturnos.

Ela não se lembrava de nada antes do começo dos anos 1960, e a única pessoa que conhecera que falava com frequência dos dias antes da Revolução era seu avô, que desaparecera quando ela tinha oito anos. Na escola, fora capitã do time de hóquei e recebera o troféu de ginástica por dois anos consecutivos. Ela fora líder de tropa nos Espiões e secretária de um setor da Liga Juvenil antes de se juntar à Liga Juvenil Antissexo. Sempre demonstrara um caráter excelente. Até mesmo (e isso era um sinal infalível de boa reputação) fora escolhida para trabalhar na Pornosec, a subseção do Departamento de Ficção que produzia pornografia barata para distribuir entre os proletas. O lugar tinha sido apelidado de Casa da Lama pelas pessoas que trabalhavam lá, ela ressaltou. Permaneceu lá por um ano, ajudando a produzir livretos em pacotes selados com títulos como "Histórias de espancamento" ou "Uma noite no Colégio para Moças", que seriam comprados furtivamente por jovens proletários que achavam estar comprando algo ilegal.

— Como são esses livros? — perguntou Winston, curioso.

— Ah, é só porcaria. São entediantes, na verdade. Existem só seis tramas, mas eles trocavam uns pedaços. É claro que eu só trabalhei com os caleidoscópios. Nunca fui da Equipe de Reescrita. Não sou uma literata, querido, longe disso.

Ele ficou surpreso ao descobrir que todos os funcionários da Pornosec, tirando os chefes dos departamentos, eram mulheres. A teoria era de que os homens, cujos instintos sexuais eram menos controláveis do que os das mulheres, corriam mais riscos de serem corrompidos pela sujeira com a qual tinham que lidar.

— Nem gostam de ter mulheres casadas no lugar — ela acrescentou. —Teoricamente as mulheres são tão puras. Bom, eis aqui uma que não é.

Ela tivera seu primeiro caso amoroso aos dezesseis anos, com um membro do Partido de sessenta, que depois se suicidou para não ser preso.

— Foi um bom negócio — disse Julia —, senão eles arrancariam o meu nome na confissão dele.

Desde então, esteve com vários outros homens. A vida, como ela via, era muito simples. Você queria se divertir;

"eles", ou seja, o Partido, queriam impedir a sua diversão; você rompia as regras da melhor maneira possível. Ela parecia achar natural que "eles" quisessem tirar seus prazeres e que você quisesse evitar ser pego. Ela detestava o Partido, e dizia isso com as palavras mais grosseiras, mas não fazia uma crítica geral. Exceto quando atingia sua própria vida, ela não se interessava pela doutrina do Partido. Ele notou que ela jamais utilizava palavras da novilíngua, exceto aquelas que se tornaram de uso corrente. Nunca tinha ouvido falar da Irmandade, e se recusava a acreditar em sua existência. Qualquer forma de revolta organizada contra o Partido era algo fadado ao fracasso, e ela achava estúpido. O mais inteligente a se fazer era romper as regras e, ao mesmo tempo, permanecer vivo. Ele se perguntou, de maneira vaga, quantos outros jovens como ela cresceram no mundo da Revolução sem conhecer nenhuma alternativa, aceitando o Partido como algo inalterável, como o céu, sem se rebelar contra sua autoridade, mas apenas se esquivando dele, como um coelho escapa de um cachorro.

Não discutiram a possibilidade de se casarem. Era uma possibilidade tão remota que nem valia a pena pensar nisso. Nenhum comitê imaginável permitiria tal matrimônio, nem mesmo se Winston conseguisse se livrar de Katharine, sua esposa. Não havia esperanças nem mesmo em devaneios.

— Como ela era? A sua esposa — perguntou Julia.

— Ela era... sabe a palavra de novilíngua, BEMPENSANTE? Ou seja, ortodoxa por natureza, incapaz de ter um pensamento negativo?

— Não, não conhecia a palavra, mas sei bem qual é o tipo de pessoa.

Ele começou a contar a história da sua vida de casado, mas o curioso é que Julia parecia já saber das partes mais essenciais. Ela conseguiu descrever, quase como se tivesse visto ou sentido, o enrijecimento do corpo de Katharine assim que ele tocava nela, a maneira como ela parecia empurrá-lo para longe com toda sua força, mesmo quando os braços dela o agarravam. Com Julia ele não teve dificuldade em falar desses assuntos: Katharine, de qualquer maneira, há muito tempo deixara de ser uma lembrança dolorosa e se tornara apenas uma memória desagradável.

— Eu teria aguentado se não fosse por uma coisa — ele disse. Contou da pequena cerimônia frígida que Katharine o forçava a suportar sempre na mesma noite de cada semana. — Ela detestava, mas nada a impedia de fazer aquilo. Ela costumava chamar aquilo de... você nunca vai adivinhar.

— Nosso dever com o Partido — disse Julia, prontamente.

— Como você sabia?

— Eu também fiz colégio, querido. As aulas mensais de educação sexual para maiores de dezesseis. E o Movimento Juvenil. Esfregam isso na sua cara por anos. Arrisco dizer que em muitos casos dá certo. Porém, é claro que não dá para saber; as pessoas são tão hipócritas.

Ela desenvolveu melhor o assunto. Com Julia, tudo girava em torno da própria sexualidade. Assim que se tangenciava o tema, ela tornava-se muito perspicaz. Ao contrário de Winston, ela compreendia o significado mais profundo do puritanismo sexual do Partido. Não se tratava apenas de o instinto sexual criar um mundo próprio fora do controle do Partido e, portanto, precisar ser destruído, se possível. O mais importante era que a privação sexual induzia à histeria, algo desejável, porque podia ser transformado em fervor de guerra e idolatria ao líder. Ela colocava a questão da seguinte maneira:

— Quando você faz amor, você gasta energia; depois, sente-se feliz e não se importa com mais nada. Eles não suportam que você se sinta assim. Querem que você esteja explodindo de energia o tempo todo. Isso de marchar para cima e para baixo, celebrar e sacudir bandeiras, é porque o sexo azedou. Se você está feliz por dentro, por que se entusiasmar com o Grande Irmão, os Planos Trienais, os Dois Minutos de Ódio e todo o resto das porcarias?

Isso era muito verdadeiro, ele pensou. Havia uma conexão direta e íntima entre castidade e ortodoxia política. Pois como o medo, o ódio e a credulidade lunática que o Partido necessitava dos seus membros seriam mantidos no tom certo, se não se represasse um instinto poderoso, usando-o como força motriz? O impulso sexual era perigoso demais para o Partido, que o usava a seu favor. Tinham feito um truque similar com o instinto de paternidade. A família não podia ser abolida e, de fato, as pessoas eram encorajadas a gostar dos filhos, quase à moda antiga. As crianças, por outro lado, eram sistematicamente convertidas para voltarem-se contra os pais e ensinadas a espioná-los e relatar qualquer desvio. A família se tornara, de fato, uma extensão da Polícia do Pensar. Era um dispositivo por meio do qual todos podiam ser vigiados dia e noite por informantes que os conheciam intimamente.

Sua mente retornou, com brusquidão, a Katharine. Katharine, sem dúvida, teria denunciado Winston à Polícia do Pensar se não fosse tão burra a ponto de não detectar que suas opiniões não eram ortodoxas. Mas o que o levou a pensar nela naquele momento, na verdade, foi o calor sufocante da tarde, que fazia brotar o suor na testa dele. Começou a contar para Julia de algo que acontecera, ou deixara de acontecer, em outra tarde abafada de verão, onze anos antes.

Fazia três ou quatro anos que estavam casados. Tinham se perdido em algum lugar em Kent, numa trilha comunitária. Só ficaram poucos minutos para trás dos outros, mas fizeram uma curva errada e se encontraram na beira de uma antiga mina de calcário. Havia uma queda de dez ou vinte metros, com pedregulhos lá embaixo. Não tinham como perguntar o caminho a ninguém. Assim que percebeu que estavam perdidos, Katharine ficou muito desconfortável. Ficar longe do grupo barulhento de caminhantes, ainda que por um breve período, dava a ela uma sensação de que estava fazendo algo de errado. Ela queria voltar correndo para o lugar de onde tinham vindo e começar a procurar pelo outro caminho. Mas, nesse momento, Winston notou tufos de salgueirinhas crescendo nas fendas abaixo deles. Um tufo tinha duas cores, magenta e vermelho tijolo, e aparentemente cresciam a partir da mesma raiz. Ele nunca vira algo assim antes, então chamou Katharine para que ela viesse ver.

— Olhe, Katharine! Olhe essas flores. Aquela moita ali embaixo, perto do fundo. São de duas cores diferentes, não está vendo?

Ela já tinha se virado para ir embora, mas voltou por um instante, irritada. Chegou a se inclinar sobre o penhasco para ver aonde ele apontava. Ele estava parado um pouco atrás dela, e colocou as mãos na cintura dela para estabilizá-la. Naquele instante, ocorreu-lhe como estavam totalmente a sós. Não havia nenhum ser humano em nenhum lugar, nem uma folha de árvore sacudindo, nem um pássaro acordado. Num lugar daqueles, a chance de haver um microfone escondido era muito pequena, e mesmo se houvesse, ele só captaria sons. Era a hora mais quente e sonolenta da tarde. O sol ardia, o suor pingava do seu rosto. E um pensamento lhe ocorreu...

— Por que você não deu um belo de um empurrão nela? — perguntou Julia. — Eu teria feito isso.

— Sim, querida, você faria isso. Eu também, se fosse quem eu sou agora. Ou talvez não... não tenho certeza.

— Você se arrepende de não ter feito isso?

— Sim. De modo geral, me arrependo.

Estavam sentados lado a lado no chão empoeirado. Ele a puxou para perto. A cabeça dela descansou no seu ombro, o cheiro agradável do cabelo se sobrepondo ao de cocô de pombo. Ela era muito jovem, ele pensou, ela ainda esperava algo da vida, não compreendia que empurrar uma pessoa inconveniente de um penhasco não resolve nada.

— Na verdade, não teria feito a menor diferença — ele disse.

— Então por que você se arrepende de não ter empurrado?

— Só porque prefiro afirmações a negativas. Nesse jogo que estamos jogando, não há como ganhar. Alguns tipos de fracasso são melhores do que outros, só isso.

Ele sentiu os ombros dela se contorcerem, como quem desaprova. Ela sempre o contradizia quando ele falava algo do tipo. Não aceitava que era uma lei da natureza que o indivíduo sempre é derrotado. De certa maneira, percebia que ela mesma estava condenada, que cedo ou tarde a Polícia do Pensar a pegaria e a mataria, mas outra parte da sua mente acreditava que era possível construir um mundo secreto onde se podia escolher viver como quisesse. Tudo o que precisava era de sorte, perspicácia e coragem. Ela não compreendia que não existia algo como felicidade, que a única vitória se encontrava no futuro longínquo, muito depois de sua morte, que a partir do momento que alguém declarava guerra contra o Partido, era melhor pensar em si mesmo como um cadáver.

— Nós somos os mortos — ele disse.

— Ainda não estamos mortos — Julia respondeu, prosaica.

— Não fisicamente. Dentro seis meses, um ano... cinco anos, talvez. Tenho medo da morte. Você é jovem, então suponho que tenha mais medo do que eu. É claro que vamos adiá-la o quanto pudermos. Mas fará pouquíssima diferença. Enquanto o ser humano permanecer humano, a vida e a morte são a mesma coisa.

— Ah, que besteira! Você prefere dormir comigo ou com um esqueleto? Você não gosta de estar vivo? Não gosta desse sentimento: esse sou eu, essa é a minha mão, essa é minha perna, eu sou de verdade, sou sólido, estou vivo? Você não gosta *disso*?

Ela se virou e pressionou seu peito contra o dele. Ele podia sentir os seios dela, maduros e firmes, por baixo do macacão. O corpo dela parecia despejar vigor e juventude sobre o dele.

— Sim, gosto disso — ele falou.

— Então pare de falar da morte. E agora ouça, querido, precisamos acertar o nosso próximo encontro. Podemos voltar para o lugar no bosque. Ficamos um bom tempo sem ir. Mas você precisa chegar lá por um caminho diferente desta vez. Já planejei tudo. Você vai pegar o trem... mas, escuta, vou desenhar pra você.

E, da sua maneira prática, ela montou um quadrado de poeira, e com um galho de um ninho de pombo, começou a desenhar um mapa no chão.

Capítulo 4

Winston olhou o quartinho caindo aos pedaços acima da loja do sr. Charrington. Ao lado da janela, tinham arrumado a cama, com cobertores esfarrapados e um almofadão sem capa. O relógio à moda antiga tiquetaqueava sobre a lareira. No canto, na mesa dobrável, o peso de papel de vidro que ele comprara na última visita brilhava suavemente na penumbra.

Na grade da lareira havia um fogão a óleo amassado de latão, uma caçarola e duas canecas fornecidas pelo sr. Charrington. Winston acendeu o fogo e colocou água para ferver. Ele tinha comprado um envelope cheio de Café da Vitória e alguns tabletes de sacarina. Os ponteiros do relógio marcavam dezessete e vinte; eram dezenove e vinte, na verdade. Ela viria às dezenove e trinta.

Estripulias, estripulias. Seu coração repetia: aquilo era uma estripulia consciente, gratuita e suicida. De todos os crimes que um membro do Partido podia cometer, esse era o mais difícil de ocultar. Na verdade, a ideia tinha aparecido antes na sua cabeça como uma visão, do peso de papel de vidro espelhado pela superfície da mesa dobrável. Como ele previra, o sr. Charrington não dificultou para ceder o quarto. Ele com certeza ficara feliz com os dólares que receberia. Nem pareceu chocado ou ofendido quando Winston deixou claro que usaria o quarto para um encontro amoroso. Em vez disso, ele estava com o olhar distante, tagarelando sobre assuntos triviais, com um jeito tão delicado que dava a impressão de ter se tornado parcialmente invisível. A privacidade, ele dizia, era algo muito valioso. Todos queriam um lugar onde pudessem ficar a sós, de vez em quando. E quando tinham tal lugar, era uma cortesia habitual que todos que soubessem do lugar mantivessem aquela informação apenas para si. Até acrescentou, parecendo quase desaparecer por completo da existência, que a casa tinha duas entradas, uma delas pelo quintal, que dava para um beco.

Debaixo da janela, alguém cantava. Winston olhou para fora, protegido pela cortina de musselina. O sol de junho ainda brilhava alto no céu, e no pátio ensolarado abaixo, uma mulher monstruosa, sólida como um pilar normando, com braços vermelhos e musculosos, e um avental de juta amarrado no meio do seu corpo, cambaleava para um lado e para o outro, entre um tanque e um varal, pendurando uma série de coisas brancas que Winston reconheceu como fraldas de bebês. Quando sua boca não estava tampada com prendedores, ela cantava num contralto poderoso:

Era apenas um desejo fantasioso
Passou como um dia de abril
Mas um olhar e uma palavra e os sonhos despertaram
Eles roubaram meu coração!

A canção assombrava Londres havia semanas. Era uma das inúmeras músicas similares lançadas para o bem dos proletas por um subsetor do Departamento de Música. As letras dessas canções eram compostas sem qualquer intervenção humana num instrumento conhecido como versificador. Mas a mulher cantou de um jeito tão afinado que transformava aquela porcaria tenebrosa num som quase prazeroso. Ele podia ouvir a mulher cantar e arrastar seus sapatos nas pedras, e os gritos das crianças nas ruas, e em algum lugar, longe dali, um rugido leve de trânsito, e apesar disso, o quarto parecia curiosamente silencioso, graças à ausência de uma teletela.

Estripulia, estripulia, estripulia!, pensou outra vez. Era inconcebível que pudessem frequentar esse lugar por mais do que algumas semanas sem ser pegos. Mas a tentação de ter um esconderijo que fosse deles mesmo, num lugar fechado e próximo, foi forte demais para eles. Por algum tempo, depois que visitaram o campanário da igreja, tornou-se impossível marcar encontros. As jornadas de trabalho tinham aumentado drasticamente na preparação para a Semana do Ódio. Faltava mais de um mês, mas as preparações enormes e complexas que ela demandava obrigavam todos a fazerem hora extra. Finalmente, ambos conseguiram uma tarde livre no mesmo dia. Concordaram em retornar à clareira no bosque. Encontraram-se brevemente na noite anterior. Como sempre, Winston mal olhou para Julia enquanto se deslocavam de uma multidão para a outra, mas com base no olhar rápido que ele lhe lançou, ela parecia estar mais pálida do que o normal.

— Tudo cancelado — ela murmurou, assim que achou que era seguro falar algo. — Amanhã, no caso.

— O quê?

— Amanhã à tarde. Não vou poder.

— Por que não?

— Ah, o motivo de sempre. Começou antes dessa vez.

Por um instante, ele sentiu um surto de raiva. Ao longo do mês em que ele a conheceu, a natureza do seu desejo por ela havia mudado. No começo, quase não havia uma sensualidade verdadeira. A primeira vez que fizeram amor foi apenas por força de vontade. Mas foi diferente a partir da segunda vez. O cheiro do cabelo dela, o gosto da sua boca, a sensação de tocar sua pele, tudo isso parecia ter invadido ele, ou todo o ar ao redor dele. Ela havia se tornado uma necessidade física, algo que ele não apenas desejava, mas ao qual sentia ter direito. Quando ela disse que não poderia vê-lo, ele teve a sensação de ser traído. Mas, justo nesse instante, a multidão os esmagou e suas mãos se tocaram por acidente. Ela deu uma pequena apertada nas pontas dos dedos dele, algo que parecia um convite não ao desejo, mas ao afeto. Pensou que quando se morava com uma mulher, esse tipo de decepção, em específico, devia ser um evento normal, recorrente; e foi dominado por uma profunda ternura que não sentia antes por ela. Ele desejou que fossem casados há dez anos. Desejou caminhar pelas ruas ao lado dela como faziam agora, mas de maneira aberta, sem medo, falando banalidades e comprando quinquilharias para a casa. Desejou, acima de tudo, que tivessem um lugar onde pudessem ficar a sós, sem sentir a obrigação de fazer amor sempre que se encontravam.

Não foi bem naquele instante, mas em algum momento ao longo do dia seguinte, que a ideia de alugar o quarto do sr. Charrington ocorreu-lhe. Quando sugeriu isso a Julia, ela concordou com uma rapidez surpreendente. Ambos sabiam que isso era loucura. Era como se intencionalmente se aproximassem dos próprios túmulos. Enquanto estava sentado na beira da cama, pensou mais uma vez nos porões do Ministério do Amor. Era curioso como o horror predestinado entrava e saía da consciência. E lá estava aquilo, fixado no futuro, precedendo a morte com a mesma certeza de que noventa e nove vem antes de cem. Não era possível evitar, apenas adiar; ainda assim, de vez em quando, através de uma ação consciente e proposital, alguém resolvia antecipar esse acontecimento.

Naquele instante, passos rápidos ressoaram na escada. Julia entrou de repente no quarto. Carregava um saco de ferramentas de tela marrom, igual ao que ele a via carregar para lá e para cá no Ministério. Ele avançou para tomá-la nos braços, mas ela se soltou dele com uma certa pressa, em parte porque ainda segurava o saco de ferramentas.

— Só um segundo — ela disse. — Deixa só eu mostrar o que trouxe. Você trouxe aquele Café da Vitória nojento? Achei que traria. Pode guardar, porque não vamos precisar. Olhe isso aqui.

Ela se ajoelhou, abriu o saco e derrubou umas chaves inglesas e uma chave de fenda que ocupavam a parte de cima. Embaixo havia vários lindos pacotes de papel. O primeiro pacote que ela entregou a Winston trazia uma sensação estranha e vagamente familiar. Estava cheio de uma coisa meio arenosa e pesada que cedia ao toque.

— Isto não é açúcar?

— Açúcar de verdade. Não é sacarina, é açúcar. E aqui tem um pedaço de pão, pão branco mesmo, não as nossas porcarias... e um potinho de geleia. E aqui tem uma lata de leite... mas veja só! Disso aqui eu me orgulho mesmo. Tive que enrolar num saco porque...

Mas ela nem precisou dizer o que trouxera embrulhado. O cheiro já preenchia o cômodo, um odor intenso que parecia emanar da infância dele, e que ainda era possível sentir soprando por um corredor antes que uma porta batesse, ou difuso, misteriosamente, numa rua lotada, farejado por um instante e perdido outra vez.

— É café — ele murmurou. — Café de verdade.

— É café do Partido Interno. Tem um quilo inteiro aqui — ela disse.

— Como você conseguiu todas essas coisas?

— Tudo coisa do Partido Interno. Esses porcos têm de tudo, tudo mesmo. Mas é claro que os garçons, domésticos e as pessoas pegam coisas, e... olhe só, trouxe um pacotinho de chá também.

Winston tinha se agachado ao lado dela. Ele abriu um pouco o saco.

— Chá de verdade. Não são folhas de amora.

— Anda aparecendo bastante chá ultimamente. Capturaram a Índia ou algo do tipo — ela disse, de um jeito vago. — Mas escute, querido. Quero que você fique de costas por três minutos. Vá se sentar do outro lado da cama. Não muito perto da janela. Só pode se virar quando eu falar.

Winston lançou um olhar perdido pelas cortinas de musselina. Lá embaixo, no quintal, a mulher de braços vermelhos ainda marchava de um lado para o outro, do tanque ao varal. Ela tirou dois prendedores da boca e cantou com uma intensidade profunda:

Dizem que o tempo é cura de todos males,
Dizem que sempre se pode esquecer;
Mas os sorrisos e lágrimas ao longo dos anos
Ainda fazem meu
Coração sofrer!

Ela sabia aquela porcaria de música inteira de cor, pelo jeito. A voz dela flutuava no ar doce do verão, muito melodiosa, carregada com uma espécie de melancolia alegre. Passava a impressão de que ela estaria completamente contente se a tarde de junho nunca tivesse fim e o suprimento de roupas não acabasse nunca, assim permaneceria ali por mil anos, pendurando fraldas e cantando aquelas besteiras. Achou curioso o fato de que ele nunca ouvira um membro do Partido cantar sozinho, de maneira espontânea. Pareceria até pouco ortodoxo, uma excentricidade perigosa, como falar consigo mesmo. Talvez só quando as pessoas estivessem perto de morrer de fome elas tivessem um motivo para cantar.

— Pode se virar agora — Julia disse.

Ele se virou e, por um segundo, quase não a reconheceu. Ele esperava vê-la nua. Mas ela não estava despida. Tinha passado por uma transformação muito mais surpreendente. Ela se maquiara.

Devia ter entrado em alguma loja na zona proletária e comprado um kit completo de maquiagem. Os seus lábios eram de um vermelho intenso, as bochechas tinham *rouge* e o nariz, pó de arroz; havia até um toque de algo debaixo dos olhos que os deixava mais brilhantes. Ela não sabia se maquiar direito, mas os padrões de Winston para essas coisas não eram muito elevados. Ele nunca vira ou imaginara uma mulher do Partido com cosméticos no rosto.

Era assombroso como a aparência dela tinha melhorado. Com meros retoques de cor nos lugares certos, ela não apenas ficara muito mais bonita mas, acima de tudo, mais feminina. Seu cabelo curto e macacão masculino apenas salientavam esse efeito. Quando ele a pegou nos braços, uma onda de violetas sintéticas inundou suas narinas. Ele se lembrou da penumbra do porão e da boca cavernosa daquela mulher. Ela usava o mesmo perfume; mas, naquele instante, isso pouco importava.

— Perfume, também! — ele disse.

— Sim, querido, perfume também. E sabe o que vou fazer a seguir? Vou arranjar uma roupa de mulher de verdade para usar em vez destas calças malditas. Vou vestir meias-calças de seda e sapatos de salto alto! Neste quarto, vou ser uma mulher, e não uma camarada do Partido!

Tiraram suas roupas e subiram na cama enorme de mogno. Foi a primeira vez que ele ficou nu diante dela. Até então, ele sentia vergonha demais do seu corpo pálido e magricelo, com as veias varicosas saltadas nas panturrilhas, e a pele descolorida acima do tornozelo. Não havia lençóis, mas o cobertor que colocaram em cima deles era fino e suave, e o tamanho e a elasticidade da cama impressionou os dois.

— Com certeza está cheio de insetos, mas quem se importa? — disse Julia.

Nunca se via uma cama de casal hoje em dia, exceto nas casas dos proletas. De vez em quando, Winston dormira numa dessas durante a infância; Julia nunca estivera numa antes, pelo que pudesse lembrar.

Adormeceram por um tempo. Quando Winston acordou, os ponteiros do relógio indicavam que eram quase nove. Ele não se mexeu, pois Julia dormia com a cabeça encaixada no seu braço. Boa parte da sua maquiagem tinha sido transferida para o rosto dele ou para o acolchoado, mas uma leve mancha de *rouge* ainda destacava a beleza da maçã de seu rosto. Um raio amarelo do sol poente atingiu o pé da cama e iluminou a lareira, onde a água na panela fervia. Lá embaixo, no quintal, a mulher tinha parado de cantar, mas os gritos distantes das crianças flutuavam pela rua. Ele se perguntou, vagamente, se, no passado abolido, era uma experiência normal ficar deitado na cama assim, no frescor de uma noite de verão, um homem e uma mulher sem roupas, fazendo amor quando bem quisessem, falando do que quisessem, sem sentir a menor obrigação de se levantar, apenas deitados ali, ouvindo os sons tranquilos vindos do lado de fora. Nunca houve, com certeza, um período na história em que isso foi algo corriqueiro, certo? Julia acordou, esfregou os olhos e se apoiou nos cotovelos para olhar a panela.

— Metade da água já evaporou — ela disse. — Vou me levantar e fazer café daqui a pouco. Ainda temos uma hora. A que horas desligam as luzes do seu apartamento?

— Vinte e três e trinta.

— Na pensão, é às vinte e três. Mas é preciso chegar lá antes, porque... Ei! Sai daqui, bicho nojento!

Ela se virou de repente sobre a cama, pegou um sapato do chão e arremessou-o no canto, com um gesto de menino, o mesmo que usara para jogar o dicionário em Goldstein, naquela manhã durante os Dois Minutos de Ódio.

— Que foi? — ele perguntou, surpreso.

— Um rato. Vi ele mostrar o focinho asqueroso pelo friso. Tem um buraco ali. Dei um belo susto nele.

— Ratos! — murmurou Winston. — Nesse quarto!

— Eles estão por todos os cantos — disse Julia, indiferente, ao se deitar outra vez. — Até na cozinha da pensão. Tem partes infestadas em Londres. Sabia que atacam crianças? É verdade. Tem ruas em que as mulheres não deixam bebês sozinhos por mais de dois minutos. São uns marrons enormes que fazem isso. E o mais nojento é que esses bichos sempre...

— *Chega*! — disse Winston, com os olhos espremidos.

— Querido! Você ficou tão pálido de repente. O que foi? Tem nojo?

— De todos os horrores do mundo... um rato!

Ela pressionou o corpo contra o dele, envolvendo-o, como se o calor de seu corpo pudesse tranquilizá-lo. Ele não reabriu os olhos no mesmo instante. Por um tempo, teve a sensação de que retornara a um pesadelo recorrente ao longo da vida. Era quase sempre o mesmo. Estava diante de um muro de escuridão, e do outro lado havia algo insuportável, algo tenebroso demais para ser encarado. No seu sonho, a sensação mais profunda era de autoengano, porque ele sabia o que havia, de fato, atrás daquele muro de escuridão. Com um esforço brutal, como se arrancasse um pedaço do próprio cérebro, conseguia arrastar a coisa até a luz. Ele sempre acordava sem descobrir o que era; mas, de alguma maneira, estava ligado ao que Julia falava quando ele a interrompeu.

— Sinto muito — disse. — Não foi nada. Não gosto de ratos, só isso.

— Não se preocupe, querido, não vamos deixar esses bichos nojentos entrarem. Vou cobrir o buraco com tela antes de irmos embora. Da próxima vez que viermos, vou trazer reboco para tapar direito.

O instante sombrio de pânico tinha sido quase esquecido. Sentindo-se um pouco envergonhado, ele se recostou na cabeceira. Julia saiu da cama, vestiu o macacão e fez café. O cheiro que saía da caçarola era tão poderoso e entusiasmante que tiveram que fechar a janela para que ninguém do lado de fora notasse e decidisse fazer perguntas. Ainda melhor do que o cheiro de café era a textura sedosa que o açúcar lhe conferia, algo que Winston já tinha quase esquecido depois de anos consumindo sacarina. Com uma mão no bolso e a outra segurando pão com geleia, Julia vagou pelo quarto, lançando olhares indiferentes para a estante de livros, apontando a melhor maneira de consertar a mesa dobrável, se jogando na poltrona esfarrapada para ver se era confortável, e examinando o relógio absurdo com ponteiros que sinalizavam doze horas com uma espécie de deboche tolerante. Ela levou o peso de papel de vidro até a cama para observá-lo numa luz melhor. Ele pegou o objeto da mão dela, fascinado, como sempre, pela aparência suave, de água de chuva, do vidro.

— O que você acha que é isso? — perguntou Julia.

— Acho que não é nada... quer dizer, acho que nunca foi utilizado. É o que eu gosto nele. É um pedaço de história que esqueceram de alterar. Uma mensagem de cem anos atrás, se a gente soubesse ler.

— E aquele quadro ali? — ela apontou com a cabeça para a gravura na parede oposta. — Também tem cem anos?

— Mais. Duzentos, eu diria. Não dá para saber. Impossível descobrir a idade das coisas hoje em dia.

Ela se aproximou para olhar melhor.

— Foi aqui que o bicho mostrou o focinho — ela disse, dando um chute no friso logo abaixo do quadro. — Que lugar é esse? Já vi isso antes, em algum outro lugar.

— Uma igreja, ou pelo menos é o que era. São Clemente dos Dinamarqueses era o nome. — Voltou, em sua cabeça, o trecho da rima que o sr. Charrington lhe ensinara, e ele acrescentou, meio nostálgico: — Laranjas e limões, dizem os sinos da São Clemente!

Surpreendendo-o, ela deu continuidade ao verso:

Você me deve três tostões, dizem os sinos da São Martinho!
Quando vai me pagar?, perguntam os sinos da Old Bailey!...

— Não consigo lembrar do resto. Mas, seja como for, sei que acaba assim: "Eis uma vela que ilumina o caminho até sua cama, eis um machado para cortar sua cabeça!".

Eram como duas metades, pergunta e resposta, de uma senha. Mas devia haver algum outro verso antes dos "sinos da Old Bailey". Talvez fosse possível desenterrá-lo da memória do sr. Charrington, se ele recebesse a deixa.

— Quem foi que ensinou isso para você? — ele perguntou.

— Meu avô. Ele cantarolava para mim quando eu era pequena. Ele foi vaporizado quando eu tinha oito anos... seja como for, ele desapareceu. Eu me pergunto o que era um limão — ela acrescentou, inconsequente. — Já vi laranjas. São frutas redondas meio amarelas com casca grossa.

— Eu me lembro de limões — disse Winston. — Eram comuns nos anos 1950. Eram tão azedos que você rangia os dentes só de cheirá-los.

— Aposto que tem insetos atrás desse quadro — disse Julia. — Vou tirá-lo da parede para limpar, um dia desses.

Acho que está chegando a hora de ir embora. Preciso começar a limpar essa maquiagem. Que saco! Depois tiro a marca de batom do seu rosto.

Winston continuou deitado por alguns minutos. O quarto escurecia. Ele se virou para a luz e ficou olhando o peso de papel de vidro. O que não deixava de ser interessante não era o fragmento de coral, mas o interior do vidro em si. Havia tanta profundidade e, no entanto, era quase tão transparente quanto o ar. Como se a superfície do vidro fosse o domo do céu, encerrando por completo um mundo minúsculo dentro de sua atmosfera. Ele teve a sensação de que seria capaz de entrar nele, junto com a cama de mogno e a mesa dobrável, o relógio, a gravura em aço e o próprio peso de papel. O peso de papel era o quarto onde ele estava, e o coral era a vida dele e de Julia, fixas numa espécie de eternidade dentro do cristal.

Capítulo 5

Syme tinha desaparecido. Numa manhã dessas, ele não apareceu no trabalho; algumas pessoas de cabeça vazia comentaram a ausência dele. No dia seguinte, ninguém mais o mencionou. No terceiro dia, Winston foi ao vestíbulo do Departamento de Registros para olhar o quadro de notícias. Havia uma lista impressa de membros do Comitê de Xadrez, do qual Syme fazia parte. Era quase idêntica — nada fora riscado —, mas tinha um nome a menos. Isso bastava. Syme havia deixado de existir: nunca tinha existido.

O tempo estava um forno de tão quente. No labiríntico Ministério, as salas sem janelas, com ar-condicionado, mantinham a temperatura normal, mas do lado de fora as calçadas queimavam os pés e o fedor do metrô no horário de pico era terrível. As preparações para a Semana do Ódio estavam a todo vapor, e as equipes de todos os Ministérios faziam hora extra. Procissões, reuniões, desfiles militares, palestras, estátuas de cera, cartazes, exibições de filmes, programas de teletela, tudo tinha que ser organizado; precisam erigir os estandes, construir as efígies, cunhar os slogans, compor as canções, circular os boatos, falsificar as fotografias. A unidade de Julia no Departamento de Ficção tinha parado de produzir romances e agora publicava às pressas uma série de panfletos atrozes. Winston, além do trabalho de sempre, passava longos períodos do dia revirando edições antigas do *The Times*, alterando e embelezando notícias que seriam citadas nos discursos. Tarde da noite, quando multidões barulhentas de proletas vagavam pelas ruas, a cidade apresentava um curioso ar febril. Os mísseis caíam com mais frequência do que nunca, e às vezes se viam explosões enormes a distância, que ninguém sabia explicar, sobre as quais surgiam boatos disparatados.

A nova música que viraria a canção-tema da Semana do Ódio (chamavam de Canção do Ódio) já fora composta e era reproduzida sem parar nas teletelas. Tinha um ritmo selvagem, como de latidos, que não podia ser chamado bem de música, mas lembrava a batida de um tambor. Com o rugido de centenas de vozes na cadência de pés marchando, era aterrorizante. Os proletas gostaram dela, e nas ruas, à meia-noite, ela competia com a canção, ainda popular, "Era apenas um desejo fantasioso". Os filhos dos Parsons tocavam o tempo todo, dia e noite, insuportavelmente, com um pente e um pedaço de papel higiênico. As noites de Winston estavam mais ocupadas do que nunca. Equipes de voluntários, organizadas por Parsons, se preparavam para ir às ruas na Semana do Ódio, e colavam faixas, pintavam pôsteres, erguiam mastros de bandeiras nos telhados, e arriscavam-se para pendurar fios pelas ruas para receber as bandeirolas. Parsons se gabava que só nas Mansões da Vitória seriam exibidos quatrocentos metros de flâmulas. Ele se sentia no seu hábitat natural e estava feliz como pinto no lixo. O calor e o trabalho manual, inclusive, deram o pretexto para que ele usasse bermuda e uma camisa aberta à noite. Ele estava em todos os lugares ao mesmo tempo, empurrando, puxando, serrando, martelando, improvisando, animando todos com exortações de camaradagem e desprendendo de cada poro do seu corpo o que parecia ser uma quantidade inesgotável de suor de cheiro acre.

Um novo pôster apareceu de repente por toda a cidade de Londres. Não tinha legenda e representava apenas a imagem monstruosa de um soldado eurasiano, de três ou quatro metros de altura, avançando com seu rosto mongol inexpressivo e coturnos enormes e uma submetralhadora apontada a partir do quadril. Não importava o ângulo de que se olhasse o pôster, o cano da arma, ampliada pelo efeito de perspectiva, parecia mirar na direção do observador. Esse troço tinha sido colado em cada espaço vazio de cada muro, tinha mais desses até do que retratos do Grande Irmão. Os proletas, que em geral eram apáticos em relação à guerra, foram arremessados num frenesi de patriotismo. Para harmonizar com o sentimento generalizado, os mísseis estavam matando mais pessoas que o habitual. Um caiu num cinema lotado em Stepney, enterrando centenas de vítimas nas ruínas. Toda a população do bairro apareceu para realizar um longo funeral que durou horas e foi, na verdade, uma reunião para expressar indignação.

Outra bomba caiu num lixão que era usado de parquinho e dezenas de crianças explodiram em pedacinhos. Houve mais demonstrações furiosas, Goldstein foi incendiado numa efígie, centenas de cópias do pôster do soldado eurasiano foram rasgadas e jogadas às chamas, e várias lojas foram saqueadas no tumulto; então, passou a circular um boato de que espiões estavam direcionando os mísseis através de ondas sem fio, e um casal idoso que suspeitavam ser de origem estrangeira teve a casa incendiada e os dois morreram sufocados.

No quarto acima da loja do sr. Charrington, quando podiam ficar lá, Julia e Winston deitavam lado a lado na cama listrada, abaixo da janela aberta, nus para se refrescar. O rato nunca reapareceu, mas os insetos se multiplicaram horrivelmente no calor. Os dois não pareciam ligar. Limpo ou sujo, o quarto era um paraíso. Assim que chegavam, polvilhavam pimenta comprada no mercado clandestino, tiravam as roupas e faziam amor, cobertos de suor, e então adormeciam. Ao acordar, viam que os insetos tinham se reunido e preparavam um contra-ataque.

Se encontraram quatro, cinco, seis, sete vezes ao longo do mês de junho. Winston abandonara seu hábito de beber gim a qualquer hora. Parecia não precisar mais daquilo. Tinha engordado, sua úlcera varicosa tinha atenuado e deixado apenas uma mancha marrom na pele acima do tornozelo, seus surtos de tosse matinais desapareceram. A vida não era mais intolerável, ele não sentia mais o impulso de fazer caretas para a teletela ou gritar insultos o mais alto possível. Agora que tinham um esconderijo seguro, quase um lar, nem parecia um problema que só pudessem se encontrar de vez em quando, poucas horas por vez. O importante era que o quarto acima da loja de quinquilharias precisava existir. Saber que ele estava lá, inviolável, era quase o mesmo que estar nele. O quarto era um mundo, um bolsão do passado onde animais extintos podiam caminhar. O sr. Charrington,

Winston pensou, era outro animal extinto. Em geral, ele parava para conversar com o sr. Charrington por alguns minutos antes de subir. O velho parecia quase nunca sair da loja e, por outro lado, quase não tinha clientes. Levava uma vida fantasmagórica entre a loja escura e minúscula e uma cozinha ainda menor, onde preparava suas refeições e que continha, entre outras coisas, um gramofone antiquíssimo com uma trompa enorme.

Ele parecia feliz por ter uma oportunidade de conversar. Vagando entre seus produtos sem valor, com seu nariz comprido e óculos de lente grossa, os ombros curvados na jaqueta de veludo, ele sempre teve um jeito vago de colecionador, não de comerciante. Com uma espécie de entusiasmo esmaecido, ele apontava para uma tralha aqui, outra acolá — uma rolha de porcelana, a tampa pintada de uma caixa de rapé, um medalhão de ouro falso com um fio de cabelo de algum bebê que deve ter morrido há muito tempo —, sem nunca perguntar se Winston gostaria de comprá-las, apenas para que Winston as admirasse. Falar com ele era como ouvir o tilintar de uma caixa de música antiga. Ele tinha arrancado dos recônditos da memória mais fragmentos de cantigas esquecidas. Tinha uma sobre quatro e vinte melros, e outra a respeito de uma vaca com um chifre quebrado, e outra sobre a morte de um coitado pintarroxo.

"Acabei de me dar conta de que talvez você se interesse por isso", ele dizia com uma risadinha autodepreciativa sempre que aparecia com um novo trecho. Mas nunca se lembrava de mais do que alguns versos.

Ambos sabiam — de certa maneira, nunca saía da cabeça deles — que aquela situação não podia durar muito tempo. Tinha vezes que a morte iminente parecia tão palpável quanto a cama onde se deitavam, e o casal se agarrava com uma espécie de sensualidade desesperada, como uma alma condenada que se prende ao seu último bocado de prazer cinco minutos antes de o relógio soar. Mas também havia vezes em que tinham uma ilusão não apenas de segurança, mas de permanência. Enquanto estavam de fato naquele quarto, sentiam que nada de errado poderia acontecer com eles. Chegar lá era difícil e perigoso, mas o quarto em si era um santuário. Como quando Winston contemplava o coração do peso de papel, com a sensação de que seria possível entrar naquele mundo de vidro, e uma vez lá dentro, o tempo poderia ser paralisado. Caíam com frequência em devaneios de fuga. A sorte deles permaneceria assim, por tempo indefinido, e continuariam se encontrando em segredo pelo resto da vida. Ou Katharine morreria, e com manobras sutis, Winston e Julia conseguiriam se casar. Ou cometeriam suicídio juntos. Ou desapareceriam, ficariam irreconhecíveis, aprenderiam a falar com sotaque proletário, conseguiriam um emprego numa fábrica e viveriam ignorados em alguma viela. Isso tudo era besteira, e ambos sabiam. Na verdade, não havia fuga possível. Nem o único plano executável, o suicídio, eles pretendiam realizar. Agarrar-se a um dia depois do outro, uma semana depois da outra e desdobrar um presente sem futuro parecia um instinto indomável, assim como o pulmão sempre puxará a próxima inspiração, enquanto houver ar disponível.

Às vezes também falavam de se engajar numa rebelião contra o Partido, mas sem ideia de como dar o primeiro passo. Mesmo se a fabulosa Irmandade fosse real, ainda não sabiam como chegar nela. Ele falou de uma intimidade estranha que existia, ou parecia existir, entre O'Brien e ele, e do impulso que às vezes sentia de caminhar até O'Brien, anunciar que era um inimigo do Partido e exigir a ajuda dele. O curioso é que ela não achou isso algo impossível. Ela estava acostumada a julgar as pessoas pelo rosto, e pareceu-lhe natural que Winston achasse O'Brien confiável com uma singela troca de olhares. Além disso, ela presumia que todos, ou quase todos, odiavam o Partido em segredo e romperiam as regras se achassem que era seguro. Mas recusava-se a acreditar que existisse uma oposição organizada e difundida. As histórias a respeito de Goldstein e de seu exército subterrâneo, ela disse, eram apenas besteiras que o Partido inventara por seus próprios motivos, e nas quais todos precisavam fingir que acreditavam. Inúmeras vezes, em comícios do Partido e manifestações espontâneas, ela gritou com toda a força pedindo a execução de pessoas cujos nomes ela nunca ouvira antes, autores de supostos crimes nos quais ela não acreditava nem um pouco. Quando ocorriam julgamentos públicos, ela participava de destacamentos da Liga Juvenil que cercavam os tribunais o dia todo, entoando, de tempos em tempos, "Morte aos traidores!". Durante os Dois Minutos de Ódio, ela sempre superou todos os outros ao gritar insultos contra Goldstein. E, no entanto, não tinha a menor ideia de quem era Goldstein e quais doutrinas ele supostamente representava. Ela crescera depois da Revolução e era jovem demais para se lembrar das batalhas ideológicas dos anos 1950 e 1960. Não conseguia sequer imaginar algo como um movimento político independente e, de qualquer maneira, o Partido era invencível. Existiria para sempre, e seria sempre o mesmo. Só era possível se rebelar contra ele por meio de uma desobediência secreta ou, no máximo, com atos isolados de violência, matando alguém ou explodindo algo.

De certo modo, ela era muito mais perspicaz do que Winston, e muito menos suscetível à propaganda política do Partido. Uma vez, por algum motivo, ele mencionou a guerra contra a Eurásia, e ela o surpreendeu ao dizer, de um jeito casual, que, na opinião dela, não havia guerra. Os mísseis que caíam todos os dias em Londres eram provavelmente disparados pelo próprio governo da Oceania, "só para manter as pessoas assustadas". Ele jamais pensara nisso. Ela também despertava uma inveja nele, ao dizer que, durante os Dois Minutos de Ódio, a maior dificuldade era não cair no riso. Porém, ela só questionava os ensinamentos do Partido quando atingiam a vida dela de alguma maneira. Várias vezes estava pronta para aceitar a mitologia oficial, apenas porque a diferença entre verdade e mentira não importava para ela. Acreditava, por exemplo, no que aprendera na escola, que o Partido tinha inventado os aviões. (Nos seus tempos de escola, Winston lembrava, ao fim da década de 1950, o Partido dizia ter inventado apenas o helicóptero; décadas depois, quando Julia foi para a escola, já afirmavam ter criado o avião; mais uma geração e seria o motor a vapor.) E quando ele disse que os aviões já existiam antes de ele nascer, muito antes da Revolução, esse fato pareceu completamente desinteressante para ela. Afinal, quem se importava com quem havia inventado o avião? Foi mais chocante para ele descobrir, por causa de algum comentário feito ao acaso, que ela não se lembrava que a Oceania, quatro anos antes, estava em guerra com a Lestásia e em paz com a Eurásia. Era verdade que ela via toda a guerra como uma farsa, mas, aparentemente, nem tinha percebido que o nome do inimigo mudara. "Achei que sempre estivéssemos em guerra com a Eurásia", ela disse, de maneira vaga. Isso o assustou um pouco. A invenção dos aviões era algo anterior ao nascimento dela, mas a troca na guerra ocorrera havia apenas quatro anos, quando já era bem crescida. Ele discutiu isso com ela por quinze minutos. Ao final, conseguiu que ela forçasse a memória e lembrasse vagamente que, em algum momento, a Lestásia, e não a Eurásia, era o inimigo. Mas a questão ainda parecia pouco importante. "Quem se importa?", ela disse, impaciente. "É sempre uma guerra idiota depois da outra, e a gente sabe que as notícias são todas mentirosas."

Às vezes, ele falava com ela a respeito do Departamento de Registros e das falsificações descaradas que cometia lá. Essas coisas não pareciam horrorizá-la. Ela não sentia o abismo abrir sob seus pés ao pensar que as mentiras se tornavam verdade. Ele contou a história de Jones, Aaronson e Rutherford e do pedaço de papel que teve em mãos uma vez. Não a impressionou. Inclusive, de início ela nem entendeu onde ele queria chegar com a história.

— Eram seus amigos? — perguntou.

— Não, nunca os conheci. Eram membros do Partido Interno. Além disso, eram muito mais velhos do que eu. Pertenciam aos dias antigos, antes da Revolução. Eu mal os conhecia de vista.

— Então por que se preocupar com isso? As pessoas são assassinadas o tempo todo, não?

Ele tentou fazer com que ela compreendesse.

— Foi um caso excepcional. Não era só uma pessoa assassinada. Você percebe que o passado, começando por ontem, foi abolido de fato? Se sobrevive em algum lugar, é nos poucos objetos sólidos sem palavras, como aquele pedaço de vidro. Já não sabemos mais quase nada a respeito da Revolução e dos anos anteriores a ela. Todo registro foi destruído ou falsificado, todo livro foi reescrito, todo quadro foi repintado, toda estátua e rua e prédio foi renomeado, toda data foi alterada. E esse processo continua, dia a dia, minuto a minuto. A história parou. Nada existe além de um presente sem fim, no qual o Partido sempre tem razão. Eu sei, é claro, que o passado foi falsificado, mas nunca conseguiria prová-lo, mesmo tendo sido o responsável pela falsificação. Depois que isso é feito, não restam provas. A única evidência está dentro da minha cabeça, e não tenho certeza se algum outro ser humano compartilha as minhas lembranças. Só nessa única vez, durante toda a minha vida, eu possuía provas concretas após o fato... anos depois.

— E de que adiantou isso?

— De nada, pois descartei nos minutos seguintes. Mas se a mesma coisa acontecesse hoje, eu guardaria a prova.

— Bom, eu não! — respondeu Julia. — Estou preparada para me arriscar, mas só por algo que valha a pena, não por pedaços de um jornal velho. O que você faria com isso, mesmo se tivesse guardado?

— Não muita coisa, talvez. Mas era uma prova. Podia ter semeado dúvidas aqui e ali, supondo que eu tivesse coragem de mostrar para alguém. Não acho que sejamos capazes de mudar algo em nossa geração. Mas podemos imaginar pequenos nós de resistência saltando aqui e ali, pequenos grupos de pessoas reunidas, crescendo aos poucos, e até deixando para trás alguns registros, para que as próximas gerações possam dar continuidade do ponto onde paramos.

— Não estou interessada nas próximas gerações, querido. Estou interessada *na gente*.

— Você só é rebelde da cintura para baixo — ele disse a ela.

Ela achou aquela frase de uma sagacidade brilhante, e o envolveu num abraço prazeroso.

Ela não tinha o menor interesse nas ramificações da doutrina do Partido. Quando ele começava a falar dos princípios do Ingsoc, duplipensar, mutabilidade do passado, e a negação da realidade objetiva, e a usar palavras da novilíngua, ela se entediava, ficava confusa e afirmava nunca prestar atenção nesse tipo de coisa. Se sabiam que era tudo bobagem, por que se preocupavam com aquilo?

Ela sabia quando aplaudir e quando vaiar, e isso bastava. Se ele insistia em falar desses assuntos, ela tinha o costume desconcertante de cair no sono. Era uma daquelas pessoas que conseguem dormir em qualquer hora e posição. Falando com ela, ele percebeu como era fácil exibir uma aparência de ortodoxia sem ter a menor noção do que significava a ortodoxia. De certa maneira, a visão de mundo do Partido conseguia ser melhor imposta nas pessoas incapazes de compreendê-la. Assim, aceitavam as maiores violações da realidade, porque nunca entendiam por completo a enormidade do que se exigia delas, e não estavam interessadas o suficiente em eventos públicos para se dar conta do que ocorria. Permaneciam sãs por falta de compreensão. Apenas engoliam tudo, e o que engoliam não era prejudicial, pois não deixava resíduos, assim como um grão de milho passa pelo corpo de um pássaro sem ser digerido.

Capítulo 6

Enfim aconteceu. A mensagem esperada tinha chegado. Parecia-lhe que tinha esperado a vida toda por isso.

Ele caminhava pelo longo corredor do Ministério, quase passando pelo mesmo local onde Julia entregara o recado na sua mão, quando se deu conta de que alguém maior do que ele caminhava logo atrás. Essa pessoa, fosse quem fosse, limpou a garganta, como se estivesse se preparando para falar algo. Winston parou de maneira abrupta e se virou. Era O'Brien.

Enfim estavam face a face, e o único impulso que sentiu foi sair correndo. Seu coração saltava com violência. Seria incapaz de falar uma palavra. O'Brien, no entanto, continuou seguindo em frente, no mesmo movimento, dando um toque amigável por um instante no braço de Winston, de forma que agora caminhavam lado a lado. Ele começou a falar com uma cortesia solene e peculiar, que o separava da maioria dos membros do Partido Interno.

— Buscava uma oportunidade para conversar com você — ele disse. — Estava lendo um dos seus artigos de novilíngua no *The Times* um dia desses. Você tem um interesse muito acadêmico pela novilíngua, não?

Winston tinha recuperado parte de seu autocontrole.

— Não muito acadêmico — ele disse. — Sou apenas amador. Não trabalho com isso. Nunca tive nada a ver com a construção da língua em si.

— Mas você escreve nela de maneira muito elegante — disse O'Brien. — E não sou só eu quem acha isso. Estive conversando há pouco com um amigo seu que com certeza é um especialista. Tive um branco e esqueci o nome dele agora.

Mais uma vez o coração de Winston se agitou, dolorosamente. Era inconcebível que ele se referisse a qualquer outra pessoa que não Syme. Porém, Syme não apenas estava morto, como tinha sido abolido, virado uma não-pessoa. Qualquer referência a ele seria mortalmente perigosa. O comentário de O'Brien devia ter sido claramente usado como um sinal, um código. Ao compartilhar um pequeno ato de crimepensar, ele havia transformado ambos em cúmplices. Continuaram descendo lentamente pelo corredor, mas agora O'Brien tinha parado. Com um jeito amistoso desarmante, peculiar, que sempre imprimia nos seus gestos, ajeitou os óculos no nariz. Então, prosseguiu:

— O que queria mesmo dizer é que notei no seu artigo que você usou duas palavras que se tornaram obsoletas há pouco. Mas tornaram-se apenas recentemente. Você viu a Décima Edição do Dicionário de Novilíngua?

— Não — respondeu Winston. — Não sabia que já tinha sido publicada. Ainda usamos a Nona no Departamento de Registros.

— A Décima Edição só vai sair daqui a alguns meses, acho. Mas já começaram a circular alguns exemplares antecipados. Eu tenho um. Talvez você se interesse em dar uma olhada.

— Sem dúvida — disse Winston, percebendo de imediato onde ele queria chegar com isso.

— Alguns novos desenvolvimentos são muito perspicazes. A redução do número de verbos, essa parte você achará muito interessante, creio eu. Deixe-me ver, será que mando um mensageiro para você com um dicionário? Mas temo que sempre acabo me esquecendo de fazer coisas desse tipo. Talvez você possa pegar uma cópia no meu apartamento, em algum horário adequado para você, que tal? Espere aí. Vou passar o meu endereço.

Estavam parados diante de uma teletela. De maneira despreocupada, O'Brien apalpou dois dos seus bolsos e puxou um pequeno caderno com capa de couro e uma caneta de ouro. Diretamente em frente à teletela, em uma posição na qual qualquer pessoa que observasse do outro lado do instrumento seria capaz de ler o que ele estava escrevendo, ele anotou um endereço, rasgou uma página e entregou-a a Winston.

— Em geral, estou em casa à noite — ele disse. — Se não, meu serviçal entregará para você o dicionário.

Ele foi embora, deixando Winston com o papel na mão, que desta vez não precisava ocultar. Não obstante, ele memorizou cuidadosamente o que estava escrito, e algumas horas depois descartou o papel no buraco de memória, junto com um amontoado de outras folhas.

Tinham conversado por no máximo dois minutos. Aquele episódio só podia significar uma coisa. Foi uma maneira calculada por O'Brien para que Winston soubesse seu endereço. Isso era necessário, pois exceto por meio de uma pergunta direta, era impossível descobrir onde alguém morava. Não havia listas de nenhum tipo. "Se você quiser me ver, pode me encontrar neste local", era o que O'Brien tinha dito. Talvez pudesse até haver alguma mensagem oculta em algum lugar no dicionário. Mas, de qualquer maneira, uma coisa era certa. A conspiração com a qual Winston sonhara existia, e ele alcançara as suas bordas.

Sabia que, cedo ou tarde, obedeceria aos pedidos de O'Brien. Talvez amanhã, talvez depois de um longo tempo — não tinha certeza. Aquilo era apenas o desdobramento de um processo que começara anos antes. O primeiro passo foi um pensamento secreto, involuntário, o segundo foi começar a escrever no diário. Ele tinha transformado pensamentos em palavras, e agora palavras em ação. O último passo seria algo que ocorreria no Ministério do Amor. Já havia aceitado isso. O começo já continha o fim. No entanto, era assustador: ou, para ser mais exato, era como uma antecipação da morte, como estar um pouco menos vivo. Mesmo enquanto conversava com O'Brien, quando compreendeu o significado das palavras, um estremecimento gélido percorreu seu corpo. Teve a sensação de pisar na terra úmida de uma cova, e não ajudou o fato de que sempre soube que a cova estava lá, esperando por ele.

Capítulo 7

Winston tinha acordado com os olhos cheios d'água. Julia rolou, sonolenta, na direção dele, murmurando algo na linha de "O que foi?".

— Sonhei... — ele começou, e interrompeu o que ia dizer. Era complexo demais para pôr em palavras. Havia o sonho em si e a memória ligada a ele, que mergulhou dentro da sua mente poucos segundos depois de ele acordar.

Ficou deitado de olhos fechados, ainda submerso na atmosfera do sonho. Era um sonho vasto e luminoso em que sua vida inteira parecia espraiar-se diante dele como uma paisagem de verão depois da chuva. Tudo ocorrera dentro do peso de papel vítreo, mas a superfície do vidro era o domo do céu, e dentro do domo, tudo estava inundado com uma luz clara e suave pela qual era possível enxergar distâncias intermináveis. O sonho também era compreendido por — de fato, de certo modo, consistia naquilo — um gesto que sua mãe fez com o braço, e que foi repetido trinta anos depois pela mulher judia que ele vira no noticiário, tentando proteger o garotinho das balas, antes que o helicóptero os explodisse.

— Sabia — ele disse — que até agora eu achava que tinha assassinado a minha mãe?

— Por que você a assassinou? — perguntou Julia, ainda quase adormecida.

— Não matei. Não fisicamente.

No sonho, ele conseguira se lembrar do último vislumbre que tivera da mãe, e dentro de poucos instantes, ao acordar, o amontoado de pequenos acontecimentos em torno daquilo voltaram à sua memória. Era uma lembrança que ele devia ter propositalmente empurrado para fora de sua consciência por muitos anos. Não tinha certeza da data, mas aquilo acontecera havia pelo menos dez anos, talvez doze.

O pai de Winston tinha desaparecido um pouco antes, ele não era capaz de lembrar quanto tempo fazia. Recordava mais as circunstâncias incômodas e agitadas da época: os pânicos periódicos em relação aos ataques aéreos, a busca por abrigo nas estações de metrô, as pilhas de detrito por todos os lugares, as proclamações ininteligíveis nas esquinas, as gangues de jovens com camisas da mesma cor, as filas enormes do lado de fora das padarias, os tiros intermitentes de metralhadoras à distância — acima de tudo, o fato de que nunca tinha o suficiente para comer. Lembrava-se de longas tardes que passara ao lado de outros garotos revirando latas de lixo e amontoados de detrito, pegando os talos das folhas de repolho, cascas de batata, às vezes até restos de casca de pão vencido, das quais cuidadosamente raspava as cinzas; e também de esperar caminhões que viajavam por certa rota e que se sabia que transportavam comida para o gado e que, quando davam um solavanco nos buracos das estradas, às vezes deixavam cair pedaços de ração.

Quando seu pai desapareceu, sua mãe não demonstrou surpresa ou alguma forma de luto violento, mas foi tomada por uma mudança repentina. Ela parecia ter perdido totalmente o vigor. Ficou claro, até para Winston, que ela aguardava algo que sabia estar prestes a acontecer. Fazia todo o necessário — cozinhava, lavava, costurava, arrumava a cama, varria o chão, tirava pó da lareira — sempre com muita lentidão e uma curiosa falta de movimentos supérfluos, como um manequim de artista que se mexia por conta própria. O seu corpo grande e torneado parecia cair naturalmente na inércia. Ela se sentava quase imóvel por horas seguidas na cama, cuidando da irmã mais nova dele, uma criança pequena, enfermiça e muito silenciosa de dois ou três anos, com um rosto simiesco por causa da magreza. Muito raramente ela pegava Winston nos braços e o pressionava contra si por muito tempo, sem dizer nada. Ele estava ciente, apesar da sua juventude e egoísmo, que aquilo estava de alguma maneira ligado à coisa nunca mencionada que aconteceria em breve.

Ele se lembrava do quarto onde moravam como um lugar escuro, com cheiro de fechado, que parecia ser preenchido pela metade por uma cama com uma colcha branca. Havia uma boca de fogão e uma estante onde guardavam a comida, e do lado de fora havia uma pia de louça marrom comunitária. Ele se lembrava do corpo estatuesco da mãe se curvando sobre a boca de fogão para mexer algo na caçarola. Acima de tudo, lembrava-se de sua fome contínua, e das batalhas sórdidas e selvagens na hora da refeição. Ele enchia o saco da mãe perguntando várias vezes por que não tinha mais comida. Gritava com ela e a atacava (até lembrava o tom de voz, que começava a desafinar antes da hora ou às vezes se amplificava de um jeito peculiar), ou tentava acrescentar um jeito manhoso para conseguir mais do que a sua parte. A mãe estava bastante disposta a oferecer mais. Ela achava que era óbvio que ele, "o menino", deveria receber a porção maior; no entanto, não importava quanto ela desse, ele sempre pedia mais. A cada refeição, ela suplicava para que ele não fosse egoísta, que lembrasse que a sua irmãzinha doente também precisava de comida, mas de nada adiantava. Ele berrava, irritado, quando ela parava de servi-lo, tentava tirar a caçarola e a concha das mãos dela, pegava pedaços de comida do prato da irmã. Sabia que estava levando as outras duas a passar fome, mas não conseguia se conter; ele até sentia que tinha direito àquilo. A fome clamorosa na sua barriga parecia servir de justificativa. Entre as refeições, se a mãe não o vigiasse, ele furtava constantemente a despensa miserável de comida na estante.

Um dia, distribuíram a ração de chocolate. Fazia semanas ou meses que isso não ocorria. Ele se lembrava com muita clareza daquele pedaço precioso de chocolate. Era um naco de cinquenta gramas (ainda falavam em gramas naquela época) para dividir por três. Era óbvio que deveria ser dividido em três partes iguais. De repente, como se estivesse ouvindo a voz de outra pessoa, Winston se escutou exigindo, em voz alta e estrondosa, receber o pedaço inteiro. Sua mãe lhe disse para não ser ganancioso. Seguiu-se uma discussão longa e insistente que dava voltas, com gritos, resmungos, lágrimas, protestos, barganhas.

Sua irmã pequena, agarrada à mãe com as duas mãos, igual a um filhote de macaco, olhava para ele por cima do ombro dela, com olhos grandes e tristonhos. Por fim, a mãe quebrou uma parte equivalente a três quartos do chocolate e entregou-a a Winston, dando o outro quarto à irmã dele. A garotinha pegou o chocolate e olhou-o de um jeito monótono, talvez sem saber o que era aquilo. Winston ficou observando-a por um instante. Então, com um gesto rápido, arrancou o pedaço de chocolate da mão da irmã e saiu correndo em direção à porta.

— Winston, Winston! — a mãe chamou. — Volte já aqui! Devolva o chocolate para a sua irmã!

Ele parou, mas não voltou. Os olhos ansiosos da mãe estavam fixos nos dele. Mesmo agora que ele pensava a respeito daquilo, não sabia o que estava prestes a acontecer. Sua irmã, consciente de ter sido roubada, caiu numa lamúria fraca. Sua mãe pôs o braço ao redor da criança e pressionou o rosto dela contra o peito. Algo naquele gestual o informou que sua irmã estava morrendo. Ele se virou e fugiu pelas escadas, com o chocolate derretendo na mão.

Nunca mais viu a mãe. Depois de devorar o chocolate, sentiu-se um pouco envergonhado e ficou vagando pela rua por várias horas, até que a fome o levou de volta para casa. Quando retornou, sua mãe tinha desaparecido. Isso já se tornara normal na época. Nada mais tinha sumido do quarto, exceto sua mãe e sua irmã. Não tinham levado nenhuma roupa, nem mesmo o sobretudo da mãe. Até hoje ele não tinha certeza se ela estava morta. Era perfeitamente possível que ela apenas tivesse sido enviada a um campo de trabalhos forçados. Quanto à irmã, ela podia ter sido transferida, como o próprio Winston, para uma das colônias para crianças sem-teto (chamadas de Centros de Correção), um resultado da guerra civil, ou ela podia ter sido enviada ao campo de trabalho junto com a mãe, ou apenas fora abandonada em algum lugar para morrer.

O sonho ainda persistia vívido em sua mente, em especial o gesto de proteção do braço que parecia conter todo o significado. Sua mente retornou ao sonho de dois meses antes. Do mesmo jeito que sua mãe se sentara na cama suja de colcha branca, com a criança presa a ela, ela se sentara no navio afundado, muito abaixo dele, afogando-se cada vez mais com o passar dos minutos, mas ainda olhando para o alto, para ele, através da água que escurecia.

Ele contou a Julia a história do desaparecimento da mãe. Sem abrir os olhos, ela rolou na cama e se encaixou numa posição mais confortável.

— Suponho que você era um porquinho desgraçado naquela época — ela disse, de maneira indistinta. — Todas as crianças são como porcos.

— Sim, mas a questão principal da história...

A julgar pela respiração dela, ficou claro que cairia no sono de novo. Ele queria ter continuado a falar da mãe. Ele não supunha, com base no que era capaz de lembrar dela, que tinha sido uma mulher incomum, quem dirá uma mulher inteligente; no entanto, ela possuía uma espécie de nobreza, uma espécie de pureza, apenas porque obedecia a padrões muito particulares. Ela tinha seus próprios sentimentos, que não mudavam por questões externas. Não lhe ocorreria que uma ação ineficaz seria, portanto, sem sentido. Quando se amava alguém, se amava aquela pessoa, e quando não se tinha mais nada a oferecer, ainda se dava amor à pessoa. Quando o último pedaço do chocolate fora pego, sua mãe agarrara a filha entre os braços. De nada adiantava, aquilo não mudaria nada, não produziria mais chocolate, ela não tinha como impedir a morte da criança por conta própria; mas parecia natural que o fizesse. A mulher refugiada no barco também tinha coberto o menininho com o braço, o que era tão útil contra os tiros quanto uma folha de papel. O mais terrível que o Partido fizera fora convencer as pessoas de que meros impulsos, meros sentimentos, não serviam para nada, enquanto, ao mesmo tempo, roubava todo o poder das pessoas no mundo material. Depois que um sujeito se encontrasse sob o jugo do Partido, o que sentia ou deixava de sentir, fazia ou se impedia de fazer, literalmente não causava a menor diferença. Não importava o que acontecesse, o sujeito desaparecia, e nunca mais se ouviria falar dele ou de suas ações. Era apagado por completo do fluxo da história. Ainda assim, as pessoas de duas gerações atrás não achariam que isso era o mais importante, porque não estavam tentando mudar a história. Eram governadas por lealdades privadas que não questionavam. O que importava eram relações individuais, e um gesto completamente incontrolável, um abraço, uma lágrima, uma palavra dita a um moribundo, podia ter valor em si. Os proletas, ocorreu-lhe de repente, permaneceram nessa condição. Não eram leais ao Partido, a um país ou a uma ideia, eram leais uns aos outros. Pela primeira vez na vida, ele não sentiu desprezo pelos proletas, ou pensou neles apenas como uma força inerte que um dia brotaria e regeneraria o mundo. Os proletas tinham permanecido humanos. Não endureceram por dentro. Continuavam agarrados às emoções primitivas que ele precisara reaprender por meio de um esforço consciente. E, ao pensar isso, ele se lembrou, sem relevância aparente, como havia poucas semanas ele vira uma mão decepada na calçada e a chutara para a sarjeta, como se fosse um talo de repolho.

— Os proletas são seres humanos — ele disse, em voz alta. — Nós não somos humanos.

— Por que não? — perguntou Julia, que tinha acordado outra vez.

Ele refletiu um pouco.

— Já pensou — ele disse — que a melhor coisa para nós seria apenas sair daqui antes que seja tarde demais, e nunca mais ver um ao outro?

— Sim, querido, já me ocorreu isso, várias vezes. E, ainda assim, não é o que vou fazer.

— Tivemos sorte — ele disse —, mas não tem como isso durar muito mais. Você é jovem. Parece normal e inocente. Se você continuar longe de pessoas como eu, pode viver mais cinquenta anos.

— Não. Já pensei em tudo. Vou fazer o que você fizer. E não seja tão negativo. Sou muito boa em continuar viva.

— Podemos continuar juntos por mais seis meses, um ano, não tem como saber. Ao final, com certeza seremos separados. Você percebe quão sozinhos ficaremos? Depois que nos descobrirem, não haverá mais nada, literalmente nada, que um poderia fazer pelo outro. Se eu confessar, vão dar um tiro em você; se eu me recusar a confessar, vão dar um tiro em você de toda maneira. Não há nada que eu possa fazer ou dizer, ou me impedir de dizer, que adiará a sua morte por cinco minutos que seja. Nenhum de nós nunca saberá se o outro está vivo ou morto. Não teremos o menor poder. A única coisa que importa é que não devemos trair um ao outro, embora nem isso faça a menor diferença.

— Você fica falando em confessar — ela disse. — Nós faremos isso, sem dúvida. Todo mundo sempre confessa. Não tem como evitar. Eles torturam você.

— Não estou falando em confessar. Confissão não é traição. O que você faz ou diz não importa: só os sentimentos importam. Se eles pudessem me fazer parar de amar você... essa seria a verdadeira traição.

Ela pensou a respeito.

— Não podem fazer isso — disse, finalmente. — É a única coisa que não podem fazer. Podem fazer você dizer qualquer coisa, *qualquer coisa*, mas não conseguem fazer com que você acredite naquilo. Não conseguem entrar em você.

— Não — ele disse, num tom um pouco mais esperançoso —, não; isso é verdade. Não conseguem entrar em você. Se você puder *sentir* que permanecer humano vale a pena, mesmo quando não gere nenhum resultado, você os venceu.

Ele pensou na teletela com seu ouvido que nunca dorme. Podem espionar noite e dia, mas se a pessoa não perder a cabeça, ainda será capaz de enganá-los. Apesar de toda a esperteza do Partido, eles nunca dominaram o segredo de descobrir o que outro ser humano está pensando. Talvez isso não seja tão verdade assim quando se está, de fato, nas mãos deles. Não se sabe o que ocorre dentro do Ministério do Amor, mas é possível adivinhar: tortura, drogas, instrumentos sensíveis que registram as reações nervosas da pessoa, um esgotamento gradual através da privação do sono, solidão e interrogatórios persistentes. Fatos, de qualquer maneira, não podiam ser escondidos. Dava para rastreá-los com uma investigação, podiam ser arrancados pela tortura. Mas se o objetivo não era sobreviver, mas permanecer humano, que diferença faria, afinal? Não eram capazes de alterar sentimentos: na verdade, nem o próprio sujeito seria capaz de alterá-los, se quisesse. Eles podiam pôr a nu, nos mínimos detalhes, tudo o que um sujeito fez, disse ou pensou; mas o âmago do seu coração, cujo funcionamento era um mistério até para ele, permaneceria impenetrável.

Capítulo 8

Tinham conseguido, enfim tinham conseguido!

A sala onde estavam era estreita e de iluminação suave. O volume da teletela fora reduzido a um murmúrio baixo; a riqueza do carpete azul escuro dava a impressão de pisar em veludo. Na ponta da sala, O'Brien estava sentado à mesa, sob a luz esverdeada de um abajur, com um amontoado de papéis em ambos os lados. Não se deu ao trabalho de levantar os olhos quando o serviçal apresentou Julia e Winston.

O coração de Winston batia tão forte que ele achava que não conseguiria sequer falar. Tinham conseguido, enfim tinham conseguido, era tudo o que pensava. Fora muito árduo chegar ali, e ainda havia o desatino puro que era chegarem juntos; embora tivessem tomado caminhos diferentes e só se encontrado na entrada da casa de O'Brien. Mas só adentrar tal lugar já exigia um grande esforço. Apenas em ocasiões muito raras era possível entrar na residência dos funcionários do Partido Interno, ou até penetrar no bairro onde moravam. Toda a atmosfera do prédio enorme, tudo passava a impressão de riqueza e era muito espaçoso, havia os cheiros desconhecidos de boa comida e bom tabaco, os elevadores silenciosos e incrivelmente rápidos que subiam e desciam, os serviçais de uniforme branco correndo de um lado para o outro — tudo era intimidador. Embora ele tivesse um bom pretexto para ir ao local, era assombrado a cada passo pelo medo de que um guarda vestido de preto apareceria na esquina, exigiria seus documentos e ordenaria que Winston fosse embora. O serviçal de O'Brien, no entanto, deixou que os dois passassem sem delongas. Era um homem baixinho, de cabelo escuro, vestido de branco, com o rosto em formato de diamante que parecia chinês, completamente sem expressão. A passagem pela qual os conduziu tinha um carpete suave, com papel de parede creme e frisos brancos, tudo limpo de maneira cuidadosa. Isso também era intimidador. Winston não se lembrava de algum dia ter visto um corredor sem paredes sujas pelo contato de corpos humanos.

O'Brien tinha um pedaço de papel entre os dedos e parecia estudá-lo com atenção. Seu rosto pesado, curvado para baixo de um jeito que deixava evidente a linha do seu nariz, parecia ao mesmo tempo formidável e inteligente. Por mais ou menos vinte segundos, ele ficou sentado, sem se mexer. Então puxou o falescreve em sua direção e despachou uma mensagem no jargão híbrido dos Ministérios:

— *Itens um vírgula cinco vírgula sete aprovado por completo pausa sugestão contida item seis duplimais ridículo à beira crimepensar cancelar pausa não-proceder na construção antesobter estimativas cheiasmais maquinário custos excedentes pausa fim mensagem.*

Levantou-se decidido da cadeira e caminhou na direção deles sobre o carpete silencioso. Um pouco da atmosfera oficial parecia ter despencado dele com as palavras em novilíngua, mas sua expressão era mais sombria do que o normal, como se não estivesse contente em ser incomodado. O terror que Winston já sentia de repente foi amplificado por um surto de constrangimentos comuns. Pareceu-lhe muito provável que tivesse cometido um erro estúpido. Afinal, que provas ele tinha, de fato, de que O'Brien era alguma espécie de conspirador político? Nada além de uma troca de olhares e um comentário ambíguo: mais do que isso, só sua imaginação secreta, fundamentada num sonho. Ele não podia sequer recorrer à desculpa de que tinha vindo buscar o dicionário, pois, nesse caso, a presença de Julia seria impossível de explicar. Quando O'Brien passou pela teletela, parecia ter sido tomado por um pensamento. Ele parou, se virou e apertou um interruptor na tela. Um estalo agudo. A voz tinha parado.

Julia emitiu um pequeno ruído, uma espécie de gemido de surpresa. Mesmo em meio ao pânico, Winston ficou tão abalado que não conseguiu controlar a língua.

— Você pode desligá-la! — ele disse.

— Sim — disse O'Brien —, podemos desligá-la. Temos esse privilégio.

Estava diante deles agora. Sua silhueta sólida pairava diante dos dois, e a expressão no rosto de O'Brien permanecia indecifrável. Estava esperando, numa atitude um tanto severa, que Winston falasse, mas a respeito do quê? Mesmo agora, era bastante possível que ele fosse apenas um homem ocupado se perguntando, irritado, por que fora interrompido. Ninguém disse nada. Depois que a teletela fora desligada, a sala caíra num silêncio mortal. Os segundos avançavam, enormes. Com muita dificuldade, Winston manteve os olhos fixos em O'Brien. Então, de repente, o rosto sombrio dele se desfez no que parecia ser o começo de um sorriso. Com seu gesto característico, O'Brien ajustou os óculos no nariz.

— Eu falo ou você fala? — ele disse.

— Eu falo — disse Winston, de imediato. — Esse troço está desligado mesmo?

— Sim, tudo desligado. Estamos a sós.

— Nós viemos aqui porque...

Ele parou, notando pela primeira vez como sua motivação era vaga. Como ele não sabia de fato que tipo de ajuda esperar de O'Brien, não era fácil dizer por que tinha ido lá. Ele prosseguiu, consciente de que soava ao mesmo tempo débil e pretensioso:

— Acreditamos que existe alguma espécie de conspiração, um tipo de organização secreta trabalhando contra o Partido, e que você está envolvido nela. Queremos nos juntar e trabalhar para ela. Somos inimigos do Partido. Não acreditamos nos princípios do Ingsoc. Somos criminosos de pensamento. Também somos adúlteros. Estou contando isso porque queremos nos colocar à sua disposição. Se você quiser que nos incriminemos de qualquer outra maneira, estamos prontos.

Ele parou e olhou por cima do próprio ombro, com a sensação de que a porta tinha se aberto. E, de fato, o pequeno serviçal de rosto amarelo entrara sem bater. Winston viu que ele carregava uma bandeja com decantador e taças.

— Martin é um de nós — disse O'Brien, impassível. — Traga as bebidas aqui, Martin. Coloque-as na mesa redonda. Temos cadeiras suficientes? Então, vamos nos sentar e conversar confortavelmente. Pegue uma cadeira para si, Martin. Vamos falar de negócios. Você pode deixar de ser um serviçal pelos próximos dez minutos.

O homenzinho se sentou, bastante tranquilo, mas ainda com um ar servil, o jeito de um criado que aproveita um privilégio. Winston o observou com o canto do olho. Pensou que, ao longo de toda a sua vida, aquele homem interpretara um papel, e que ele achava perigoso abandonar essa personalidade por um só instante que fosse. O'Brien pegou o decantador pelo pescoço e encheu as taças com um líquido vermelho escuro que despertou lembranças turvas em Winston de algo visto muito tempo antes numa parede ou num depósito — uma garrafa grande composta de luzes elétricas que pareciam se mover para cima e para baixo, cujo conteúdo era despejado numa taça. Vista de cima, a coisa parecia quase preta, mas no decantador reluzia como um rubi. Tinha um cheiro azedo e doce. Ele viu Julia pegar sua taça e cheirá-la, com uma curiosidade sincera.

— Isso se chama vinho — disse O'Brien, com um sorriso tênue. — Você deve ter lido bastante a respeito em livros, sem dúvida. Receio que não cheguem muitos para o Partido Externo. — O rosto dele ficou solene outra vez e ele ergueu a taça. — Acho adequado que comecemos fazendo um brinde. Ao nosso Líder: a Emmanuel Goldstein.

Winston pegou sua taça com certa avidez. Ele tinha lido a respeito do vinho e sonhado com isso. Como o peso de papel de vidro ou as rimas lembradas pela metade do sr. Charrington, era algo que pertencia a um passado romântico e desaparecido, o tempo antigo, como ele gostava de chamá-lo em seus pensamentos secretos. Por algum motivo, sempre pensara que o vinho teria um gosto intensamente doce, como o de geleia de amora, e um efeito intoxicante de imediato. Na verdade, quando engoliu a bebida, esta se mostrou decepcionante. A verdade é que, depois de anos bebendo gim, ele mal sentia o gosto do vinho. Largou o copo vazio.

— Existe mesmo essa pessoa, Goldstein? — perguntou.

— Sim, existe a pessoa, e ele está vivo. Onde, eu não sei.

— E a conspiração, a organização? É real? Não é apenas uma invenção da Polícia do Pensar?

— Não, é real sim. Nós chamamos de Irmandade. Você nunca vai descobrir muito a respeito da Irmandade, além do fato de que ela existe e você pertence a ela. Logo voltarei a falar disso. — Ele olhou para o relógio de pulso. — Não é sábio desligar a teletela por mais de meia hora, nem mesmo sendo membro do Partido Interno. Vocês não deveriam ter vindo juntos aqui, e terão que ir embora um de cada vez. Você, camarada — ele curvou a cabeça na direção de Julia — sairá primeiro. Temos cerca de vinte minutos à nossa disposição. Você compreende que devo fazer certas perguntas. Em termos gerais, o que vocês estão preparados para fazer?

— Qualquer coisa de que sejamos capazes — respondeu Winston.

O'Brien se virou um pouco na cadeira, de modo que agora encarava Winston. Ele quase ignorou Julia, parecendo crer que Winston podia falar em nome dela. Por um instante, suas pálpebras piscaram. Começou a fazer perguntas numa voz baixa, sem expressão, como se fosse algo rotineiro, uma espécie de catequese, como se já conhecesse a maioria das respostas.

— Estão dispostos a dar suas vidas?

— Sim.

— Preparados para assassinar?

— Sim.

— A cometer atos de sabotagem que podem provocar a morte de centenas de inocentes?

— Sim.

— A trair seu país a potências estrangeiras?

— Sim.

— Estão preparados a mentir, falsificar, chantagear, corromper a mente de crianças, distribuir drogas viciantes, incentivar a prostituição, espalhar doenças venéreas, tudo que possa desmoralizar e enfraquecer o Partido?

— Sim.

— Se, por exemplo, fosse de nosso interesse que vocês jogassem ácido sulfúrico no rosto de uma criança, estariam preparados para isso?

— Sim.

— Estão preparados para perder sua identidade e viver o resto da vida como um garçom ou um estivador?

— Sim.

— Estão preparados a se suicidar, se ordenarmos, quando ordenarmos?

— Sim.

— Estão preparados, os dois, a se separar e nunca mais ver um ao outro?

— Não! — interrompeu Julia.

Winston teve a impressão de que passou um bom tempo antes que ele respondesse. Por um instante, pareceu até ter perdido a capacidade de fala. Sua língua se mexia sem emitir ruído, formando as primeiras sílabas de uma palavra, depois da outra, várias e várias vezes. Até que a disse, sem saber que palavra ia falar.

— Não — disse, enfim.

— Fizeram bem em me dizer isso — falou O'Brien. — Precisamos saber tudo.

Ele se virou para Julia e acrescentou numa voz um pouco mais enfática:

— Você entende que mesmo se ele sobreviver, talvez vire outra pessoa? Podemos ser obrigados a dar-lhe uma nova identidade. Seu rosto, seus movimentos, a forma das mãos, a cor do cabelo, até a sua voz ficaria diferente. E você mesma pode ter que se tornar outra pessoa. Nossos cirurgiões são capazes de deixar as pessoas irreconhecíveis. Às vezes isso é necessário. Às vezes até amputamos um membro.

Winston não pôde evitar de lançar outro olhar com o canto do olho para o rosto mongol de Martin. Não enxergou nenhuma cicatriz. Julia ficou um pouco mais pálida, revelando as sardas, mas encarava corajosamente O'Brien. Ela murmurou algo que soou como se concordasse.

— Ótimo. Está resolvido, então.

Havia uma caixa prateada de cigarros sobre a mesa. Com um jeito desligado, O'Brien empurrou-a na direção deles, pegou um cigarro para si, e então se levantou e começou a andar lentamente de um lado para o outro, como se pensasse melhor de pé. Eram ótimos cigarros, grossos e bem enrolados, com uma textura sedosa desconhecida. O'Brien conferiu mais uma vez o relógio.

— Você deve voltar para a despensa, Martin — ele disse. — Vou aparecer em quinze minutos. Dê uma bela olhada nos rostos desses companheiros antes de ir embora. Você os verá outra vez. Eu, talvez não.

Exatamente como na entrada, os olhos escuros do homenzinho piscaram diante de seus rostos. Não havia um rastro de amistosidade no jeito dele. Ele memorizava a aparência dos dois, mas não tinha o menor interesse, ou aparentava não sentir nada. Ocorreu a Winston que um rosto sintético talvez fosse incapaz de mudar de expressão. Sem falar ou emitir qualquer espécie de saudação, Martin saiu, fechando a porta em silêncio atrás de si. O'Brien andava para cima e para baixo, uma mão no bolso de seu macacão preto, a outra segurando um cigarro.

— Vocês compreendem — ele disse — que lutarão no escuro. Vocês sempre estarão no escuro. Receberão ordens e as obedecerão, sem saber o motivo. Mais tarde, enviarei um livro para que possam aprender a verdadeira natureza da sociedade na qual vivemos, e a estratégia que usaremos para destruí-la. Depois de lerem *o livro*, terão se tornado membros completos da Irmandade. Porém, entre os objetivos gerais pelos quais estamos lutando e as tarefas imediatas, vocês nunca saberão de nada. Afirmo que a Irmandade existe, mas não posso revelar se tem cem membros ou dez milhões. Com base no seu próprio conhecimento, nunca poderão dizer que tem sequer doze pessoas. Vocês terão três ou quatro contatos, que serão renovados de tempos em tempos ao passo que desaparecem. Como esse foi o seu primeiro contato, ele será preservado. Quando vocês receberem ordens, estas virão de mim. Se acharmos que é necessário nos comunicar com vocês, será através de Martin. Quando forem finalmente pegos, terão que confessar. Isso é inevitável. Mas vocês terão muito pouco a confessar, além de suas próprias ações. Não serão capazes de trair mais do que um punhado de pessoas desimportantes. Provavelmente, nem me trairão. Nessa hora, já estarei morto ou terei me tornado outra pessoa, com um rosto diferente.

Continuou a andar de um lado para o outro no carpete suave. Apesar do volume do seu corpo, havia uma graça notável nos movimentos dele, que aparecia até no gesto com o qual ele enfiava a mão no bolso ou manipulava um cigarro. Mais do que força, ele transmitia uma impressão de confiança e de compreensão tingida pela ironia. Não importava quão sincero fosse, não possuía nenhuma obstinação de fanático. Quando falava de assassinato, suicídio, doença venérea, membros amputados e rostos alterados, fazia-o com um tom leve de chacota. "Isso é inevitável", sua voz parecia dizer; "é o que temos que fazer, sem piscar. Mas não faremos mais isso quando a vida voltar a valer a pena." Uma onda de admiração, quase de idolatria, fluía de Winston para O'Brien. Por um instante, esquecera-se da figura misteriosa de Goldstein. Quando se observava os ombros poderosos de O'Brien e seu rosto de traços grosseiros, tão feio e tão civilizado ao mesmo tempo, era impossível acreditar que ele podia ser derrotado. Não havia estratagema ao qual ele não pudesse se contrapor em igualdade, nenhum perigo que não pudesse prever. Até Julia parecia impressionada. Ela tinha deixado seu cigarro apagar e escutava com atenção. O'Brien continuou:

— Vocês devem ter ouvido boatos a respeito da existência da Irmandade. Sem dúvida, criaram sua própria imagem acerca dela. É provável que tenham imaginado um submundo enorme de conspiradores, encontrando-se em segredo em porões, rabiscando mensagens nos muros, reconhecendo um ao outro por senhas ou por movimentos especiais com a mão. Não existe nada desse tipo. Os membros da Irmandade não têm como reconhecer um ao outro, e é impossível que um membro esteja ciente da identidade de mais do que alguns outros. O próprio Goldstein, se caísse nas mãos da Polícia do Pensar, não seria capaz de dar a lista completa de membros ou qualquer informação que os levasse a uma lista completa. Não existe tal lista. A Irmandade não pode ser erradicada porque não é uma organização no sentido tradicional. Nada a mantém unida além de uma ideia que é indestrutível. Vocês nunca terão algo que os sustente, além da ideia. Não terão camaradagem ou encorajamento. Quando finalmente forem capturados, não receberão ajuda. Nunca auxiliamos nossos membros. No máximo, quando é absolutamente necessário que alguém seja silenciado, de vez em quando conseguimos fazer com que uma lâmina chegue à cela do prisioneiro. Vocês se acostumarão a viver sem resultados e sem esperança. Trabalharão por um tempo, serão capturados, confessarão e morrerão. São os únicos resultados que algum dia serão capazes de ver. Não existe possibilidade de que ocorra alguma mudança perceptível enquanto estivermos vivos. Estamos mortos. Nossa única vida verdadeira está no futuro. Faremos parte dele como um punhado de poeira e pedaços de ossos. Mas é impossível saber quão longe está o futuro. Pode ser daqui a mil anos. No momento, nada pode ser feito além de estender a área da sanidade pouco a pouco. Não podemos agir coletivamente. Só podemos espalhar nosso conhecimento de indivíduo a indivíduo, de geração a geração. Não há outra maneira, com a Polícia do Pensar.

Ele parou e olhou pela terceira vez para o relógio.

— Está quase na hora de você partir, camarada — ele disse a Julia. — Espere. O decantador ainda está pela metade.

Ele encheu as taças e ergueu a própria.

— Ao que brindaremos dessa vez? — perguntou, ainda com o mesmo toque de ironia. — À confusão da Polícia do Pensar? À morte do Grande Irmão? À humanidade? Ao futuro?

— Ao passado — disse Winston.

— O passado é mais importante — concordou O'Brien, solene.

Esvaziaram suas taças e, logo depois, Julia se levantou para ir embora. O'Brien pegou uma caixinha do alto de um armário e entregou a ela um tablete branco e liso que indicou que ela deveria colocar sobre a língua. Era importante, ele disse, não sair cheirando a vinho: os ascensoristas eram muito observadores. Assim que a porta se fechou atrás de Julia, ele pareceu ter esquecido da existência dela. Deu um ou dois passos para frente e para trás e parou.

— Há detalhes para acertar — ele disse. — Presumo que você tem uma espécie de esconderijo?

Winston explicou a respeito do quarto acima da loja do sr. Charrington.

— Bastará por enquanto. Depois encontraremos outro lugar para você. É importante mudar de esconderijo com frequência. Enquanto isso, mandarei a você uma cópia do *livro* — até O'Brien, Winston notou, parecia pronunciar a palavra como se estivesse em itálico —, o livro de Goldstein, você sabe, o mais rápido possível. Podem demorar alguns dias até que eu encontre um exemplar. Não existem muitos, como você pode imaginar. A Polícia do Pensar os persegue e os destrói com quase a mesma rapidez com a qual somos capazes de produzi-los. Pouco importa. O livro é indestrutível. Mesmo que a última cópia se perca, seríamos capazes de reproduzi-lo quase palavra a palavra. Você costuma levar uma pasta para o trabalho? — ele acrescentou.

— Rigorosamente, sim.

— E como ela é?

— Preta, muito esfarrapada. Com duas alças.

— Preta, duas alças, muito esfarrapada; ótimo. Um dia, num futuro bastante próximo, não posso dizer uma data, uma das mensagens que você recebe na sua manhã de trabalho trará uma palavra escrita errada, e você terá que pedir para repetirem. No dia seguinte, você irá trabalhar sem a sua pasta. Em algum momento durante o dia, na rua, um homem tocará no seu ombro e dirá: "Acho que você deixou cair a sua pasta". A que ele lhe entregar conterá uma cópia do livro de Goldstein. Você o devolverá dentro de catorze dias.

Ficaram em silêncio por um instante.

— Ainda faltam alguns minutos antes que você precise ir embora — disse O'Brien. — Nós nos encontraremos de novo... se nos encontrarmos outra vez...

Winston ergueu o olhar para ele.

— No lugar onde não há escuridão? — ele disse, hesitante.

O'Brien assentiu, sem demonstrar surpresa.

— No lugar onde não há escuridão — ele disse, como se tivesse reconhecido a alusão. — E, enquanto isso, tem algo que você queira dizer antes de ir embora? Alguma mensagem? Alguma pergunta?

Winston pensou. Não parecia restar nenhuma pergunta e sentia menos ainda um impulso de dizer alguma obviedade que soasse importante. Em vez de qualquer coisa relacionada a O'Brien ou à Irmandade, lhe veio à mente uma espécie de retrato composto do quarto escuro onde sua mãe passara seus últimos dias, e o pequeno quarto acima da loja do sr. Charrington, e o peso de papel, e a gravura de aço na moldura de madeira. De maneira quase aleatória, ele disse:

— Por acaso você já ouviu um poeminha antigo que começa com "Laranjas e limões, dizem os sinos da São Clemente"?

O'Brien assentiu outra vez. Com uma espécie de tom solene, ele completou:

Laranjas e limões, dizem os sinos da São Clemente!
Você me deve três tostões, dizem os sinos da São Martinho.
Quando vai me pagar?, perguntam os sinos da Old Bailey,
Quando rico ficar, respondem os sinos da Shoreditch.

— Você sabe o último verso! — disse Winston.

— Sim, sei o último verso. E agora, receio que tenha chegado a hora de você ir embora. Espere. Deixe-me dar um desses tabletes.

Enquanto Winston se levantava, O'Brien estendeu a mão. Seu aperto poderoso esmagou os ossos da palma de Winston. Na porta, Winston olhou para trás, mas O'Brien parecia já estar no processo de tirá-lo de sua mente. Esperava com a mão no interruptor que controlava a teletela. Atrás dele, Winston podia ver a escrivaninha com seu abajur verde e o falescreve e as cestas de lixo cheias de papel. O incidente tinha chegado ao fim. Dentro de trinta segundos, ocorreu-lhe, O'Brien retomaria seu trabalho importante em nome do Partido.

Capítulo 9

Winston estava gelatinoso de tanto cansaço. Gelatinoso era a palavra correta. Apareceu espontaneamente na sua cabeça. Seu corpo parecia ter não apenas a maleabilidade da gelatina, como a mesma translucidez. Sentia que se levantasse a mão, seria capaz de ver a luz atravessá-la. Todo o sangue e a linfa tinham sido drenados dele por uma enormidade de trabalho, deixando apenas uma estrutura frágil de nervos, ossos e pele. Todas as suas sensações pareciam ter sido amplificadas. O macacão esfolava seus ombros, a calçada fazia cócegas nos pés, e até a abertura e o fechamento da mão era um esforço que fazia suas juntas estalarem.

Ele trabalhara mais de noventa horas em cinco dias. Assim como todos do Ministério. Agora tinha acabado e ele ficara sem literalmente nada para fazer, nenhum trabalho do Partido de qualquer tipo, até a manhã seguinte. Poderia passar seis horas no esconderijo e outras nove na sua própria cama. Lentamente, no sol agradável da tarde, ele caminhou pela rua suja na direção da loja do sr. Charrington, de olhos abertos em busca de patrulhas, mas convencido, irracionalmente, de que naquela tarde não havia riscos de que alguém fosse interferir. A pasta pesada que ele carregava batia contra o joelho a cada passo, provocando uma sensação de formigamento para cima e para baixo de sua perna. Dentro dela carregava o livro, que estava em sua posse havia seis dias e que ele ainda não tinha aberto, ou sequer olhado.

No sexto dia da Semana de Ódio, depois das procissões, das palestras, dos gritos, da cantoria, das faixas, dos pôsteres, dos filmes, dos trabalhos em cera, do bater dos tambores e do guincho dos trompetes, do pisotear das marchas, do triturar da esteira dos tanques, do rugido dos aviões, do estouro das armas — depois de seis dias disso, quando o grande orgasmo chegava tremulante ao ápice e o ódio geral à Eurásia havia fervido a ponto de atingir tal delírio que se a plateia pudesse pôr as mãos nos dois mil criminosos de guerra eurasianos que seriam enforcados em praça pública no último dia, as pessoas os destroçariam — bem nesse momento, a Oceania não estava em guerra com a Eurásia. A Oceania estava em guerra com a Lestásia. A Eurásia era um aliado.

É claro que não se admitiu que ocorrera qualquer mudança. Apenas se tornou conhecido, de forma repentina e por todos os lugares ao mesmo tempo, que a Lestásia, e não mais a Eurásia, era o inimigo. Winston participava de um protesto em uma das praças centrais de Londres quando isso aconteceu. Era de noite, e os rostos brancos e as faixas vermelhas recebiam uma iluminação furiosa. A praça estava repleta de vários milhares de pessoas, incluindo um bloco de cerca de mil crianças com uniformes dos Espiões. Num palanque coberto por tecidos escarlate, um orador do Partido Interno, um homem pequeno e magro com braços desproporcionalmente compridos e uma cabeça careca grande sobre a qual se viam algumas mechas lisas, discursava para a plateia.

Como um pequeno Rumpelstiltskin[2], contorcido de ódio, ele agarrava o microfone pelo cabo com uma mão enquanto a outra, enorme, ao fim de um braço ossudo, atacava os céus acima de sua cabeça ameaçadoramente. Sua voz, que os amplificadores deixavam metálica, disparava um catálogo sem fim de atrocidades, massacres, deportações, saques, estupros, torturas de prisioneiros, bombardeios de civis, propaganda mentirosa, agressões injustas, tratados rompidos. Era quase impossível ouvi-lo sem se sentir primeiro persuadido e depois raivoso. De minuto em minuto, a fúria da plateia entrava em ebulição e a voz do palestrante era afogada por rugidos bestiais que emergiam incontrolavelmente de milhares de gargantas. Os berros mais selvagens vinham das crianças. O discurso já ocorria havia cerca de vinte minutos quando um mensageiro correu até o palanque e deslizou na mão do palestrante um pedaço de papel. Ele desenrolou o papel e leu-o sem interromper o discurso. Nada alterou sua voz ou estilo, ou o conteúdo do que dizia, mas de repente os nomes eram diferentes. Mesmo sem explicar, uma onda de compreensão percorreu a plateia. A Oceania estava em guerra com a Lestásia! No instante seguinte, houve uma comoção tremenda. Os pôsteres e faixas que decoravam a praça estavam todos errados! Quase metade tinha os rostos errados. Sabotagem! Os agentes de Goldstein tinham causado aquilo! Houve um interlúdio

---

2 Pequena criatura mágica do conto de fadas homônimo publicado pelos irmãos Grimm em 1812. [N. de E.]

de baderna no qual pôsteres foram arrancados da parede, faixas rasgadas em pedacinhos e pisoteadas. Os Espiões realizaram grande feitos ao escalar até os telhados para cortar as bandeiras que tremulavam nas chaminés. Mas dentro de dois ou três minutos, tudo tinha acabado. O orador, ainda agarrando o cabo do microfone, com os ombros curvados para a frente, sua mão livre atacando o ar, tinha prosseguido com o discurso. Mais um minuto e outra vez os rugidos ferinos de ódio explodiam da plateia. O Ódio continuou da mesma forma, só o alvo que mudara.

O que impressionava Winston, olhando em retrospecto, é que o palestrante tinha pulado de uma linha para a outra no meio da frase, não apenas sem dar uma pausa, mas sem sequer romper a sintaxe. Naquele momento, outras coisas o preocupavam, no entanto. Foi durante essa hora de desordem, enquanto os pôsteres eram rasgados, que um homem cujo rosto ele não viu deu um toque no ombro e disse:

— Com licença, acho que você deixou cair a sua pasta.

Ele pegou a pasta, distraído, sem falar nada. Sabia que passariam dias até que tivesse a oportunidade de olhar dentro dela. No instante em que o protesto terminara, ele fora direto para o Ministério da Verdade, embora fossem quase vinte e três horas. Toda a equipe do Ministério fizera o mesmo. As ordens emitidas na teletela, chamando-os de volta aos seus postos, era quase desnecessária.

A Oceania estava em guerra com a Lestásia; a Oceania sempre estivera em guerra com a Lestásia. Uma grande parte da literatura política dos últimos cinco anos agora se tornara completamente obsoleta. Relatórios e registros de toda espécie, jornais, livros, panfletos, filmes, trilhas sonoras, fotografias — tudo precisava ser retificado na velocidade de um raio. Embora nunca tenham emitido nenhuma diretriz, era sabido que os chefes do Departamento pretendiam que, dentro de uma semana, não houvesse mais nenhuma referência à guerra com a Eurásia ou à aliança com a Lestásia. O trabalho era assoberbante, ainda mais porque os processos envolvidos sequer podiam ser chamados pelos próprios nomes. Todos no Departamento de Registros trabalharam dezoito das vinte e quatro horas do dia, com dois cochilos de três horas. Trouxeram colchões dos porões e os espalharam por todos os corredores: as refeições eram sanduíches e Café da Vitória transportados em carrinhos por funcionários do refeitório. Cada vez que Winston caía no sono, tentava deixar a mesa limpa, sem trabalho, e sempre que rastejava de volta para a mesa, com os olhos grudados e doloridos, encontrava outra enxurrada de cilindros de papel cobrindo a sua mesa como uma avalanche, quase enterrando o falescreve e transbordando até o chão. Então, sua primeira tarefa era empilhá-las de forma que tivesse espaço para poder trabalhar. O pior de tudo é que o trabalho estava longe de ser apenas mecânico. Com muita frequência, bastava substituir um nome pelo outro, mas qualquer registro detalhado de eventos exigia cuidado e imaginação. Até o conhecimento geográfico necessário para transferir a guerra de uma parte do mundo para a outra era considerável.

Por volta do terceiro dia, ele estava com uma dor insuportável nos olhos e precisava limpar os óculos a cada poucos minutos. Era como se envolver numa tarefa física esmagadora, algo que a pessoa tinha o direito de se recusar a fazer e, ainda assim, tinha uma ansiedade neurótica de realizar. Até onde podia lembrar, ele não se incomodava com o fato de que cada palavra que murmurava no falescreve, cada traço da sua caneta, era uma mentira deliberada. Estava ansioso como qualquer outra pessoa no Departamento para realizar uma falsificação perfeita. Na manhã do sexto dia, a velocidade da chegada de cilindros reduziu. Por quase meia hora, nada surgiu no tubo; e então, caiu mais um cilindro, e nada mais. O trabalho atenuava mais ou menos em todos os lugares ao mesmo tempo. Um suspiro profundo e secreto percorreu o Departamento. Um feito incrível, que nunca poderia ser mencionado, fora cumprido. Agora era impossível para qualquer ser humano provar, com evidências documentais, que a guerra contra a Eurásia acontecera algum dia. Às doze, foi anunciado de maneira inesperada que todos os funcionários do Ministério estavam livres até a manhã seguinte. Winston, ainda carregando a pasta com o livro, que permanecera entre seus pés enquanto ele trabalhava e abaixo do seu corpo enquanto dormia, foi para casa, fez a barba e quase adormeceu no banho, embora a água estivesse pouco mais do que morna.

Com uma espécie de estalo voluptuoso das juntas, subiu as escadas da loja do sr. Charrington. Estava cansado, mas não mais sonolento. Abriu a janela, acendeu o pequeno fogareiro sujo e colocou uma caçarola de água para preparar um café. Julia chegaria em breve; enquanto isso, tinha o livro. Sentou-se na poltrona vagabunda e abriu as alças da pasta.

Era um volume preto e escuro, encadernado de forma amadora, sem nome ou título na capa. A impressão também parecia levemente irregular. As páginas estavam gastas nas bordas, e se soltavam com facilidade, como se o livro tivesse passado por várias mãos. A inscrição no frontispício dizia:

A TEORIA E A PRÁTICA DO COLETIVISMO OLIGÁRQUICO
por
Emmanuel Goldstein

Winston começou a ler:

Capítulo I
Ignorância é força

Ao longo do tempo de que temos registro, e provavelmente desde o final da Era Neolítica, há três tipos de pessoas no mundo: as Altas, as Médias e as Baixas. Foram subdivididas de muitas maneiras, receberam inúmeros nomes diferentes, e seus números relativos, assim como a atitude de uma em relação à outra, variaram a cada época, mas a estrutura essencial da sociedade nunca foi alterada. Mesmo depois de revoltas enormes e mudanças aparentemente irrevogáveis, o padrão de sempre se reafirmou, assim como um giroscópio que sempre retorna ao equilíbrio, não importa o quanto tenha sido empurrado para um ou outro lado.

Os objetivos desses grupos são completamente irreconciliáveis...

Winston parou de ler, mais para apreciar o fato de que estava lendo no conforto e em segurança. Estava sozinho: sem teletela, sem orelhas na fechadura, sem um impulso nervoso de olhar por cima do ombro para cobrir a página com a mão. O ar doce de verão acariciava sua bochecha. De algum lugar distante, flutuavam gritos de crianças; no próprio quarto não havia nenhum ruído além da voz de inseto do relógio. Ele se afundou mais um pouco na poltrona e colocou os pés em cima da grade. Aquilo era um prazer, uma eternidade. De repente, fez algo que as pessoas costumam fazer com um livro do qual sabem que lerão e relerão cada palavra: abriu-o numa página diferente e encontrou-se no Capítulo III. Continuou lendo:

Capítulo III
Guerra é paz

A divisão do mundo nos três grandes superestados foi um evento que poderia ter sido previsto, e de fato foi, antes da metade do século XX. Com a absorção da Europa pela Rússia e do Império Britânico pelos Estados Unidos, dois dos três poderes, Eurásia e Oceania, já passaram a existir. O terceiro, a Lestásia, só emergiu como uma unidade diferente depois de mais uma década de lutas confusas. As fronteiras entre os três superestados são arbitrárias em alguns locais, e em outros variam de acordo com a sorte na guerra, mas em geral, seguem linhas geográficas. A Eurásia comporta toda a parte norte do terreno europeu e asiático, de Portugal ao Estreito de Bering. A Oceania inclui as Américas, as ilhas Atlânticas, incluindo as ilhas britânicas, a Australásia, e a parte sul da África. A Lestásia, menor que as outras e com uma fronteira ocidental menos definida, comporta a China e os países ao sul dela, as ilhas japonesas e uma porção grande, mas flutuante, da Manchúria, Mongólia e Tibete.

Em uma combinação ou outra, esses três superestados estão em guerra permanente, e assim estiveram pelos últimos vinte e cinco anos. A guerra, no entanto, deixou de ser o combate desesperado e aniquilador que foi nas primeiras décadas do século XX. É um conflito de objetivos limitados entre combatentes incapazes de destruir um ao outro, que não possuem uma causa material para luta e que não são divididos por nenhuma diferença ideológica. Isso não quer dizer que a condução da guerra ou a atitude predominante em relação a ela se tornou menos sanguinária e mais educada. Pelo contrário, a histeria da guerra é contínua e universal em todos os países, e são considerados normais atos como estupros, saques, massacres de crianças, a escravização de populações inteiras, e represálias contra prisioneiros que chegam ao ponto de queimá-los ou enterrá-los vivos. Quando cometidos pelo seu lado e não pelo inimigo, tais atos são inclusive dignos de mérito. Mas, em um sentido físico, a guerra envolve números bem baixos de pessoas, na sua maioria especialistas muito treinados, e causam poucas mortes, comparativamente. A luta, quando ocorre, é nas fronteiras mal delimitadas que o cidadão comum mal é capaz de adivinhar onde fica, ou ao redor das Fortalezas Flutuantes, que protegem pontos estratégicos no oceano. Nos centros da civilização, a guerra não significa nada além de uma falta contínua de bens de consumo e do estouro ocasional de um míssil, que pode causar algumas poucas mortes. A guerra, na verdade, mudou de caráter. Para ser mais exato, os motivos por que se entra em guerra mudaram em ordem de importância. As motivações que já se encontravam em pequena escala nas grandes guerras do século XX agora se tornaram dominantes e são reconhecidas de forma consciente. É sobre elas que se age.

Para compreender a natureza da guerra atual — pois, apesar de um reagrupamento que ocorre a cada poucos anos, é sempre a mesma guerra — é preciso perceber, em primeiro lugar, que é impossível que ela seja decisiva. Nenhum dos três superestados pode ser conquistado em definitivo pelos outros dois. A luta é parelha, e suas defesas naturais são bastante formidáveis. A Eurásia é protegida por vastos espaços de terra, a Oceania pela largura dos oceanos Atlântico e Pacífico, e a Lestásia pela fecundidade e diligência dos seus habitantes. Em segundo lugar, não há mais, em um sentido material, motivos para lutar. Com o estabelecimento de economias autocontidas, nas quais a produção e o consumo são voltados um para o outro, a luta por mercados, a principal causa das guerras anteriores, deixou de existir, enquanto a competição por matérias-primas não é mais questão de vida ou morte. De qualquer maneira, todos os três superestados são tão vastos que podem obter quase todos os materiais de que necessitam dentro de suas próprias fronteiras. Na medida que a guerra tem um objetivo econômico direto, ela é uma guerra pelo poder do trabalho. Entre as fronteiras dos superestados, e não em posse permanente de nenhum deles, jaz um quadrilátero com seus cantos aproximados em Tânger, Brazzaville, Darwin e Hong Kong, que contém cerca de um quinto da população da Terra. É pela posse dessas regiões muito populosas, e da calota de gelo ao norte, que os três poderes estão em conflito constante. Na prática, nenhum poder nunca controla toda a área em disputa. Porções dela estão sempre mudando de mãos, e é a chance de capturar esse ou aquele fragmento por um caso repentino de traição que dita as mudanças sem fim de alinhamentos.

Todos os territórios disputados contêm minerais valiosos, e alguns fornecem importantes produtos vegetais como a borracha, que em climas mais frios precisa ser sintetizada por métodos comparativamente mais caros. Mas, acima de tudo, estes contêm uma reserva sem limites de mão de obra barata. Seja lá qual for o poder que controlar a África equatorial ou os países do Oriente Médio, ou o sul da Índia, ou o arquipélago da Indonésia, vai dispor também dos corpos de dezenas ou centenas de milhões de operários mal pagos que trabalham pesado. Os habitantes dessas áreas, reduzidos de maneira mais ou menos aberta ao estado de escravizados, passam continuamente de um conquistador ao outro, e são gastos como carvão ou petróleo na corrida para gerar mais armamentos, para capturar mais território, para controlar mais força laboral, e assim por diante, por tempo indeterminado. Deve-se notar que a luta nunca se desloca para além das margens das áreas disputadas. As fronteiras da Eurásia avançam e retrocedem entre a bacia do Congo e a costa norte do Mediterrâneo; as ilhas do Oceano Índico e do Pacífico estão constantemente sendo capturadas e recapturadas pela Oceania ou pela Lestásia; na Mongólia, a linha divisória entre a Eurásia e a Lestásia nunca é estável; ao redor do polo, todos os três poderes afirmam possuir territórios que são, na verdade, em grande parte desabitados e não explorados, mas o equilíbrio do poder sempre permanece mais ou menos o mesmo, e o território que forma o núcleo de cada superestado sempre permanece inviolável. Além disso, o trabalho dos povos explorados ao redor do Equador não é de fato necessário para a economia do mundo. Não acrescentam nada à riqueza mundial, pois seja lá o que produzam é utilizado para fins de guerra, e o objetivo de entrar em guerra é o de sempre estar numa posição melhor para entrar em outra guerra. Por meio do seu trabalho, as populações escravizadas permitem que o ritmo do conflito contínuo de guerra seja acelerado. No entanto, se não existissem, a estrutura da sociedade mundial e os processos que a mantém não seriam essencialmente diferentes.

O principal objetivo da guerra moderna (de acordo com os princípios do DUPLIPENSAR, esse objetivo é ao mesmo tempo reconhecido e não reconhecido pelos cérebros dirigentes do Partido Interno) é usar os produtos da máquina sem elevar o padrão geral de vida. Desde o final do século XIX, o problema do que fazer com o excedente de bens de consumo esteve latente na sociedade industrial. No presente, quando alguns seres humanos sequer possuem o suficiente para comer, esse problema, obviamente, não é urgente, e poderia nunca ter sido, ainda que não houvesse nenhum processo artificial de destruição. O mundo de hoje é um lugar esfomeado, pobre e dilapidado comparado ao que existia antes de 1914, e ainda mais se comparado ao futuro imaginário que as pessoas daquele período antecipavam. No início do século XX, a visão de uma sociedade futura inacreditavelmente rica, entretida, ordeira e eficiente — um mundo antisséptico e reluzente de aço, vidro e concreto branco como a neve — fazia parte da consciência de quase qualquer pessoa letrada. A ciência e a tecnologia se desenvolviam numa velocidade prodigiosa, e parecia natural presumir que continuariam se desenvolvendo. Isso não aconteceu. Em parte por causa da pobreza gerada por uma série longa de guerras e revoluções, em parte porque o progresso científico e técnico dependia de um hábito empírico de pensamento, que não poderia sobreviver numa sociedade estritamente regimentada. Como um todo, o mundo de hoje é mais primitivo do que era cinquenta anos atrás. Certas áreas atrasadas avançaram, e vários dispositivos, sempre conectados com a guerra ou a espionagem policial, foram desenvolvidos; mas o experimento e a invenção foram em boa parte interrompidos, e nunca se reparou por completo os estragos da guerra atômica dos anos 1950. Não obstante, os perigos inerentes às máquinas ainda estão aí. Desde o surgimento da primeira máquina, ficou claro para qualquer ser pensante que havia desaparecido a necessidade da labuta pesada humana e, portanto, em grande medida, a necessidade de desigualdade humana. Se as máquinas fossem usadas com esse propósito, a fome, o trabalho excessivo, a sujeira, o analfabetismo e a doença poderiam ser eliminados dentro de poucas gerações. E, de fato, ao não serem usadas para essa finalidade, mas por uma espécie de processo automático — ao produzir riqueza que às vezes era impossível não distribuir — as máquinas aumentaram bastante o padrão de vida do ser humano médio por um período de cerca de cinquenta anos ao final do século XIX e começo do XX.

Mas também ficou claro que um aumento geral na riqueza ameaçava a destruição — de fato, em certo sentido era a destruição — de uma sociedade hierárquica. Num mundo onde todos trabalhassem pouco, tivessem o que comer, vivessem numa casa com um banheiro e um refrigerador e possuíssem um carro ou até um avião, a forma de desigualdade mais óbvia e talvez mais importante já teria desaparecido. Se isso se generalizasse, a riqueza não ofereceria distinção. Era possível, sem dúvida, imaginar uma sociedade na qual a ***riqueza***, no sentido de posses pessoais e luxos, deveria ser distribuída por igual, enquanto o ***poder*** permanecia nas mãos de uma pequena casta privilegiada. Mas, na prática, tal sociedade não poderia se manter estável por muito tempo. Pois se todos pudessem desfrutar de segurança e diversão, a grande massa de seres humanos que é normalmente estupidificada pela pobreza viraria letrada e aprenderia a pensar por conta própria; quando o fizesse, cedo ou tarde perceberia que a minoria privilegiada não tinha nenhuma função, e acabaria com ela. A longo prazo, uma sociedade hierarquica só seria possível se tivesse como base a pobreza e a ignorância. Retornar ao passado agrícola, como alguns pensadores do início do século XX sonharam em fazer, não era uma solução praticável. Entrava em conflito com a tendência rumo à mecanização que tinha se tornado quase instintiva em praticamente todo o mundo e, além disso, qualquer país que se mantivesse industrialmente atrasado estaria desamparado em termos militares e logo seria dominado, de forma direta ou indireta, pelos seus rivais mais avançados.

Tampouco era uma solução satisfatória manter as massas na pobreza ao restringir a produção de bens. Isso aconteceu em grande escala durante a fase final do capitalismo, mais ou menos entre 1920 e 1940. Permitiu-se que a economia de muitos países estagnasse, que terras ficassem sem cultivo, não se acrescentou maquinário e equipamentos, e grandes blocos da população foram impedidos de trabalhar, mantendo-se vivos de forma precária pela caridade do Estado. Mas isso também envolve uma fraqueza militar, e como as privações infligidas eram obviamente desnecessárias, a oposição tornava-se inevitável. O problema era manter as rodas da indústria girando sem aumentar a verdadeira riqueza do mundo. Os bens precisam ser produzidos, mas não devem ser distribuídos. E, na prática, a única maneira de atingir esse fim é por meio da guerra contínua.

O ato essencial da guerra é a destruição, não necessariamente de vidas humanas, mas dos produtos do trabalho humano. A guerra é uma maneira de estilhaçar, de jogar na estratosfera ou de afundar nas profundezas do oceano os materiais que poderiam, do contrário, ser utilizados para deixar as massas muito confortáveis e, portanto, a longo prazo, inteligentes demais. Mesmo que armas de guerra não sejam de fato destruídas, sua produção ainda é um meio conveniente de gastar poder laboral sem produzir algo que possa ser consumido. Uma Fortaleza Flutuante, por exemplo, mobiliza a força de trabalho capaz de construir centenas de navios de carga. No final das contas, ela é sucateada quando fica obsoleta, sem nunca ter produzido nenhum benefício material a ninguém, e empregando mais uma quantidade de trabalho enorme para criar outra Fortaleza Flutuante. A princípio, o esforço de guerra é sempre planejado para engolir qualquer excedente que possa restar depois de cobrir as necessidades básicas da população. Na prática, as necessidades do povo são sempre subestimadas, e o resultado é uma falta crônica de metade das necessidades para a vida; mas isso é visto como uma vantagem. A manutenção, até dos grupos favorecidos, nos limites da penúria, é uma política proposital, porque um estado geral de escassez aumenta a importância dos pequenos privilégios e, portanto, amplifica a distinção entre um grupo e outro. Com base nos padrões do começo do século XX, até um membro do Partido Interno tem uma vida austera e trabalhosa. Não obstante, os poucos luxos que desfruta, o seu apartamento amplo e bem equipado, o tecido melhor das roupas, a qualidade melhor da comida, bebida e tabaco, seus dois ou três serviçais, seu carro ou helicóptero privado colocam-no num mundo diferente de um membro do Partido Externo, e os membros do Partido Externo possuem uma vantagem similar se comparados às massas submersas que chamamos de "proletas". A atmosfera social é a de uma cidade sitiada, onde a posse de um pedaço de carne de cavalo é a diferença entre riqueza e pobreza. E, ao mesmo tempo, a consciência de estar em guerra e, portanto, em perigo, faz a entrega de todo o poder para uma pequena casta parecer uma condição de sobrevivência natural e inevitável.

A guerra, como se verá, realiza a destruição necessária, mas a realiza de uma maneira psicologicamente aceitável. A princípio, seria simples desperdiçar o excedente do trabalho mundial construindo templos e pirâmides, cavando buracos e enchendo-os de novo, ou mesmo produzindo vastas quantidades de bens e ateando fogo neles. Mas isso forneceria apenas a base econômica, não a emocional, para uma sociedade hierárquica. O que está em jogo aqui não é a moral das massas, cuja atitude não importa desde que continuem trabalhando, mas a moral do Partido em si. Espera-se que até o membro mais humilde do Partido seja competente, trabalhador e até inteligente dentro dos limites estreitos, mas também é necessário que este seja um fanático crédulo e ignorante cujos sentimentos predominantes sejam medo, ódio, adulação e triunfo orgástico. Em outras palavras, é necessário que tenha a mentalidade apropriada para um estado de guerra. Não importa se a guerra está de fato acontecendo e, como não é possível alcançar uma vitória decisiva, também não importa se ela está indo bem ou mal. Tudo que se precisa é da existência de um estado de guerra. A destruição da inteligência que o Partido exige dos seus membros, e que é mais facilmente atingida numa atmosfera de guerra, agora se tornou quase universal, mas quanto mais se sobe no escalão, mais marcada fica. É precisamente no Partido Interno que se mostra mais forte a histeria de guerra e o ódio ao inimigo. Na sua capacidade de administrador, com frequência um membro do Partido Interno precisa saber que essa ou aquela notícia de guerra é falsa, e pode muitas vezes estar ciente de que toda a guerra é espúria e, ou não está acontecendo, ou é travada por motivos muito diferentes dos declarados; mas tal conhecimento é facilmente neutralizado pela técnica do ***duplipensar***. Enquanto isso, nenhum membro do Partido Interno questiona, por um instante, sua crença mística de que a guerra é real, e de que acabará em vitória, com a Oceania se tornando a mestre incontestável do mundo inteiro.

Todos os membros do Partido Interno acreditam nessa conquista futura como um ato de fé. Será alcançada ou por meio da obtenção gradual de mais e mais territórios, com a construção de um poderio assoberbante, ou pela descoberta de alguma arma nova e impossível de ser equiparada. A busca por novas armas continua de modo incessante, e é uma das poucas atividades remanescentes em que a mente inventiva e especulativa pode ser útil. Na Oceania, nos dias de hoje, a ciência, no sentido mais antigo da palavra, quase deixou de existir. Em novilíngua não existe palavra para "ciência". O método empírico de pensamento, base de todas as descobertas científicas do passado, opõe-se aos princípios mais fundamentais do Ingsoc. E até o progresso tecnológico só ocorre quando seus produtos podem, de alguma maneira, ser usados para diminuir a liberdade humana. Em todas as artes úteis, o mundo está parado ou retrocedendo. Os campos são cultivados por arados com cavalos enquanto os livros são escritos por máquinas. Mas, nas questões de importância vital — ou seja, guerra e espionagem policial — a abordagem empírica ainda é encorajada, ou pelo menos tolerada. Os dois objetivos do Partido são conquistar toda a superfície da Terra e extinguir de uma vez por todas a possibilidade de pensamento independente. Há, portanto, dois grandes problemas que o Partido está preocupado em resolver. Um é como descobrir o que um ser humano está pensando, contra a sua vontade, e o outro é como matar centenas de milhões de pessoas em poucos segundos sem disparar um alarme de antemão. A pesquisa científica que continua sendo realizada aborda esses assuntos. O cientista de hoje é ou uma mistura de psicólogo e de inquisidor, e estuda com verdadeira minúcia o significado de expressões faciais, gestos e tons de voz, testa efeitos produtores de verdade de drogas, terapia de choque, hipnose e tortura física; ou é um químico, físico ou biólogo preocupado apenas com ramos da sua área, que lida com maneiras de tirar a vida de alguém. Nos vastos laboratórios do Ministério da Paz, e nas estações experimentais escondidas nas florestas do Brasil, ou no deserto australiano, ou nas ilhas perdidas da Antártida, equipes de especialistas trabalham de maneira incansável. Alguns estão preocupados apenas em planejar a logística das guerras futuras; outros delineiam mísseis cada vez maiores, explosivos cada vez mais poderosos, e blindagens cada vez mais impenetráveis; outros procuram gases novos e mais letais, ou venenos solúveis capazes de ser produzidos em tanta quantidade que destruiriam a vegetação de continentes inteiros, ou cepas de germes de doenças imunizados contra todos os anticorpos possíveis; outros buscam produzir um veículo capaz de penetrar dentro do solo como um submarino que afunda na água, ou um avião tão independente de sua base quanto um navio; outros exploram possibilidades ainda mais remotas, como focar os raios do sol por meio de lentes suspensas a milhares de quilômetros de distância no espaço, ou produzir terremotos e tsunamis artificiais usando o calor do núcleo da Terra.

Mas nenhum desses projetos chega perto de ser realizado, e nenhum dos três superestados assume uma vantagem em relação aos outros. O mais impressionante é que todos os três poderes já possuem, com a bomba atômica, uma arma muito mais poderosa do que qualquer outra que suas pesquisas recentes provavelmente descobrirão. Embora o Partido, como é de costume, credite a si a invenção, as bombas atômicas apareceram ainda nos anos 1940, e foram usadas pela primeira vez em grande escala cerca de dez anos depois. Naquela época, centenas de bombas foram lançadas em centros industriais, principalmente na Rússia europeia, na Europa ocidental e na América do Norte. O efeito provocado foi o de convencer os grupos que dominavam os países que, se soltassem mais algumas bombas atômicas, teríamos o fim da sociedade organizada e, portanto, do próprio poder deles. Então, embora nunca tenha sido feito um acordo formal, nenhuma outra bomba foi lançada. Todos os três poderes apenas continuam a produzir bombas atômicas e a armazená-las em razão da oportunidade decisiva que acreditam que chegará cedo ou tarde. Enquanto isso, a arte da guerra permaneceu quase estacionária por trinta ou quarenta anos. Helicópteros são usados com maior frequência, bombardeiros foram em grande parte substituídos por projéteis autopropelidos, e o frágil navio de guerra deu lugar à quase impossível de afundar Fortaleza Flutuante; mas, de resto, pouco se desenvolveu. O tanque, o submarino, o torpedo, a metralhadora e até o rifle e a granada seguem sendo usados. E, apesar dos massacres sem fim relatados na imprensa e nas teletelas, as batalhas desesperadas das guerras anteriores, em que centenas de milhares ou até milhões de homens foram mortos em poucas semanas, nunca se repetiram.

Nenhum dos três superestados nunca tentou qualquer manobra que envolvesse um risco sério de derrota. Quando realizam alguma grande operação, em geral é um ataque surpresa contra um aliado. A estratégia que todos os três poderes seguem, ou fingem para si que estão seguindo, é a mesma. O plano é, por meio de uma combinação de luta, barganha e golpes calculados de traição, adquirir um círculo de bases que encurralem por completo um ou outro dos estados rivais, e então assinar um pacto de amizade com esse rival e permanecer em termos pacíficos por tantos anos que o outro pare de desconfiar. Durante esse período, mísseis com bombas atômicas podem ser montados nos pontos estratégicos; finalmente, serão todos disparados ao mesmo tempo, com efeitos tão devastadores que uma retaliação seria impossível. Será, então, o momento de assinar um pacto de amizade com a potência mundial remanescente, e preparar outro ataque. Esse esquema, quase não é preciso dizer, é um mero devaneio, impossível de ser realizado. Além disso, nunca há batalhas, exceto nas áreas de disputa ao redor do Equador e do polo: nunca se invade território inimigo. Isso explica o fato de que, em alguns lugares, as fronteiras entre os superestados são arbitrárias. A Eurásia, por exemplo, poderia facilmente conquistar as Ilhas Britânicas, que são geograficamente parte da Europa, ou, por outro lado, seria possível para a Oceania empurrar suas fronteiras até o Reno ou até o Vístula. Porém, isso violaria o princípio, seguido por todos os lados, embora nunca tenha sido formulado, de integridade cultural. Se a Oceania conquistasse as áreas antes conhecidas como França e Alemanha, seria necessário ou exterminar os habitantes, uma tarefa muito difícil fisicamente, ou assimilar uma população de cerca de cem milhões de pessoas que, a julgar pelo desenvolvimento técnico, estão mais ou menos no nível da Oceania. O problema é o mesmo para os três superestados. É absolutamente necessário à sua estrutura que não haja contato com estrangeiros, exceto, e só até certo ponto, com prisioneiros e escravizados de cor. Até o aliado oficial do momento sempre é visto com a mais profunda suspeita. Prisioneiros de guerra à parte, o cidadão médio da Oceania nunca enxerga um cidadão da Eurásia ou Lestásia, e está proibido de aprender línguas estrangeiras. Se permitissem o contato com estrangeiros, ele descobriria que são criaturas similares a ele, e que a maioria das coisas que ouviu a respeito deles são mentiras. O mundo isolado onde vive seria rompido, e o medo, o ódio e a certeza de que está certo, base de sua moral, poderiam evaporar. Portanto, todos os lados sabem que ainda que a Pérsia, o Egito, ou Java ou Ceilão pudessem mudar de mãos, as principais fronteiras nunca deverão ser cruzadas por nada além de bombas.

Por trás dessas mentiras está um fato nunca mencionado em voz alta, mas tacitamente compreendido e sobre o qual se age: as condições de vida nos três superestados são quase as mesmas. Na Oceania, a filosofia predominante se chama Ingsoc, na Eurásia, é denominado de Neobolchevismo e na Lestásia, tem um nome chinês que costuma ser traduzido como Idolatria à Morte, mas que talvez seja melhor expresso como Obliteração do Eu. Não permitem que o cidadão da Oceania saiba qualquer coisa a respeito dos credos das outras duas filosofias, mas ele aprende a execrá-las como ultrajes bárbaros contra a moral e o senso comum. Na verdade, mal se pode distinguir as três filosofias, e os sistemas sociais que as suportam são de todo indiferenciáveis. Em todos os lugares tem-se a mesma estrutura piramidal, a mesma idolatria a um líder semidivino, a mesma economia que existe por meio e por causa da guerra contínua. Decorre daí que os três superestados não apenas não são capazes de conquistar um ao outro, como não ganhariam nenhuma vantagem ao fazê-lo. Pelo contrário, enquanto se mantiverem em conflito, um ampara o outro, como três réstias de milho. E, como sempre, os grupos dominantes dos três poderes estão, ao mesmo tempo, cientes e inconscientes do que estão fazendo. Suas vidas são dedicadas à conquista mundial, mas eles também sabem que é necessário que a guerra prossiga, sem fim, sem vitória. Enquanto isso, o fato de que *não há* perigo de conquista torna possível a negação da realidade que é a característica especial do Ingsoc e de seus sistemas rivais de pensamento. Aqui, faz-se necessário repetir o que foi dito antes: que ao se tornar contínua, a guerra teve seu caráter fundamentalmente alterado.

Em épocas passadas, uma guerra, quase que por definição, era algo que cedo ou tarde chegava ao fim, em geral numa vitória ou derrota inconfundível. Também no passado, a guerra foi um dos principais instrumentos por meio dos quais as sociedades humanas foram mantidas em contato com a realidade física. Todos os líderes de todas as épocas tentaram impor uma visão falsa do mundo aos seus seguidores, mas não podiam se dar ao luxo de encorajar qualquer ilusão que tendesse a enfraquecer a eficiência militar. Como a derrota significava a perda da independência, ou algum outro resultado visto como indesejável, as precauções contra a derrota eram levadas a sério. Fatos físicos não podiam ser ignorados. Na filosofia, na religião, na ética, na política, dois mais dois podia dar cinco, mas quando você precisava desenvolver uma arma ou um avião, o resultado tinha que ser quatro. Nações ineficazes sempre foram conquistadas cedo ou tarde, e a luta pela eficiência tinha as ilusões como inimigos. Além disso, para ser eficaz, era necessário aprender com o passado, o que significava ter uma ideia bastante precisa do que aconteceu antes. Jornais e livros de história eram, é claro, sempre floreados e parciais, mas a falsificação que é praticada hoje seria impossível. A guerra era uma boa garantia da sanidade, e na visão das classes dominantes, era provavelmente a garantia mais importante de todas. Enquanto guerras pudessem ser vencidas ou perdidas, nenhuma classe dominante poderia ser completamente irresponsável.

Mas quando a guerra se torna literalmente contínua, também deixa de ser perigosa. Quando a guerra é contínua, não existem coisas como necessidade militar. O progresso técnico pode ser interrompido e os fatos mais palpáveis podem ser negados ou desconsiderados. Como vimos, pesquisas que podem ser chamadas de científicas ainda são feitas com finalidades de guerra, mas representam, em essência, uma espécie de devaneio, e o fato de fracassarem em apresentar resultados não importa. A eficiência, até a eficiência militar, deixou de ser necessária. Nada é eficaz na Oceania, exceto a Polícia do Pensar. Como cada um dos três superestados é inconquistável, cada um é, na verdade, um universo separado, dentro do qual quase qualquer perversão do pensamento pode ser praticada em segurança. A realidade só exerce sua pressão por meio das necessidades da vida cotidiana — a necessidade de comer e beber, de se abrigar e se vestir, de evitar tomar veneno ou saltar de janelas de andares altos, e assim por diante. Entre a vida e a morte, e entre o prazer e a dor física, ainda há distinção, mas só isso. Isolado do contato com o mundo exterior e com o passado, o cidadão da Oceania é como um homem no espaço interestelar, que não tem como saber onde fica cima ou baixo. Os líderes de tal estado são absolutos, como os faraós ou os césares. São obrigados a impedir que seus seguidores morram de fome em números grandes o bastante a ponto de se tornarem inconvenientes, e são obrigados a permanecer no mesmo baixo nível de técnica militar que seus rivais; mas, depois que esse mínimo é alcançado, podem distorcer a realidade da maneira que escolherem.

A guerra, portanto, se julgarmos pelos padrões das guerras passadas, é apenas uma impostura. É como as batalhas entre certos animais ruminantes cujos cornos estão posicionados em tal ângulo que são incapazes de ferir uns aos outros. Mas, embora ela seja irreal, não é desprovida de sentido. Devora o excedente de bens de consumo e ajuda a preservar a atmosfera mental especial de que uma sociedade hierárquica precisa. A guerra, como se verá, agora é puramente um assunto interno. No passado, os grupos dominantes de todos os países, embora reconhecessem o interesse comum e, portanto, os limites da destruição da guerra, lutaram um contra o outro, e o vitorioso sempre saqueava o derrotado. Hoje em dia, não enfrentam uns aos outros. A guerra é travada entre cada grupo dominante e seus sujeitos, e o objetivo dela não é criar ou prevenir conquistas de território, mas manter a estrutura da sociedade intacta. A própria palavra "guerra", portanto, tornou-se enganosa. Seria mais preciso dizer que ao se tornar contínua, a guerra deixou de existir. A pressão peculiar que ela exerce nos seres humanos entre a Era Neolítica e o começo do século XX desapareceu e foi substituída por algo muito diferente. O efeito seria quase o mesmo se os três superestados, em vez de se enfrentarem, concordassem em viver em paz perpétua, todos invioláveis dentro de suas próprias fronteiras. Pois, nesse caso, cada um ainda seria um universo autocontido, livre para sempre da influência temperante de um perigo externo. Uma paz que fosse de fato permanente seria a mesma

> coisa que uma guerra permanente. Esse — embora a maioria dos membros do Partido só o compreendam de maneira superficial — é o significado central do slogan do Partido: GUERRA É PAZ.

Winston parou de ler por um instante. Em algum lugar, numa distância remota, ouvia-se o trovão de um míssil. A sensação prazerosa de estar sozinho com um livro proibido num quarto sem teletela não tinha amortecido. A solidão e a segurança eram sensações físicas, misturadas, de alguma maneira, com o cansaço do corpo, a maciez da poltrona, o toque da brisa suave que acariciava sua bochecha. O livro o fascinava, ou, para ser mais exato, o reconfortava. Em certo sentido, não lhe dizia nada de novo, mas isso era parte da graça. Dizia algo que ele diria, se conseguisse colocar em ordem seus pensamentos dispersos. Era o produto de uma mente similar à dele, mas de poder enormemente maior, mais sistemática, menos amedrontada. Os melhores livros, ele percebeu, são aqueles que contam o que você já sabe. Ele tinha voltado para o capítulo I quando ouviu os passos de Julia na escada, e saltou da cadeira para encontrá-la. Ela jogou o seu saco marrom de ferramentas no chão e atirou-se nos braços dele. Fazia mais de uma semana que não se viam.

— Consegui *o livro* — ele disse, quando se desenredaram um do outro.

— Conseguiu? Que bom — ela disse, com pouco interesse, e quase de imediato se ajoelhou ao lado do fogareiro para preparar o café.

Só retornaram ao assunto depois de passarem meia hora na cama. A noite estava fresca o bastante para puxar uma coberta. Lá de baixo vinham os sons familiares de cantoria e o raspar de botas nas pedras. A mulher musculosa de braços vermelhos que Winston vira na primeira visita já tinha se tornado quase um acessório do quintal. Parecia não ter uma só hora do dia que ela não estivesse marchando pra cá e pra lá entre o tanque e o varal, alternando entre se amordaçar com prendedores de roupa e desatar a cantar. Julia se ajeitou de lado e parecia estar quase caindo no sono. Ele estendeu o braço para pegar o livro, que se encontrava no chão, e se sentou na cabeceira da cama.

— Precisamos ler — ele disse. — Você também. Todos os membros da Irmandade precisam ler.

— Você lê — ela disse, de olhos fechados. — Leia em voz alta. É a melhor maneira. Aí você pode ir me explicando.

O ponteiro do relógio marcava seis, o que significavam dezoito horas. Eles ainda tinham três ou quatro horas ali. Ele encaixou o livro entre os joelhos e começou a leitura:

Capítulo I
Ignorância é força

Ao longo do tempo de que temos registro, e provavelmente desde o final da Era Neolítica, há três tipos de pessoas no mundo: as Altas, as Médias e as Baixas. Foram subdivididas de muitas maneiras, receberam inúmeros nomes diferentes, e seus números relativos, assim como a atitude de uma em relação à outra, variaram a cada época, mas a estrutura essencial da sociedade nunca foi alterada. Mesmo depois de revoltas enormes e mudanças aparentemente irrevogáveis, o padrão de sempre se reafirmou, assim como um giroscópio que sempre retorna ao equilíbrio, não importa o quanto tenha sido empurrado para um ou outro lado.

— Julia, você está acordada? — perguntou Winston.

— Sim, meu amor, estou escutando. Continue. É maravilhoso.

Ele prosseguiu com a leitura:

Os objetivos desses grupos são completamente irreconciliáveis. O objetivo das Altas é permanecer onde estão. O objetivo das Médias é trocar de lugar com as Altas. O objetivo das Baixas, quando têm um objetivo — pois uma característica é que estão tão esmagadas pelo trabalho pesado que só conseguem ter consciência intermitente de algumas coisas fora das suas vidas cotidianas — é o de abolir todas as distinções e criar uma sociedade na qual todos os homens serão iguais. Portanto, ao longo da história, uma luta que, em linhas gerais, é a mesma e recorrente. Por períodos longos, as pessoas Altas parecem estar seguras no poder, mas cedo ou tarde surge um momento em que perdem ou a crença em si mesmas ou sua capacidade de governar de forma eficiente, ou ambos. São derrubadas pelas pessoas Médias, que convocam as pessoas Baixas para o seu lado ao fingir que lutam por liberdade e justiça. Assim que alcançam seus objetivos, as pessoas Médias jogam as Baixas de volta para sua antiga posição de servidão, e elas mesmas se tornam as Altas. Então um novo grupo de Médias é fracionado de um dos outros grupos, ou de ambos, e a luta recomeça. Dos três grupos, só o das pessoas Baixas nunca teve um sucesso sequer temporário na conquista de seus objetivos. Seria um exagero dizer que ao longo da história não houve progressos materiais. Até hoje, num período de declínio, o ser humano médio está fisicamente melhor do que há poucos séculos. Mas nenhum avanço em riqueza, nenhuma suavização dos costumes, nenhuma reforma ou revolução avançou um milímetro na busca por igualdade humana. Do ponto de vista das pessoas Baixas, nenhuma mudança histórica significou mais do que uma mudança de nome dos seus senhores.

Pelo final do século XIX, a recorrência desse padrão se tornou óbvia para muitos observadores. Então surgiram escolas de pensamento que interpretaram a história como um processo cíclico e afirmaram que a desigualdade era a lei inalterável da vida humana. Essa doutrina, é claro, sempre teve seus apoiadores, mas agora havia uma mudança significativa na maneira como fora posta. No passado, a necessidade de uma forma hierárquica de sociedade foi uma doutrina específica das pessoas Altas. Foi pregada por reis, aristocratas, padres, advogados e os parasitas ao redor deles, e geralmente suavizada por promessas de compensação num mundo imaginário depois da morte. As Médias, enquanto estiveram ocupadas na luta pelo poder, sempre usaram termos como liberdade, justiça e fraternidade. Agora, contudo, o conceito de irmandade humana começou a ser atacado por pessoas que ainda não se encontravam em posições de comando, mas esperavam estar em breve. No passado, as pessoas Médias fizeram revoluções com a bandeira da igualdade, e então estabeleceram uma nova tirania assim que a velha tinha sido derrubada. Os novos grupos Médios, na verdade, proclamaram sua tirania de antemão. O socialismo, uma teoria que surgiu no começo do século XIX, foi o último elo de uma cadeia de pensamento que vinha desde as rebeliões de escravizados da Antiguidade, e ainda estava profundamente infectada pelo utopismo das épocas passadas. Mas, a cada variante do socialismo que apareceu de 1900 em diante, mais abertamente se abandonava o objetivo de estabelecer a liberdade e a igualdade. Os novos movimentos que surgiram em meados do século, Ingsoc na Oceania, Neobolchevismo na Eurásia, Idolatria à Morte, como costuma se chamar, na Lestásia, tinham o propósito consciente de perpetuar a *não* liberdade e a *des*igualdade. Esses novos movimentos, é claro, cresceram a partir dos antigos, e mantiveram seus nomes repetindo palavras de suas ideologias. Mas o propósito de todos era frear o progresso e paralisar a história num determinado momento. O conhecido movimento pendular aconteceria mais uma vez e então pararia. Como de costume, as pessoas Altas seriam trocadas pelas Médias, que então se tornariam Altas; mas, dessa vez, por meio de uma estratégia consciente, as Altas seriam capazes de manter sua posição permanentemente.

As novas doutrinas surgiram em parte por causa do acúmulo de conhecimento histórico, e o crescimento do senso histórico, que mal existia antes do século XIX. O movimento cíclico da história era agora inteligível, ou pelo menos aparentava ser;

e, se era inteligível, logo era alterável. Mas o principal, a causa subjacente, era que desde o início do século XX, a igualdade humana se tornou tecnicamente possível. Ainda se mostrava verdade que os homens não eram iguais em termos de talentos nativos, e que funções precisavam ser especializadas de maneiras a favorecer alguns indivíduos em vez de outros; mas não havia mais nenhuma necessidade real para distinções de classe ou para grandes diferenças em termos de riqueza. Antigamente, distinções de classe não apenas eram inevitáveis, como desejáveis. A desigualdade era o preço da civilização. Com o desenvolvimento da produção por máquinas, no entanto, o caso mudou. Mesmo que ainda fosse necessário seres humanos realizarem diferentes tipos de trabalho, não era mais necessário viverem em níveis sociais ou econômicos diferentes. Portanto, do ponto de vista de novos grupos que estavam prestes a tomar o poder, a igualdade humana tinha deixado de ser um ideal pelo qual lutar, se tornara um perigo a ser evitado. Nas eras primitivas, ter uma sociedade justa e pacífica era impossível, de fato, e, portanto, algo fácil de imaginar. A ideia de um paraíso na terra onde homens viveriam juntos num estado de irmandade, sem leis e sem trabalho bruto, assombrou a imaginação humana por milhares de anos. E essa visão tinha um certo domínio até em grupos que lucravam a cada mudança histórica. Os herdeiros das revoluções francesa, inglesa e americana em parte acreditavam nas suas próprias frases a respeito do direito dos homens, da liberdade de expressão, da igualdade perante a lei e assim por diante, e até permitiram que a sua conduta fosse influenciada por elas até certo ponto.

Mas, por volta da quarta década do século XX, todas as principais correntes de pensamento político eram autoritárias. O paraíso terreno passou a ser desacreditado no exato momento em que se tornou realizável. Cada nova teoria política, seja lá qual nome recebesse, levava de volta à hierarquia e à arregimentação. E no endurecimento das perspectivas que se instalou por volta de 1930, práticas que tinham sido abandonadas havia muito tempo, em alguns casos havia mais de cem anos — prisão sem julgamento, utilização de prisioneiros de guerra como escravos, execuções públicas, tortura para extrair confissões, o uso de reféns e a deportação de povos inteiros —, não apenas se tornaram comuns, como eram toleradas e até defendidas por pessoas que se consideravam esclarecidas e progressistas.

Só uma década depois das guerras nacionais, civis, revoluções e contrarrevoluções em todas as partes do mundo, o Ingsoc e seus rivais emergiriam como teorias políticas completamente elaboradas. Mas elas tinham sido antecipadas por vários sistemas, em geral chamados de totalitários, que apareceram antes nesse século, e as principais linhas de força do mundo que surgiriam do caos predominante eram óbvias havia bastante tempo. Que espécie de pessoa controlaria o mundo também era algo óbvio. A nova aristocracia era feita em grande parte de burocratas, cientistas, técnicos, líderes sindicais, especialistas em publicidade, sociólogos, professores, jornalistas e políticos profissionais. Essas pessoas, cujas origens estavam na classe média assalariada e nos níveis mais altos da classe trabalhadora, foram moldadas e unidas pelo mundo estéril do monopólio da indústria e do governo centralizado. Comparado a seus opostos em épocas passadas, eram menos avarentos, menos tentados pela luxúria, mais esfomeados pelo poder puro e, acima de tudo, mais conscientes do que estavam fazendo e mais determinados em esmagar a oposição. Essa última diferença era fundamental. Em comparação ao que existe hoje em dia, todas as tiranias do passado foram preguiçosas e ineficazes. Os grupos dominantes sempre estiveram contagiados até certo ponto por ideias liberais, e ficavam contentes em deixar pontas soltas por todos os lados, para se preocupar apenas com atos ilícitos, sem se interessar pelo que as pessoas pensavam. Até a Igreja Católica na Idade Média era tolerante, para os padrões modernos. Um dos motivos era que, no passado, nenhum governo tivera o poder de vigiar constantemente os cidadãos. A invenção da imprensa, no entanto, tornou mais fácil a manipulação da opinião pública, e o cinema e o rádio aprofundaram o processo. Com o desenvolvimento da televisão, e o avanço técnico que tornou possível receber e transmitir simultaneamente, no mesmo instrumento, a vida privada chegou ao fim. Todo cidadão, ou pelo menos todo cidadão que valia a pena ser vigiado, podia ser mantido vinte e quatro horas sob os olhos da polícia, e ouvindo o som da propaganda oficial, com todos os outros canais de comunicação fechados. Agora existia a possibilidade de exigir não apenas a completa obediência à vontade do Estado, mas a completa uniformidade da opinião sobre todos os assuntos.

Depois do período revolucionário dos anos 1950 e 1960, a sociedade se reagrupou, como sempre, em pessoas Altas,

Médias e Baixas. No entanto, o novo grupo Alto, ao contrário de seus predecessores, não agia com base em instinto, sabendo o que era necessário para resguardar sua posição. Deram-se conta há muito tempo de que a única base segura para a oligarquia é o coletivismo. A riqueza e o privilégio são mais fáceis de defender quando possuídos em conjunto. A assim chamada "abolição da propriedade privada", que ocorreu em meados do século, significou, na verdade, a concentração da propriedade em menos mãos do que antes, mas com essa diferença: os novos proprietários eram um grupo em vez de uma massa de indivíduos. Individualmente, nenhum membro do Partido possui nada, além de míseros itens pessoais. Coletivamente, o Partido possui tudo na Oceania, porque controla tudo, e dispõe dos produtos que desejar. Nos anos após a Revolução, foi capaz de assumir essa posição de comando quase sem oposição, porque todo o processo foi representado como um ato de coletivização. Sempre se presumiu que se a classe capitalista fosse expropriada, o socialismo viria a seguir, e não há dúvidas de que os capitalistas foram expropriados. Fábricas, minas, terras, casas, transportes — tudo foi tirado deles, e como essas coisas deixaram de ser propriedade privada, elas deveriam se tornar propriedade pública. O Ingsoc, que nasceu a partir do movimento socialista anterior, e de quem herdou as expressões de linguagem, na verdade realizou o principal objetivo do programa socialista; com o resultado, previsto e planejado de antemão, de que a desigualdade econômica se tornasse permanente.

Todavia, os problemas de perpetuar uma sociedade hierárquica são mais profundos. Só há quatro maneiras de um grupo dominante perder o poder. Ou é conquistado por alguém de fora, ou governa de forma tão ineficaz que as massas são levadas a se revoltar, ou permite que um grupo Médio forte e descontente se desenvolva, ou perde a autoconfiança e vontade de governar. Essas causas não atuam de maneira isolada, e como regra, todas as quatro estão presentes até certo grau. Uma classe dominante capaz de se proteger contra todas elas ficaria no poder para sempre. Ao fim, o fator definitivo é a atitude mental da classe dominante em si.

Depois da metade do século atual, o primeiro perigo tinha desaparecido, na verdade. Todos os três poderes que agora dividem o mundo são inconquistáveis, e só poderiam ser conquistados por meio de mudanças demográficas lentas que um governo com poderes amplos pode facilmente evitar. O segundo perigo, também, é apenas hipotético. As massas nunca se revoltam por conta própria, e nunca se revoltam apenas porque são oprimidas. De fato, desde que não possam ter padrões com os quais se comparar, nunca se tornam cientes de que são oprimidas. As crises econômicas recorrentes do passado foram totalmente desnecessárias e agora não se permite que ocorram, mas outros deslocamentos igualmente grandes podem ocorrer e de fato acontecem, mas sem gerar resultados políticos, porque os descontentes não conseguem se articular. Quanto ao problema do excedente de produção, latente em nossa sociedade desde o desenvolvimento do maquinário, esse foi resolvido pelo dispositivo de guerra contínua (ver o capítulo III), que também é útil para excitar a moral pública para que fiquem na página certa. Do ponto de vista dos nossos atuais líderes, portanto, os únicos perigos genuínos são a subdivisão de um novo grupo de pessoas inteligentes, subalternas e com sede de poder, e o crescimento do liberalismo e do ceticismo entre eles mesmos. O problema, ou seja, é educacional. É um problema de moldar continuamente a consciência tanto do grupo no poder como do outro grupo executivo mais amplo que está imediatamente abaixo. A consciência das massas só precisa ser influenciada de maneira negativa.

Nesse cenário, pode-se inferir, se você já não a conhece, a estrutura geral da sociedade da Oceania. No ápice da pirâmide está o Grande Irmão. O Grande Irmão é infalível e todo-poderoso. Todo sucesso, toda conquista, toda vitória, toda descoberta científica, todo conhecimento, toda sabedoria, toda alegria, toda virtude, são frutos de sua liderança e inspiração. Ninguém nunca viu o Grande Irmão. Ele é um rosto nas multidões, uma voz na teletela. Temos quase certeza de que ele nunca morrerá, e já há uma incerteza considerável se ele algum dia nasceu. O Grande Irmão é a máscara que o Partido veste para se exibir ao mundo. Sua função é a de atuar como um ponto focal para o amor, o medo e a reverência, emoções que são mais fáceis de sentir em relação a um indivíduo do que a uma organização. Abaixo do Grande Irmão está o Partido Interno. Seu número é limitado a seis milhões de pessoas, ou seja, pouco menos de dois por cento da população da Oceania. Abaixo do Partido Interno está o Partido Externo; se o Partido Interno é descrito como o cérebro do Estado, o Externo pode ser comparado às mãos. Abaixo estão as massas burras que nos acostumamos a chamar de "proletas", compondo talvez oitenta e cinco por cento da população. Nos termos da nossa classificação anterior, os proletas são as pessoas Baixas, pois a população escravizada das terras equatoriais que passam constantemente de um conquistador a outro não são uma parte permanente ou necessária da estrutura.

Em princípio, ser membro de um desses três grupos não é algo hereditário. Um filho de pais do Partido Interno, teoricamente não nasce no Partido Interno. A entrada em um ou outro ramo do Partido é feita por meio de uma prova realizada aos dezesseis anos. Também não há discriminação racial, ou qualquer domínio claro de uma província pela outra. Judeus, negros, sul-americanos de sangue indígena puro encontram-se no mais alto escalão do Partido, e os administradores de qualquer área são sempre residentes daquela mesma área. Em nenhuma parte da Oceania os habitantes têm a sensação de que são uma população colonial regida por uma capital distante. A Oceania não tem capital, e seu líder titular é uma pessoa que ninguém sabe onde está. Tirando o fato de que o inglês é sua principal língua franca e a novilíngua a sua língua oficial, a Oceania não é centralizada de maneira alguma. Seus líderes não têm laços sanguíneos; estão unidos por aderência a uma doutrina comum. É verdade que a nossa sociedade é estratificada, e de forma muito rígida, com base no que, à primeira vista, parecem ser linhas hereditárias. Há muito menos mobilidade social entre diferentes grupos do que na época do capitalismo, ou até na era pré-industrial. Entre os dois ramos do Partido, há certa quantidade de intercâmbio, mas só o suficiente para garantir que os fracos sejam excluídos do Partido Interno e que os membros ambiciosos do Partido

Externo se tornem inofensivos, permitindo a eles uma ascensão. Proletários, na prática, não podem entrar no Partido. Os mais talentosos deles, que podem possivelmente formar um núcleo de descontentamento, são marcados pela Polícia do Pensar e eliminados. Mas essa situação não é necessariamente permanente, nem uma questão de princípios. O Partido não é uma classe no sentido mais antigo do termo. Não tem como objetivo transmitir o poder aos seus próprios filhos; e se não houvesse maneira de manter as pessoas mais capazes no topo, estaria perfeitamente preparado para recrutar toda uma nova geração do proletariado. Nos anos cruciais, o fato de o Partido não ser um corpo hereditário foi muito importante para neutralizar a oposição. Os socialistas mais antigos, que foram treinados para lutar contra algo chamado de "privilégio de classe", presumiram que o que não era hereditário não tinha como ser permanente. Não viram que a continuidade de uma oligarquia não precisava ser física, nem pararam para refletir que as aristocracias hereditárias sempre foram curtas, enquanto organizações adotivas como a Igreja Católica muitas vezes duraram centenas ou milhares de anos. A essência da liderança oligárquica não é a herança que passa de pai para filho, mas a persistência de uma certa visão de mundo e de um certo modo de vida, imposto pelos mortos aos vivos. Um grupo dominante é um grupo dominante enquanto puder escolher seus sucessores. O Partido não está preocupado em perpetuar seu sangue, mas em se autoperpetuar. Não importa *quem* está no poder, desde que a estrutura hierárquica permaneça sempre a mesma.

Todas as crenças, costumes, gostos, emoções, atitudes mentais que caracterizam nossa época foram desenvolvidos para sustentar a mística do Partido e impedir que se perceba a verdadeira natureza da sociedade atual. A rebelião física, ou qualquer movimento preliminar rumo à rebelião, no momento, não é possível. Não há nada para temer dos proletários. Deixados à parte, eles seguirão, de geração a geração e de século a século, trabalhando, procriando e morrendo, não apenas desprovidos de qualquer impulso para se rebelar, como sem o poder de compreender que o mundo podia ser melhor do que de fato é. Só poderiam se tornar perigosos se o avanço da técnica industrial tornasse necessário dar a eles uma educação melhor; mas, como a rivalidade militar e a comercial deixaram de ser importantes, o nível da educação popular está, na verdade, em declínio. As opiniões ou a falta de opiniões das massas são vistas com indiferença. Têm liberdade intelectual porque não possuem intelecto. Quando se trata de um membro do Partido, por outro lado, não se pode tolerar o menor desvio de opinião a respeito do assunto menos importante de todos.

Um membro do Partido, do nascimento à morte, vive sob os olhos da Polícia do Pensar. Mesmo quando está a sós, nunca pode ter certeza de que está sozinho. Seja lá onde estiver, acordado ou dormindo, trabalhando ou descansando, no banho ou na cama, ele pode ser inspecionado sem aviso prévio e sem saber que é inspecionado. Nada que ele faz é indiferente. Suas amizades, seu relaxamento, seu comportamento em relação à esposa e aos filhos, a expressão no seu rosto quando está sozinho, as palavras que murmura dormindo, até os movimentos típicos do seu corpo são analisados de forma meticulosa. Não apenas contravenções, mas qualquer excentricidade, por menor que seja, qualquer mudança de hábito, qualquer tique nervoso que possa ser sintoma de uma luta interna será certamente detectado. Ele não tem liberdade de escolha para nenhuma direção. Por outro lado, suas ações não são reguladas pela lei ou por qualquer outro código de comportamento. Na Oceania, não há lei. Pensamentos e ações que, se detectados, significam morte certa, não são formalmente proibidos, e os expurgos, prisões, torturas e vaporizações sem fim não são executadas como punições por crimes que foram de fato cometidos, mas são apenas a erradicação de pessoas que podem vir a talvez cometer um crime em algum momento do futuro. Exige-se que um membro do Partido tenha não apenas as opiniões certas, mas os instintos certos. Muitas das crenças e atitudes demandadas dele nunca são claramente afirmadas, e nem poderiam ser sem expor as contradições inerentes ao Ingsoc. Se ele é uma pessoa naturalmente ortodoxa (em novilíngua, um BEMPENSANTE), irá saber, em todas as circunstâncias, sem parar para pensar, qual é a verdadeira crença ou a emoção desejada. Mas, de qualquer maneira, um treinamento mental elaborado, pelo qual se passa na infância e que gira em torno das palavras da novilíngua CRIMEPARAR, PRETOBRANCO e DUPLIPENSAR, tornam-no incapaz e relutante a pensar profundamente a respeito de qualquer assunto.

Espera-se que um membro do Partido não possua emoções privadas e não tenha pausas no seu entusiasmo. Ele deve supostamente viver num frenesi contínuo de ódio aos inimigos externos e traidores internos, triunfo com as vitórias e auto--humilhação perante o poder e a sabedoria do Partido. A infelicidade gerada pela sua vida precária e insatisfatória é propositalmente direcionada para fora e dissipada por meio de dispositivos como os Dois Minutos de Ódio, e as especulações que poderiam induzir a uma atitude cética ou rebelde são assassinadas de antemão pela sua disciplina interior adquirida desde cedo. O primeiro e mais simples estágio na disciplina, que pode ser lecionado até a crianças, chama-se, em novilíngua, de CRIMEPARAR. Significa a capacidade de interromper, quase que por instinto, um pensamento perigoso pela raiz. Inclui o poder de não compreender analogias, ou de não perceber erros lógicos, de entender errado os argumentos mais simples caso sejam contrários à Ingsoc, e de ficar entediado ou sentir repulsa por qualquer corrente de pensamento capaz de levar a uma direção herética. Crimeparar, em resumo, significa estupidez protetiva. Mas a estupidez não é o bastante. Pelo contrário, a ortodoxia no sentido pleno exige do indivíduo um controle tão completo sobre os próprios processos mentais como o de um contorcionista sobre o próprio corpo. A sociedade da Oceania está apoiada, no fim das contas, na crença de que o Grande Irmão é onipotente e que o Partido é infalível. No entanto, como na verdade o Grande Irmão não é onipotente e o Partido não é infalível, necessita-se uma flexibilidade incansável, de momento a momento, no tratamento dos fatos. A palavra-chave aqui é PRETOBRANCO. Como muitas palavras da novilíngua, essa traz dois significados contraditórios. Aplicada a um oponente, representa o hábito de afirmar, de forma imprudente, que o preto é branco, contradizendo fatos claros. Aplicada a um membro do Partido, significa uma disposição leal de dizer que preto é branco quando a disciplina do Partido o exigir. Mas também significa a habilidade de *acreditar* que o preto é branco, e mais, *saber* que o preto é branco, e esquecer que alguém já acreditou no contrário. Isso demanda uma alteração contínua do passado, algo tornado possível graças ao sistema de pensamento que de fato comporta todo o resto, conhecido em novilíngua como DUPLIPENSAR.

A alteração do passado é necessária por dois motivos, um dos quais é subsidiário e, por assim dizer, de precaução. O motivo subsidiário é que um membro do Partido, assim como o proletário, tolera as condições do presente em parte porque não possui outros padrões com os quais comparar. Ele deve ser privado do passado, assim como de países estrangeiros, porque é necessário que ele acredite que está melhor do que seus antecessores e que o nível médio de conforto está em um aumento constante. Mas, de longe, o motivo mais importante para o reajuste do passado é a necessidade de proteger a infalibilidade do Partido. Não apenas discursos, estatísticas e registros de todos os tipos precisam ser constantemente atualizados para mostrar que as previsões do Partido estavam certas em todos os casos. Também não se pode admitir mudanças na doutrina ou no alinhamento político. Mudar a mentalidade de alguém, ou até a política de uma pessoa, seria uma confissão de fraqueza. Se, por exemplo, a Eurásia ou a Lestásia (seja lá qual for) é o inimigo de hoje, então esse país sempre deve ter sido o inimigo. E se um fato afirma o contrário, então o fato precisa ser alterado. Portanto, a história é reescrita de maneira contínua. Essa falsificação diária do passado, realizada pelo Ministério da Verdade, é tão necessária para a estabilidade do regime quanto o trabalho de repressão e espionagem executado pelo Ministério do Amor.

A mutabilidade do passado é a doutrina central do Ingsoc. Argumenta-se que eventos passados não possuem uma existência objetiva, mas sobrevivem apenas nos registros escritos e na memória humana. O passado é o que quer que os registros e memórias concordem que seja. E como o Partido tem controle completo de todos os registros e também das mentes dos seus membros, por conseguinte, o passado é o que o Partido decidir que é. Decorre daí também que, embora o passado seja alterável, este nunca foi alterado em uma instância específica. Pois quando foi recriado da forma que foi necessária no momento, então essa nova versão *é* o passado, e nenhum passado diferente algum dia existiu. Isso se mantém até quando, como costuma acontecer, o mesmo evento precisa ser alterado até se tornar irreconhecível várias vezes ao longo de um ano. O Partido está sempre em posse da verdade absoluta, e claramente o absoluto nunca pôde ter sido diferente do que é hoje. Veremos que o controle do passado depende, acima de tudo, do treinamento da memória. Garantir que todos os registros escritos concordem com a ortodoxia do momento é apenas um ato mecânico. Mas também é necessário se *lembrar* de que os eventos aconteceram da maneira desejada. E se for necessário reorganizar a memória de uma pessoa ou alterar registros escritos, então é necessário *esquecer* que você fez isso. O truque para realizar isso pode ser aprendido como qualquer outra técnica mental. Este é aprendido pela maioria dos membros do Partido, e certamente por todos que são inteligentes e ortodoxos. Em velhalíngua, isso tem o nome, bastante honesto, de "controle da realidade". Em novilíngua, chamamos de DUPLIPENSAR, embora DUPLIPENSAR comporte muitas outras coisas.

DUPLIPENSAR significa o poder de manter duas crenças contraditórias na própria mente ao mesmo tempo, e aceitar ambas. O intelectual do Partido sabe em qual direção suas memórias precisam ser alteradas; portanto, ele sabe que engana a realidade; mas, por meio do exercício do DUPLIPENSAR, ele também se satisfaz com o fato de que a realidade não é violada. O processo precisa ser consciente, ou então não é executado com a precisão necessária; mas também precisa ser inconsciente, ou será feito com uma sensação de falsidade e, portanto, de culpa. DUPLIPENSAR jaz no coração do Ingsoc, uma vez que o ato essencial do Partido é usar o engano consciente enquanto mantém a firmeza do objetivo com honestidade completa. Falar mentiras de maneira deliberada enquanto se acredita nelas genuinamente, esquecer qualquer fato que se tornou inconveniente, e então, quando isso se tornar necessário de novo, tirá-lo do esquecimento por quanto tempo for preciso, negar a existência de uma realidade objetiva e, enquanto isso, captar a realidade que a pessoa nega — tudo isso é indispensável. Até para usar a palavra DUPLIPENSAR é preciso exercitar o DUPLIPENSAR. Pois, ao usar a palavra, a pessoa admite que está mexendo com a realidade; por meio de um novo ato de DUPLIPENSAR, a pessoa apaga esse conhecimento; e assim por diante, por tempo indeterminado, com a mentira sempre um passo adiante da verdade. Por fim, é por meio do DUPLIPENSAR que o Partido foi capaz — e pode continuar capaz, pelo visto, por milhares de anos — de sequestrar os rumos da história.

Todas as oligarquias do passado perderam o poder ou porque ossificaram, ou porque amoleceram. Ou se tornaram estúpidas e arrogantes, e fracassaram em se ajustar às circunstâncias que mudavam, ou foram derrubadas; ou se tornaram liberais e covardes, e fizeram concessões quando deveriam ter usado força bruta, e outra vez foram derrubadas. Caíram, por assim dizer, ou por meio da consciência ou da inconsciência. Essa foi a conquista do Partido: produzir um sistema de pensamento em que ambas as condições podem existir simultaneamente. E nenhuma outra base intelectual permitiria que o domínio do Partido fosse permanente. Se você deve governar e continuar governando, você precisa deslocar o sentido da realidade. Pois o segredo do domínio é misturar a crença na própria infalibilidade com o poder de aprender com os erros do passado.

Quase não precisa ser dito que os praticantes mais sutis do DUPLIPENSAR são aqueles que inventaram o DUPLIPENSAR e que sabem que esse é um sistema vasto de engano mental. Em nossa sociedade, aqueles que compreendem melhor o que está acontecendo também são os que estão mais distantes de ver o mundo como ele é. De modo geral, quanto maior a compreensão, maior a ilusão; os mais inteligentes são os menos sãos. Uma ilustração clara disso é o fato de que a histeria de guerra se intensifica ao passo que o indivíduo ascende na ladeira social. Aqueles cuja atitude perante a guerra é mais racional são os habitantes de territórios em disputa. Para essas pessoas, a guerra é apenas uma calamidade contínua que arrasta seus corpos de um lado para o outro como num maremoto. Estão completamente indiferentes em relação ao lado que está vencendo. Estão cientes de que qualquer mudança de dominadores significa apenas que farão o mesmo trabalho de antes para novos senhores, que os tratarão exatamente da mesma maneira que os anteriores. Os trabalhadores um pouco mais favorecidos chamados de "proletas" têm uma consciência apenas intermitente da guerra. Quando necessário, podem ser levados a frenesis de guerra e de ódio, mas são deixados em paz quando capazes de se esquecer por longos períodos que a guerra está ocorrendo. É dentro dos escalões do partido, e acima de tudo do Partido Interno, que se encontra o verdadeiro entusiasmo pela guerra. As pessoas que mais acreditam na conquista mundial são os mesmos que sabem que ela é impossível. Essa união peculiar de opostos — conhecimento com ignorância, cinismo com fanatismo — é uma das marcas mais distintivas da sociedade oceânica. A ideologia oficial está repleta de contradições até quando não há motivos práticos para elas. Portanto, o Partido rejeita e menospreza todos os princípios que o movimento socialista originalmente defendeu, e o faz em nome do socialismo. Ele prega um desprezo pela classe trabalhadora, algo sem igual nos séculos passados, e veste os seus membros num uniforme que em algum momento foi específico aos trabalhadores braçais, e que por isso foi adotado.

Assim, ele mina de forma sistemática a solidariedade à família, e chama seu líder por um nome que é um apelo direto ao sentimento de lealdade familiar. Até os nomes dos quatros Ministérios que nos governam exibem uma espécie de imprudência na inversão proposital dos fatos. O Ministério da Paz se preocupa com a guerra, o Ministério da Verdade, com as mentiras, o Ministério do Amor, com as torturas, e o Ministério da Fartura, com a fome. Essas contradições não são acidentais, nem resultado de uma hipocrisia natural; são exercícios propositais de DUPLIPENSAR. Pois só ao reconciliar contradições o poder pode ser retido por tempo indeterminado. Não há nenhuma outra maneira de romper o ciclo antigo. Se a igualdade humana precisa ser evitada por todo o sempre — se as pessoas Altas, como as chamamos, vão manter seus lugares de forma permanente —, então a condição mental predominante precisa ser de insanidade controlada.

Mas só há uma questão que até agora foi quase ignorada. É a seguinte: ***por que*** evitar a igualdade humana? Supondo que as mecânicas do processo foram bem descritas, qual é o motivo por trás desses esforços enormes e planejados com a precisão de congelar a história nesse momento específico do tempo?

Aqui chegamos ao segredo central. Como vimos, a mística do Partido, e acima de tudo do Partido Interno, depende do DUPLIPENSAR. No entanto, num nível mais profundo, encontra-se o motivo original, o instinto nunca questionado que levou à tomada de poder e formou, depois, o DUPLIPENSAR, a Polícia do Pensar, a guerra contínua e todas as outras parafernálias necessárias. Esse motivo consiste, na verdade...

Winston se tornou ciente do silêncio, da mesma maneira como alguém se dá conta de um novo ruído. Pareceu-lhe que Julia ficara inerte por um bom tempo. Ela estava deitada ao lado dele, nua da cintura para cima, com a própria mão de travesseiro para a bochecha e um cacho escuro de cabelo caído na frente dos olhos. Seu peito inflava e afundava de forma lenta e regular.

— Julia.

Nenhuma resposta.

— Julia, você está acordada?

Nenhuma resposta. Tinha adormecido. Ele fechou o livro, colocou-o cuidadosamente no chão, deitou-se e puxou o cobertor por cima deles.

Ele refletiu que ainda não tinha descoberto o segredo final. Ele compreendia *como*; não compreendia o *porquê*. O capítulo I, assim como o capítulo III, não lhe dissera nada que ele não soubesse, apenas sistematizava o conhecimento que já possuía. Mas, depois de lê-lo, ele sabia melhor do que nunca que não estava louco. Fazer parte de uma minoria, até uma minoria de uma só pessoa, não tornava alguém louco. Havia verdades e havia inverdades, e se o sujeito se agarrasse à verdade, mesmo que fosse contra todo o mundo, então não estava louco. Um raio amarelo do sol poente entrou inclinado pela janela e desceu no travesseiro. Winston fechou os olhos. Com o sol no rosto e o corpo suave dela tocando o dele, teve uma sensação forte, sonolenta e confiante. Ele estava seguro, tudo estava bem. Ele adormeceu murmurando “Sanidade não é estatística”, com a sensação de que esse comentário continha uma profunda sabedoria.

* * *

Quando acordou, teve a sensação de ter dormido por muito tempo, mas ao vislumbrar o relógio antiquado, descobriu que eram apenas vinte horas e meia. Ficou cochilando mais um tempo; então, a cantoria a plenos pulmões saltou do quintal abaixo:

Era apenas um desejo fantasioso
Passou como um dia de abril
Mas um olhar e uma palavra e os sonhos foram despertados
Eles roubaram meu coração!

Pelo jeito aquela porcaria de música continuava popular. Ainda se escutava por tudo quanto era canto. Já durava mais que a Canção do Ódio. Julia acordou com o barulho, se espreguiçou luxuriosamente e saiu da cama.

— Estou com fome — ela disse. — Vamos passar mais café. Droga! O fogo apagou e a água está gelada. — Ela pegou o fogareiro e o sacudiu. — Está sem óleo.

— Podemos conseguir um pouco com o velho sr. Charrington, imagino.

— O curioso é que conferi e estava cheio. Vou vestir minhas roupas — ela acrescentou. — Parece que esfriou.

Winston também se levantou e se vestiu. A voz infatigável continuou:

Dizem que o tempo é cura de todos males,
Dizem que sempre se pode esquecer;
Mas os sorrisos e lágrimas ao longo dos anos
Ainda fazem meu
Coração sofrer!

Enquanto ele prendia o cinto do macacão, caminhou até a janela. O sol deve ter se escondido atrás das casas; não brilhava mais no quintal. As pedras estavam úmidas, como se tivessem acabado de ser lavadas, e ele teve a sensação de que o céu também fora lavado, de tão fresco e pálido que era o azul entre as chaminés. Incansável, a mulher caminhava de um lado para o outro, amordaçando e desamordaçando a si, cantava e silenciava, e pendurava mais fraldas, e mais e mais. Ele se perguntou se ela ganhava a vida como lavadora, ou se era apenas uma escrava de vinte ou trinta netos. Julia apareceu ao lado dele; juntos, olharam para baixo para a figura robusta com uma espécie de fascínio. Enquanto ele encarava a mulher na sua atitude caraterística, os braços grossos que subiam em direção ao varal, com suas nádegas poderosas e protuberantes de égua, deu-se conta pela primeira vez que ela era bonita. Ele nunca tinha pensado antes que o corpo de uma mulher de cinquenta anos, estourado em dimensões monstruosas por ter filhos, e depois endurecido pelo trabalho até se tornar grosseiro como um nabo maduro demais, podia ser bonito. Mas aquele o era, e passado um tempo, pensou, por que não? O corpo sólido, sem contornos, como um bloco de granito, e sua pele vermelha e áspera, tinham a mesma relação a um corpo de uma garota que as bagas de rosa para uma rosa. Por que a fruta deveria ser considerada inferior à flor?

— Ela é bela — ele murmurou.

— Ela tem um metro de quadril, fácil, fácil — disse Julia.

— É o estilo da beleza dela — disse Winston.

Ele segurou Julia por sua cintura maleável, fechando com tranquilidade o braço ao redor dela. Seus flancos, do quadril ao joelho, pressionavam contra ele. Nunca sairia uma criança dali daquele corpo. Isso eles nunca poderiam fazer. Só boca a boca, mente a mente, podiam passar adiante o segredo. A mulher lá debaixo não tinha mente, só braços fortes, um bom coração e um ventre fértil. Ele se perguntou a quantas crianças ela dera à luz. Podiam ter sido facilmente quinze. Ela teve seu momento de florescer, um ano, talvez, de beleza de rosas selvagens, e então de repente inchou como uma fruta fertilizada e ficou avermelhada e grosseira, e então sua vida virou lavar, esfregar, costurar, varrer, polir, consertar roupas, esfregar, lavar, primeiro para os filhos, depois para os netos, por trinta anos sem parar. Ao final, ela ainda cantava. A reverência mística que ele sentia por ela se misturava de alguma maneira com o aspecto do céu pálido, sem nuvens, que se estendia a distâncias intermináveis por trás das chaminés. Era curioso pensar que o céu era o mesmo para todos, na Eurásia ou na

Lestásia, assim como aqui. E que as pessoas sob aquele céu também eram quase as mesmas — em todo lugar, por todo o mundo, centenas de milhares de milhões de pessoas assim, pessoas ignorantes da existência umas das outras, mantidas separadas por paredes de ódios e mentiras e, ainda assim, quase exatamente as mesmas — pessoas que nunca aprenderam a pensar, mas que armazenavam em seus corações e ventres e músculos a força que um dia derrubaria o mundo. Se havia esperança, estava nos proletas! Sem ter lido até o fim *o livro*, ele sabia que essa deveria ser a mensagem final de Goldstein. O futuro pertencia aos proletas. E será que era possível ter a certeza de que, quando chegasse a vez deles, o mundo que construíssem não seria tão alienígena para ele, Winston Smith, quanto era o mundo do Partido? Sim, porque pelo menos seria um mundo de sanidade. Onde há igualdade, há sanidade. Cedo ou tarde isso aconteceria, a força se transformaria em consciência. Os proletas eram imortais, não era possível duvidar disso quando se observava a figura valente no quintal. No fim, o seu despertar chegaria. E até isso acontecer, ainda que demorassem mil anos, eles permaneceriam vivos, contra todos obstáculos, como os pássaros, transmitindo de corpo a corpo a vitalidade da qual o Partido não dispunha e não conseguia matar.

— Você se lembra — ele disse — do pássaro que cantou para nós, naquele primeiro dia, na entrada do bosque?

— Ele não cantava para nós — disse Julia. — Ele cantava para se agradar. Nem isso. Ele apenas cantava.

Os pássaros cantavam, os proletas cantavam. O Partido não cantava. Ao redor do mundo inteiro, em Londres, em Nova York, na África e no Brasil, e nas terras misteriosas para além das fronteiras, nas ruas de Paris e Berlim, nos vilarejos das planícies russas sem fim, nos bazares da China e do Japão — em todos os lugares se encontrava a mesma figura sólida e inconquistável, que virou um monstro pelo trabalho e por ter dado à luz tantos filhos, labutando do nascimento à morte e ainda cantando. Desses ventres poderosos, há de vir uma raça de seres conscientes algum dia. Pessoas como Winston estavam mortas, o futuro era deles. Mas poderia tomar parte desse futuro quem mantivesse a mente viva, assim como eles mantiveram o corpo vivo, e passasse adiante a doutrina secreta de que dois mais dois são quatro.

— Nós somos os mortos — ele disse.

— Nós somos os mortos — ecoou Julia, obediente.

— Vocês são os mortos — disse uma voz de ferro atrás deles.

Afastaram-se num salto. As entranhas de Winston pareciam ter virado gelo. Ele podia ver o branco ao redor das íris dos olhos de Julia. O rosto dela tinha ficado amarelo leitoso. A mancha de *rouge* que ela ainda tinha em cada bochecha se destacava com intensidade, quase desconectada da pele abaixo.

— Vocês são os mortos — repetiu a voz de ferro.

— Veio de trás do quadro — balbuciou Julia.

— Veio de trás do quadro — disse a voz. — Permaneçam

exatamente onde estão. Não façam nenhum movimento até receberem a ordem para isso.

Tinha começado, tinha enfim começado! Não podiam fazer nada além de encarar um ao outro. Correr para se safar, sair da casa antes que fosse tarde demais — não lhes ocorria fazer nada disso. Era impensável desobedecer a voz de ferro que vinha de trás da parede. Houve um estalo, como de um ferrolho se abrindo, e um estouro de vidro quebrando. O quadro tinha caído no chão, revelando a teletela por trás.

— Agora eles podem nos ver — disse Julia.

— Agora podemos ver vocês — disse a voz. — Fiquem parados no meio do quarto. Um de costas para o outro. Coloquem as mãos na cabeça. Não toquem um no outro.

Eles não se encostavam, mas Winston teve a impressão de sentir o corpo de Julia tremer. Ou talvez fosse apenas ele mesmo. Mal conseguia fazer os dentes pararem de bater, mas seus joelhos estavam descontrolados. Escutou-se o som de botas pisoteando no térreo, dentro da casa, e também do lado de fora. O quintal parecia estar cheio de homens. Algo era arrastado pelas pedras. A cantoria da mulher tinha parado de maneira abrupta. Houve um barulho metálico demorado, de algo rolando, como se tivessem arremessado o tanque pelo quintal, e então uma confusão de gritos irritados que terminaram com um grito de dor.

— A casa está cercada — disse Winston.

— A casa está cercada — disse a voz.

Ele ouviu Julia ranger os dentes.

— Acho que podemos muito bem nos despedir — ela disse.

— Vocês podem muito bem se despedir — disse a voz. E então outra voz muito diferente, uma voz fina, educada, que Winston teve a impressão de já haver escutado antes, apareceu: — E, por sinal, já que tocamos no assunto, "Eis uma vela que ilumina o caminho até sua cama, Eis um machado para cortar sua cabeça"!

Algo estourou na cama atrás de Winston. A ponta de uma escada tinha sido jogada na janela, quebrando a moldura. Alguém escalava pela janela. Uma barulheira de botas subindo os degraus. O quarto ficou cheio de homens robustos em uniformes pretos, com botas com ponteiras de ferro nos pés e cassetetes nas mãos.

Winston parara de tremer. Até seus olhos mal se moviam agora. Só importava uma coisa: ficar parado, ficar parado e não dar desculpas para baterem nele! Um homem com um queixo de pugilista, cuja boca era apenas uma fenda, parou diante dele, balançando o cassetete, pensativo, entre o dedão e o dedo indicador. Winston encarou-o nos olhos. A sensação de nudez, com as mãos atrás da cabeça, e o rosto e o corpo completamente expostos, era quase insuportável. O homem deixou aparecer a ponta de uma língua branca, lambeu o lugar onde deveria ter lábios, e então seguiu adiante. Houve outro estouro. Alguém tinha pego o peso de papel de vidro da mesa e esmagara-o em pedacinhos na lareira.

O fragmento do coral, uma dobra minúscula cor-de-rosa, como um confeito de botão de rosa de um bolo, saiu rolando pelo tapete. Como era pequeno, pensou Winston, como sempre fora pequeno! Escutou-se um arquejo e uma batida atrás dele, e ele recebeu um chute violento no tornozelo que quase fez com que perdesse o equilíbrio. Um dos homens tinha golpeado o plexo solar de Julia com o punho, dobrando-a como uma régua de bolso. Ela se contorcia no chão, lutando para respirar. Winston não ousou virar a cabeça um só milímetro, mas às vezes o rosto dela, vívido e ofegante, aparecia no campo de visão dele. Mesmo tomado de terror, era como se conseguisse sentir aquela dor no seu próprio corpo, a dor letal que, apesar de tudo, era menos urgente do que a luta para voltar a respirar. Ele sabia como era; a dor terrível e agonizante que estava ali o tempo todo, mas ainda não podia ser sofrida, porque antes era preciso conseguir respirar. Então, dois dos homens a ergueram pelos ombros e joelhos e a carregaram para fora do quarto como se fosse um saco. Winston teve um vislumbre do rosto dela, de cabeça para baixo, amarelo e retorcido, com os olhos fechados, ainda com um traço de *rouge* na bochecha; e aquela foi a última vez que a viu.

Ele ficou paralisado. Ninguém o atingira ainda. Pensamentos que surgiram por conta própria e pareciam totalmente desinteressantes começaram a passar pela sua cabeça. Ele se perguntou se tinham pego o sr. Charrington. Ele se perguntou o que tinham feito com a mulher no quintal. Ele notou que precisava muito urinar, e sentiu uma leve surpresa com isso, pois o fizera duas ou três horas antes. Ele notou que o relógio sobre a lareira marcava nove, ou seja, vinte e uma. Mas a luz parecia forte demais. Ela já não deveria estar mais fraca às vinte e uma horas de uma noite de agosto? Ele se perguntou se ele e Julia se enganaram quanto ao tempo — tinham dormido a noite toda e acharam que eram vinte e trinta quando na verdade eram oito e trinta da manhã seguinte. Mas ele não levou adiante o pensamento. Não era interessante.

Escutou-se outro passo mais suave na passagem. O sr. Charrington apareceu no quarto. O comportamento dos homens de uniforme preto de repente se tornou mais controlado. Algo havia mudado na aparência do sr. Charrington. Seu olhar recaiu sobre os fragmentos do peso de papel.

— Juntem os pedaços — ele disse, com rispidez.

Um homem se agachou para obedecer. O sotaque do leste de Londres tinha desaparecido. Winston de repente se deu conta de quem era a voz que ouvira poucos instantes atrás, na teletela. O sr. Charrington ainda vestia sua antiga jaqueta de veludo, mas seu cabelo, que antes era quase todo branco, estava preto. E ele também não usava mais óculos. Ele lançou um só olhar intenso a Winston, como se verificasse a sua identidade, e então deixou de prestar atenção nele. O sr. Charrington ainda era reconhecível, mas tinha deixado de ser a mesma pessoa. Seu corpo havia se endireitado, ele parecia ter crescido. Seu rosto passara por pequenas mudanças que, ainda assim, provocavam uma transformação completa. As sobrancelhas pretas estavam menos abastadas, suas rugas desapareceram, linhas inteiras do rosto pareciam ter se alterado; até o nariz parecia menor. Tinha o rosto alerta e frio de um homem na faixa dos trinta e cinco anos. Ocorreu a Winston que, pela primeira vez na vida, ele sabia que olhava para um membro da Polícia do Pensar.

Parte 3

Capítulo 1

Ele não sabia onde estava. Presumia se encontrar no Ministério do Amor, mas não havia como ter certeza. Estava numa cela de pé-direito alto, sem janelas, com paredes de porcelana branca reluzente. Lâmpadas ocultas inundavam o lugar com uma luz fria, e havia um zumbido grave e constante que ele supôs estar relacionado à ventilação. Um banco, ou uma prateleira, ampla o bastante somente para ele conseguir sentar, estava no canto da parede, interrompida por uma porta e, na parede oposta à porta, havia uma privada sem assento. Tinha quatro teletelas, uma em cada parede.

Sentia uma dor surda na barriga. Sentia-a desde que o enfiaram numa van fechada e o levaram. Mas também sentia fome, uma fome avassaladora e doentia. Talvez fizessem vinte e quatros horas que ele não comia, talvez trinta e seis. Ainda não sabia e provavelmente nunca ficaria sabendo se era manhã ou noite quando o prenderam. Desde então, não o alimentaram.

Ficou sentado o mais parado que pôde no banco estreito, com as mãos cruzadas sobre o joelho. Já tinha aprendido a ficar sentado imóvel. Se fizesse movimentos inesperados, gritavam com ele da teletela. Mas sua ânsia por comida crescia. O que desejava, acima de tudo, era um pedaço de pão. Teve uma ideia de que havia poucas migalhas no bolso do macacão. Era até possível — pensou nisso pois, de quando em quando, algo parecia fazer cócegas na sua perna

— que houvesse um pedaço razoável de casca ali. Ao final, a tentação de descobrir foi maior que o medo; ele enfiou a mão no bolso.

— Smith! — gritou a voz da teletela. — 6079 Smith W.! Mãos fora do bolso nas celas!

Ficou sentado imóvel de novo, suas mãos cruzadas sobre o joelho.

Antes de ser levado àquele lugar, ele tinha sido transportado a outro, que devia ser uma prisão comum ou uma cela temporária usada pelas patrulhas. Não sabia há quanto tempo estava lá; algumas horas, de qualquer maneira; sem relógios ou luz do sol, era difícil medir o tempo. Era um lugar barulhento e com cheiro maléfico. Colocaram-no numa cela similar à que se encontrava agora, mas podre de suja e sempre cheia, com dez a quinze pessoas. A maioria era de criminosos comuns, mas havia alguns prisioneiros políticos entre eles. Ele ficara sentado em silêncio contra a parede, enquanto corpos imundos o empurravam, tomado demais pelo medo e pela dor na barriga para se interessar pelo que estava ao seu redor, mas ainda assim capaz de notar a diferença impressionante de comportamento entre os prisioneiros do Partido e os outros. Os prisioneiros do Partido estavam sempre em silêncio e aterrorizados, mas os criminosos ordinários pareciam não se importar com ninguém. Gritavam insultos para os guardas, retaliavam com ferocidade quando confiscavam seus pertences, escreviam palavrões no chão, comiam comida contrabandeada que tiravam de esconderijos misteriosos das roupas, e até gritavam mais alto que a teletela quando esta tentava restaurar a ordem. Por outro lado, alguns pareciam se dar bem com os guardas, chamavam-nos por seus apelidos, e tentavam adulá-los passando cigarros pelo postigo da porta. Os guardas também tratavam os criminosos comuns com certa tolerância, mesmo quando tinham que ser duros com eles. Falava-se muito dos campos de trabalho forçado aos quais a maioria dos prisioneiros esperava ser enviada. Os campos eram "aceitáveis", pelo que ele entendeu, desde que você tivesse bons contatos e soubesse se virar. Havia suborno, favoritismo e extorsão de todo tipo, havia homossexualidade e prostituição, e até álcool ilícito destilado das batatas. As posições de confiança eram cedidas apenas a criminosos comuns, em especial os gângsteres e os assassinos, que formavam uma espécie de aristocracia. Todo o trabalho sujo era feito pelos criminosos políticos.

Havia um constante vaivém de prisioneiros de tudo quanto era tipo: traficantes, ladrões, bandidos, vendedores do mercado clandestino, bêbados, prostitutas. Alguns bêbados eram tão violentos que os outros prisioneiros precisavam se unir para controlá-los. Uma enorme ruína de uma mulher, na faixa dos sessenta, com grandes peitos balançantes e cachos espessos de cabelo branco que tinham se desfeito numa briga, entrou esperneando e berrando, carregada por quatro guardas que a seguravam, um em cada canto. Arrancaram as botas com as quais ela tentava chutá-los e jogaram-na sobre o colo de Winston, quase quebrando as pernas dele. A mulher se endireitou e, enquanto eles saíam, mandou um grito de "F... seus idiotas!". Então, ao notar que estava sentada em algo desigual, ela deslizou para fora dos joelhos de Winston e sentou-se no banco.

— Desculpa, queridinho — ela disse. — Não quis sentá em você, mas os babacas me jogaram aqui. Num sabem como tratar uma dama, né? — Ela parou, deu um tapa no peito, e arrotou. — Desculpa — ela disse. — Inda num me recuperei.

Ela se inclinou para a frente e vomitou bastante no chão.

— Agora tô melhor — ela disse, recostando-se para trás, de olhos fechados. — Nunca guarde, esse é o segredo. Bota pra fora enquanto inda tá fresco no seu estômago.

Ela se reavivou, virou-se para olhar de novo Winston e pareceu gostar dele no mesmo instante. Ela colocou o braço amplo ao redor do ombro de Winston e puxou-o na direção dela, exalando um hálito de cerveja e vômito na cara dele.

— Qualé seu nome, queridinho? — ela perguntou.

— Smith — respondeu Winston.

— Smith? — disse a mulher. — Que gozado. Meu nome também é Smith. Oras — ela acrescentou, sentimental —, posso muito bem ser sua mãe!

Podia mesmo, pensou Winston, ser sua mãe. Ela tinha a idade certa, assim como o físico, e era provável que as pessoas mudassem algo depois de vinte anos num campo de trabalho forçado.

Ninguém mais tinha falado com ele. Era impressionante até que ponto os criminosos comuns ignoravam os prisioneiros do Partido. Os "políticos", chamavam-nos, com uma espécie de desprezo indiferente. Os prisioneiros do Partido pareciam aterrorizados de falar com qualquer pessoa, e acima de tudo, de conversar uns com os outros. Só uma vez, quando dois membros do Partido, mulheres, foram pressionadas no banco, ele pôde escutar por cima da algazarra algumas palavras cochichadas de maneira apressada; em específico, a referência a algo chamado "quarto um zero um", o que ele não compreendeu.

Talvez tenham se passado duas ou três horas desde que o levaram ali. A dor surda na sua barriga nunca desaparecia, mas às vezes melhorava, outras piorava, e seus pensamentos se expandiam e contraíam de acordo com isso. Quando piorava, ele só conseguia pensar na dor em si e no desejo por comida. Quando melhorava, era tomado pelo pânico. Houve momentos em que ele previu o que aconteceria com ele com tanta nitidez que seu coração disparava e sua respiração parava. Sentia cassetetes esmagando seus ombros e botas com ferro nas canelas; enxergava a si mesmo rastejando no chão, implorando misericórdia com seus dentes quebrados. Quase nunca pensava em Julia. Não conseguia focar sua mente nela. Ele a amara e não a trairia; mas isso era apenas um fato, conhecido assim como ele conhecia as regras da aritmética. Ele não sentia amor por ela, e quase não se perguntava o que aconteceria com ela. Pensava com mais frequência em O'Brien, com uma centelha de esperança. O'Brien devia saber que ele fora preso. A Irmandade, ele dissera, nunca tentava salvar seus membros. Mas havia a lâmina; eles enviariam a lâmina, se pudessem. Isso demoraria talvez cinco segundos antes que o guarda entrasse correndo na cela. A lâmina o morderia com uma espécie de queimadura gélida, e mesmo os dedos que a seguravam seriam cortados até os ossos. Tudo voltava para o seu corpo enfermo, que se encolhia, tremendo, com a menor dor. Ele não tinha certeza se usaria a lâmina, mesmo se tivesse a oportunidade. Era mais natural viver de instante a instante, aceitando outros dez minutos de vida, mesmo com a certeza de que seria torturado ao final.

Às vezes, tentava calcular o número de ladrilhos de porcelana na parede da cela. Deveria ser fácil, mas ele sempre perdia a conta em um ponto ou outro. Com mais frequência, perguntava-se onde estava e que horas eram. Em um momento, teve certeza de que lá fora estava em plena luz do dia, e no instante seguinte, teve a mesma certeza de que estava na escuridão profunda. Naquele lugar, e ele sabia isso por instinto, as luzes nunca seriam apagadas. Era o lugar sem escuridão: viu agora por que O'Brien parecera reconhecer a alusão. No Ministério do Amor não havia janelas. Sua cela podia estar no coração do prédio ou na parede externa; podia se encontrar no décimo andar subterrâneo ou no trigésimo acima da terra. Ele se movia mentalmente de lugar a lugar e tentava determinar pela sensação do seu corpo se estava pendurado do alto ou enterrado nas profundezas da terra.

Escutou-se um som de botas marchando do lado de fora. A porta de aço se abriu com um ruído metálico. Um jovem soldado, uma pessoa de uniforme preto bem ajustado que parecia reluzir graças ao couro polido, e cujo rosto pálido e de feições bem delineadas era como uma máscara de cera, entrou pela porta elegantemente. Fez um gesto aos guardas do lado de fora para que trouxessem o prisioneiro que conduziam. O poeta Ampleforth cambaleou para dentro da cela. A porta fechou num som metálico outra vez.

Ampleforth fez um ou dois movimentos hesitantes de um lado para o outro, como se pensasse que ainda havia outra porta pela qual pudesse passar, e então começou a vagar para cima e para baixo pela cela. Ainda não tinha percebido a presença de Winston. Seus olhos perturbados fitavam a parede a mais ou menos um metro acima da cabeça de Winston. Estava sem sapatos; dedões sujos e grandes saltavam pra fora dos buracos de suas meias. Também estava sem se barbear havia muitos dias. Uma barba desleixada cobria seu rosto até as bochechas, dando-lhe um ar de rufião que não combinava com seu porte frágil e seus movimentos nervosos.

Winston saiu um pouco de sua letargia. Precisava falar com Ampleforth, arriscando-se a ouvir um grito da teletela. Era até concebível que Ampleforth fosse o portador da navalha.

— Ampleforth — ele chamou.

Não houve grito da teletela. Ampleforth parou, um pouco assustado. Seus olhos aos poucos se focaram em Winston.

— Ah, Smith! — ele disse. — Você também!

— Por que você foi preso?

— Para falar a verdade... — Ele se sentou, desajeitado, no banco em frente a Winston. — Só existe uma ofensa, não é verdade? — ele disse.

— E você a cometeu?

— Aparentemente sim.

Ele pôs uma mão na testa e pressionou as têmporas por um instante, como se tentasse se lembrar de algo.

— Essas coisas acontecem — ele falou, vagamente. — Sou capaz de lembrar de uma ocasião, uma ocasião possível. Foi uma indiscrição, sem dúvidas. Estávamos elaborando a edição definitiva dos poemas de Kipling. Permiti que a palavra "Deus" permanecesse no final de um verso. Não pude me conter! — ele acrescentou, quase indignado, erguendo o rosto para encarar Winston. — Era impossível mudar o verso. A palavra "god" rima com "rod". Sabe que só existem doze rimas para "rod" em toda a língua inglesa? Fiquei dias revirando meu cérebro. *Não tinha* nenhuma outra rima.

A expressão no seu rosto mudou. A irritação tinha passado e por um instante ele pareceu quase satisfeito. Uma espécie de calor intelectual, a alegria do pedante que descobriu um fato inútil, brilhava por entre a sujeira e a barba desleixada.

— Já lhe ocorreu — ele perguntou — que toda a história da poesia inglesa foi determinada pelo fato de que faltam rimas à língua inglesa?

Não, Winston nunca tinha pensado especificamente naquilo. Nem, naquelas circunstâncias, pareceu-lhe algo muito importante ou interessante.

— Você sabe que hora do dia é? — ele disse.

Ampleforth pareceu assustado outra vez.

— Quase não pensei a respeito disso. Eles me prenderam... pode ter sido há dois dias, talvez três. — Seus olhos percorreram as paredes, como se ele quase esperasse encontrar uma janela em algum lugar. — Não tem diferença entre dia e noite neste lugar. Não sei como seria possível calcular o tempo.

Conversaram de maneira desconexa por alguns minutos e então, sem motivo aparente, um grito da teletela pediu silêncio. Winston se sentou quieto, de mãos cruzadas. Ampleforth, largo demais para ficar sentado de um jeito confortável no banco estreito, se remexia de um lado para o outro, apertando um joelho de cada vez com suas mãos magras. A teletela latiu para que ficasse imóvel. Passou um tempo. Vinte minutos, uma hora — era difícil discernir. Mais uma vez, o som de botas do lado de fora. As entranhas de Winston se contraíram. Em breve, muito em breve, talvez em cinco minutos, talvez agora, o pisotear das botas significaria que tinha chegado a hora.

A porta se abriu. O jovem soldado de rosto frio entrou na cela. Com um movimento breve da mão, indicou Ampleforth.

— Sala 101 — ele disse.

Ampleforth marchou desajeitado entre os guardas, e seu rosto mostrava uma leve perturbação, mas desprovida de compreensão.

Passou o que pareceu ser um longo tempo. A dor na barriga de Winston se reavivou. Sua mente perambulou em círculos, realizando o mesmo truque, como uma bola que caía de novo e de novo nos mesmos buracos. Só tinha seis pensamentos. A dor na sua barriga; um pedaço de pão;

o sangue e a gritaria; O'Brien; Julia; a navalha. Sentiu outro espasmo nas entranhas, as botas pesadas se aproximavam. Quando a porta se abriu, a onda de ar criada por ela trouxe um cheiro pungente de suor frio. Parsons adentrou a cela. Vestia bermudas cáqui e uma camisa esportiva.

Dessa vez, Winston se assustou a ponto de esquecer da própria situação.

— *Você* aqui! — ele disse.

Parsons lançou um olhar a Winston que não demonstrava nem interesse, nem surpresa, apenas sofrimento. Começou a cambalear para cima e para baixo, nitidamente incapaz de ficar parado. Sempre que se endireitava, seus joelhos rechonchudos deixavam claro que estavam tremendo. Seus olhos estavam esbugalhados, como se não conseguisse se impedir de observar algo a uma distância média.

— Por que você está aqui? — perguntou Winston.

— Crimepensar! — disse Parsons, quase balbuciando. O tom de sua voz sugeria ao mesmo tempo uma admissão completa de culpa e uma espécie de horror incrédulo de que tal palavra pudesse se aplicar a ele. Ficou parado diante de Winston e começou a apelar, ansioso, a ele: — Você não acha que vão me fuzilar, acha, camarada? Não atiram, se você não fez nada... foram só pensamentos, não dá para conter, certo? Sei que vão oferecer uma audiência justa. Ah, confio que farão isso! Eles têm o meu arquivo, não? *Você* sabe que tipo de camarada eu era. De jeito nenhum eu era um mau camarada. Não inteligente, é claro, mas perspicaz.

Fiz o melhor possível pelo Partido, não fiz? Vou pegar uns cinco anos, não acha? Ou até dez anos? Um camarada como eu pode ser muito útil num campo de trabalho. Não atirariam em mim por sair da linha uma só vez, né?

— Você é culpado? — perguntou Winston.

— Claro que sou culpado! — gritou Parsons, lançando um olhar servil à teletela. — Você não acha que o Partido prenderia um inocente, acha? — Seu rosto de sapo ficou cada vez mais calmo e até adotou uma expressão levemente santimonial. — Crimepensar é uma coisa terrível, meu velho — ele disse, sentencioso. — É traiçoeiro. Pode dominá-lo sem você se dar conta. Quer saber como me dominou? No sonho! Sim, é um fato. Lá estava eu, trabalhando pesado, fazendo a minha parte; nunca soube que tinha algo de ruim na cabeça. E então comecei a falar dormindo. Sabe o que me ouviram dizendo?

Sua voz afundou, como alguém que é obrigado, por motivos médicos, a proferir uma obscenidade.

— "Abaixo o Grande Irmão!" Sim, eu disse isso! Disse e repeti, pelo jeito. Cá entre nós, meu velho, estou feliz que me pegaram antes que isso prosseguisse. Sabe o que vou dizer quando estiver diante do tribunal? "Obrigado", vou dizer, "obrigado por me salvar antes que fosse tarde demais."

— Quem o denunciou? — perguntou Winston.

— Foi minha filhinha pequena — disse Parsons, com uma espécie de orgulho doído. — Ela ouviu pela fechadura. Ouviu o que eu estava falando e delatou para a patrulha logo no dia seguinte. Bem inteligente para uma delatora de sete anos, hein? Não guardo ressentimento. Na verdade, estou orgulhoso dela. Mostra que eu a ensinei a ter a atitude certa, de qualquer maneira.

Ele fez mais alguns movimentos nervosos para cima e para baixo, várias vezes, lançando um olhar suspirante para a privada. Então, de repente, arrancou a bermuda.

— Com licença, meu velho — ele disse. — Não consigo me segurar. Ter que ficar aqui esperando...

Ele encaixou seu enorme traseiro na privada. Winston cobriu o rosto com as mãos.

— Smith! — gritou a voz da teletela. — 6079 Smith W.! Descubra o rosto. Não é permitido cobrir o rosto nas celas.

Winston descobriu o rosto. Parsons usou a privada, de maneira barulhenta e abundante. Eis que a descarga estava defeituosa e a cela ficou com um fedor abominável por horas.

Parsons foi removido. Mais prisioneiros entraram e saíram, misteriosamente. Teve uma mulher que foi designada para o "Quarto 101" e, Winston notou, ela pareceu murchar e mudar de cor ao ouvir essas palavras. Chegou uma hora quando, se ele tivesse sido trazido pela manhã, já seria de tarde; ou, se tivesse sido de tarde, já seria meia-noite. Havia seis prisioneiros na cela, homens e mulheres. Todos sentados muito parados. Diante de Winston tinha um homem sentado com um rosto sem queixo, cheio de dentes, que parecia um roedor grande e inofensivo. Suas bochechas gordas e sardentas estavam tão caídas que era difícil acreditar que ele não tinha escondido comida ali dentro. Seus olhos cinza pálidos percorriam, com timidez, um rosto depois do outro, e então desviavam rapidamente antes que alguém trocasse um olhar com ele.

A porta se abriu e entrou outro prisioneiro, cuja aparência provocou um arrepio momentâneo em Winston. Ele era um homem comum, de aparência durona, que podia ter sido um engenheiro ou um técnico. Mas o que assustava era seu rosto macilento. Parecia uma caveira. Por causa da sua magreza, a boca e os olhos pareciam desproporcionalmente grandes, e os olhos pareciam cheios de um ódio por algo ou alguém, um ódio assassino e insaciável.

O homem sentou-se no banco, perto de Winston. Winston não tornou a olhar para ele, mas o seu rosto atormentado de caveira estava vívido em sua mente, como se ele estivesse diante de seus olhos. De repente, ele se deu conta do que estava acontecendo. O homem estava morrendo de fome. O mesmo pensamento pareceu atingir a todos ao mesmo tempo na cela. De leve, todos no banco se remexeram. Os olhos do homem sem queixo ainda se voltavam para o homem de rosto de caveira e então desviavam, culpados, antes de voltarem mais uma vez a ele, graças a uma atração irresistível. Logo começou a se remexer no assento. Enfim, levantou-se, cambaleou desajeitado pela cela, revirou o bolso do seu macacão e, com um ar envergonhado, estendeu um pedaço de pão cheio de fuligem para o homem com rosto de caveira.

A teletela emitiu um ruído furioso e ensurdecedor. O homem sem queixo chegou a dar um salto. O homem com rosto de caveira foi rápido em jogar as mãos atrás das costas, para demonstrar a todo mundo que ele recusava o presente.

— Bumstead! — rugiu a voz. — 2713 Bumstead J.! Deixe cair o pedaço de pão!

O homem sem queixo largou o pedaço de pão no chão.

— Fique parado onde está — disse a voz. — De frente para a porta. Não se mexa.

O homem sem queixo obedeceu. Suas bochechas grandes e caídas tremiam de modo descontrolado. A porta abriu, tilintando. O jovem soldado entrou e ficou de lado, e logo emergiu por trás dele um guarda atarracado e baixinho com braços e ombros enormes. Ficou diante do homem sem queixo e então, ao receber o sinal do soldado, desferiu o golpe assustador, empregando todo o peso de seu corpo, e acertando em cheio a boca do homem sem queixo. A força pareceu quase tirá-lo do chão. Seu corpo foi arremessado pela cela, indo parar contra a base da privada. Por um instante, ele ficou ali parado, chocado, com sangue escuro escorrendo de sua boca e nariz. Emitiu um gemido ou um guincho muito leve, que parecia inconsciente. Então, rolou no chão e se levantou, desequilibrado, apoiando as mãos nos joelhos. Caíram, num fluxo de sangue e saliva, as duas metades de uma dentadura.

Os prisioneiros continuaram sentados muito imóveis, com as mãos cruzadas sobre os joelhos. O homem sem queixo voltou ao seu lugar. Um lado de sua face escurecia. Sua boca inchara, virando uma massa disforme cor de cereja, com um buraco preto no meio.

De vez em quando, um pouco de sangue escorria pela frente do macacão. Seus olhos cinza ainda percorriam rosto a rosto, sentindo mais culpa do que nunca, como se tentasse descobrir o quanto os outros o desprezavam por aquela humilhação.

A porta se abriu. Com um pequeno gesto, o soldado indicou o homem com rosto de caveira.

— Quarto 101 — ele disse.

Ao lado de Winston, houve um arquejo e uma agitação. O homem tinha se jogado de joelhos no chão, com as mãos juntas.

— Camarada! Oficial! — ele gritou. — Você não precisa me levar lá. Já não contei tudo? O que mais vocês precisam saber? Não tem nada que eu não confessaria, nada! Só me diga o que é, que eu confesso de primeira. Podem escrever que eu assino... Qualquer coisa! Menos o quarto 101!

— Quarto 101 — disse o soldado.

O rosto do homem, que já era muito pálido, ficou de uma cor que Winston achou que não era possível adquirir. Era, sem dúvidas, inconfundivelmente, de um tom esverdeado.

— Façam qualquer coisa comigo — gritou. — Vocês estão me matando de fome há semanas. Terminem isso, me deixem morrer. Atirem em mim. Me enforquem. Me sentenciem a vinte e cinco anos. Tem mais alguém que vocês queiram que eu delate? Só me digam quem é e eu falo o que vocês quiserem. Tenho esposa e três filhos. O mais velho não tem nem seis anos. Podem pegar todos e cortar a garganta deles na minha frente que eu vou ficar ali assistindo. Mas não me levem para o quarto 101!

— Quarto 101 — disse o soldado.

O homem olhou, num frenesi, para os outros prisioneiros, como se pudesse ter uma ideia que colocaria outra vítima no seu lugar. Seus olhos focaram no rosto esmagado do homem sem queixo. Ele estendeu um braço magro.

— Vocês deveriam levar ele, não eu! — gritou. — Vocês não ouviram o que ele disse depois que o espancaram. Me dê uma chance e eu contarei tudo, cada palavra. *Ele* é contra o Partido, não eu. — Os guardas deram um passo à frente. A voz do homem virou um ganido. — Vocês não ouviram o que ele disse! — ele repetiu. — Aconteceu algo de errado com a teletela. Vocês estão atrás *dele*. Levem ele, não eu!

Os dois guardas robustos se curvaram para levá-lo pelos braços. Mas, justo nesse instante, ele se jogou no chão da cela e agarrou uma das barras de ferro que serviam de apoio ao banco. Ele lançou um uivo sem palavras, como um animal. Os guardas o puxaram para que soltasse, mas ele continuava agarrado àquilo com uma força impressionante. Ficaram talvez vinte segundos puxando-o. Os prisioneiros ficaram sentados parados, com as mãos cruzadas sobre os joelhos, olhando para a frente. O uivo parou; o homem não tinha mais fôlego para nada além de agarrar a barra. Então ouviu-se outro tipo de grito. Com um chute, a bota de um guarda quebrou os dedos de uma das suas mãos. Colocaram-no de pé.

— Quarto 101 — disse o soldado.

O homem foi levado para fora, cambaleante, com a cabeça afundada, cuidando da sua mão esmagada, já sem forças para lutar.

Passou muito tempo. Se fosse meia-noite quando o homem com cara de caveira foi levado embora, agora já seria de manhã; se fosse de manhã, seria à tarde. Winston estava sozinho, e ficou sozinho por horas. A dor de ficar sentado naquele banco estreito era tamanha que ele com frequência se levantava e andava de um lado para o outro, sem ouvir reprovações da teletela. O pedaço de pão ainda estava onde o homem sem queixo o largara. No início, precisara se esforçar para não olhar para ele, mas logo a fome deu espaço para a sede. Sua boca estava grudenta e com um gosto horrendo. O zumbido e a luz branca sem oscilações induziam-no a uma espécie de fraqueza, uma sensação de vazio dentro de sua cabeça. Ele se levantava quando a dor nos ossos ficava insuportável, e então se sentava de novo, quase de imediato, porque estava tonto demais para ficar de pé. Sempre que suas sensações físicas ficavam um pouco sob controle, o terror voltava. Às vezes, numa esperança cada vez menor, pensava em O'Brien e na lâmina. Era viável imaginar que a lâmina chegaria escondida na comida, se em algum momento recebesse comida. Pensava com menos frequência em Julia. Em algum outro lugar, ela passava por um sofrimento talvez maior que o dele. Ela devia estar berrando de dor naquele instante. Ele pensou: *Se eu pudesse salvar Julia, duplicando minha dor, eu faria isso? Sim, eu faria.* Mas essa era uma decisão meramente intelectual, que ele tomava porque sabia que deveria tomá-la. Ele não a sentia de fato. Naquele lugar, não era possível sentir nada além de dor e antecipação da dor. Além disso, era possível, quando o sujeito estava de fato sofrendo, desejar por algum motivo que sua dor aumentasse? Porém, essa pergunta ainda não podia ser respondida.

As botas se aproximaram outra vez. A porta se abriu. O'Brien entrou.

Winston deu um salto e ficou de pé. O choque de vê-lo acabou com qualquer cautela. Pela primeira vez, em muitos anos, ele esqueceu da presença da teletela.

— Pegaram você também! — ele gritou.

— Me pegaram há muito tempo — disse O'Brien, num tom irônico leve, quase arrependido. Ele entrou. Atrás dele apareceu um guarda de peito amplo com um cassetete preto e longo em mãos. — Você sabe disso, Winston — disse O'Brien. — Não se engane. Você sabia disso... você sempre soube.

Sim, agora se dava conta, ele sempre soubera. Mas não tinha tempo para pensar nisso. Seus olhos focavam apenas no cassetete na mão do guarda. Podia atingir qualquer lugar; sua testa, a ponta da orelha, o antebraço, o ombro...

O ombro! Ele caiu de joelhos, quase paralisado, agarrando o ombro com a outra mão. Tudo explodiu numa luz amarela. Inconcebível, era inconcebível que um golpe pudesse causar tanta dor! A luz diminuiu e ele pôde ver os outros dois o olhando de cima. O guarda ria da maneira como ele se contorcia. Uma questão, de qualquer maneira, foi respondida. Nunca, por qualquer motivo na Terra, alguém poderia desejar que a própria dor aumentasse. Pode-se desejar apenas uma coisa quanto à dor: que ela pare. Nada no mundo era tão ruim quanto dor física. Diante da dor, não havia heróis, não havia heróis, ele pensou várias e várias vezes, enquanto agonizava no chão, agarrando inutilmente o seu braço esquerdo inutilizado.

Capítulo 2

Estava deitado em algo que parecia uma cama de acampamento, só que era mais alta e ele estava preso de tal maneira que não conseguia se mover. A luz era mais forte que o normal e atingia o seu rosto. O'Brien estava ao seu lado, olhando para baixo, com determinação. Do outro lado havia um homem de jaleco branco que segurava uma seringa hipodérmica.

Mesmo depois de abrir os olhos, demorou para assimilar seus arredores. Ele teve a impressão de ter entrado nadando naquele quarto, vindo de um mundo muito diferente, uma espécie de mundo subaquático muito mais profundo. Não sabia dizer por quanto tempo estivera inconsciente. Desde o momento que o prenderam, não vira mais escuridão ou luz do dia. Além disso, suas memórias não eram contínuas. Houve momentos em que a consciência, até o tipo de consciência que se tem dormindo, tinha parado por completo e recomeçado depois de uma lacuna. Mas não tinha como saber se as lacunas eram de dias, semanas ou apenas segundos.

O pesadelo começara com aquele primeiro golpe no ombro. Depois, percebeu que tudo que acontecera na sequência era apenas uma preliminar, uma interrogação rotineira à qual quase todos os prisioneiros eram sujeitados. Havia uma vasta gama de crimes — espionagem, sabotagem e coisas do tipo — a qual todos tinham que confessar, como algo óbvio. A confissão era uma formalidade, embora a tortura fosse real. Quantas vezes ele tinha sido espancado, quanto tempo tinha durado cada uma das surras, isso ele não era capaz de lembrar. Sempre havia cinco ou seis homens golpeando-o ao mesmo tempo. Às vezes usavam os punhos, às vezes os cassetetes, às vezes barras de ferro, às vezes botas. Algumas vezes ele rastejou pelo chão, de um modo indigno, como um animal, contorcendo o corpo de várias maneiras, num esforço sem fim e inútil de desviar dos corpos, apenas incentivando que dessem mais chutes, nas costelas, na barriga, nos ombros, nas canelas, na virilha, nos testículos, no osso na base da coluna. Tinha horas que isso prosseguia até que a coisa mais cruel, atroz e imperdoável não fosse, para ele, que os guardas continuassem espancando-o, e sim o fato de ele não conseguir perder a consciência. Tinha horas que perdia tanto os nervos que começava a berrar pedindo misericórdia antes mesmo do começo da surra, só de ver um punho indo para trás para dar um soco ele despejava uma confissão de crimes reais e imaginários. Houve outras vezes que começava decidido a não confessar nada, que precisavam arrancar palavras dele entre arquejos de dor, e houve outras vezes que ele tentava debilmente um meio-termo, quando dizia a si mesmo: "Vou confessar, mas ainda não. Preciso esperar até a dor ficar insuportável. Três chutes a mais, dois chutes a mais, e então falo o que eles quiserem". Às vezes era espancado até mal conseguir ficar de pé, e então jogado como um saco de batatas no chão de pedra da cela, onde aguardavam algumas horas para que ele se recuperasse, e então o espancavam novamente. Também havia períodos mais longos de recuperação. Lembrava-se vagamente deles, porque os passava principalmente dormindo ou em estupor. Lembrava-se de uma cela com uma cama de tábuas, uma espécie de prateleira que saía da parede, e uma pia de latão, e refeições com sopa quente, pão, e às vezes café. Ele se lembrava de um barbeiro carrancudo chegando para raspar seu queixo e aparar seu cabelo, e homens com jeito profissional, nada simpáticos, de jaleco branco, que mediam seus batimentos, testavam seus reflexos, abriam suas pálpebras, passavam seus dedos ásperos em busca de ossos quebrados, e injetavam agulhas no seu braço para que adormecesse.

Os espancamentos foram ficando menos frequentes e se tornaram, acima de tudo, uma ameaça, um horror ao qual ele podia ser enviado de volta a qualquer momento caso suas respostas não fossem satisfatórias. Seus interrogadores agora não eram valentões de uniforme preto, mas intelectuais do Partido, pequenos homens gorduchos de movimentos rápidos e óculos reluzentes, que se alternavam para falar com ele ao longo de períodos que duravam — ele pensou, embora não pudesse ter certeza — dez ou doze horas por vez. Esses outros interrogadores cuidavam para que ele sentisse uma dor leve, mas constante, porém não dependiam principalmente da dor. Davam tapas na cara dele, dobravam suas orelhas, puxavam seu cabelo, faziam-no ficar numa perna só, impediam-no de urinar, jogavam luzes fortes na sua cara até que seus olhos se enchessem d'água;

mas o objetivo era apenas humilhá-lo e destruir seu poder de argumentar e raciocinar. A verdadeira arma deles era o interrogatório sem misericórdia que continuava sem parar, uma hora atrás da outra, e fazia-o se confundir, colocava armadilhas, distorcia tudo o que ele falava, condenava-o a cada mentira ou contradição, até que ele caísse no pranto, tanto de vergonha como de fadiga nervosa. Às vezes ele chorava meia dúzia de vezes numa só sessão. Na maior parte do tempo, gritavam-lhe insultos e ameaçavam entregá-lo de novo aos guardas a cada hesitação; mas, às vezes, mudavam de repente o tom, chamando-o de camarada, apelando em nome do Ingsoc e do Grande Irmão, e perguntavam, lamuriosos, se ainda agora restava a ele lealdade suficiente ao Partido para que ele desejasse desfazer todo o mal que provocara. Quando seus nervos estavam em frangalhos após horas de interrogatório, até esse apelo era capaz de reduzi-lo a choros soluçantes. Ao fim, as vozes insistentes acabavam com ele de maneira mais completa que as botas e os punhos dos guardas. Tornava-se apenas uma boca que falava, uma mão que assinava, seja lá o que pedissem para ele. Sua única preocupação era descobrir o que queriam que ele confessasse, e então confessar rapidamente, antes que a intimidação recomeçasse. Confessou ter assassinado membros eminentes do Partido, distribuído panfletos chamando à insurgência, feito desvio de verba pública, venda de segredos militares, sabotagens de tudo quanto era tipo. Confessou ter sido um espião pago pelo governo da Lestásia desde 1968. Confessou ser religioso, admirar o capitalismo e ser um pervertido sexual. Confessou ter assassinado a esposa, embora soubesse, assim como seus interrogadores deviam saber, que sua esposa ainda estava viva. Confessou que, por anos, teve contato pessoal com Goldstein e tinha sido membro de uma organização clandestina que incluía quase todo ser humano que ele já conhecera. Era mais fácil confessar tudo e delatar todos. Além disso, de certa maneira, era tudo verdade. Era verdade que ele fora um inimigo do Partido, e aos olhos do Partido não havia distinção entre pensamento e ato.

Também tinha lembranças de outro tipo. Saltavam à sua mente de maneira desconexa, como imagens rodeadas pela escuridão.

Estava numa cela que podia ser ou escura ou clara, pois não via nada além de um par de olhos. Ao alcance de sua mão havia um tipo de instrumento que tiquetaqueava de forma lenta e regular. Os olhos cresciam e se tornavam mais luminosos. De repente, flutuou para fora do assento, mergulhou nos olhos e foi engolido.

Estava preso numa cadeira cercado por mostradores, sob luzes ofuscantes. Um homem de jaleco branco lia a informação dos mostradores. Escutou-se um pisotear de botas pesadas do lado de fora. A porta se abriu num som metálico. O soldado de rosto de cera entrou marchando, acompanhado por dois guardas.

— Quarto 101 — disse o soldado.

O homem de jaleco branco não se virou. Ele tampouco olhou para Winston; observava apenas os mostradores.

Ele deslizava por um corredor portentoso, com um quilômetro de largura, preenchido por uma luz dourada e gloriosa, que rugia de gargalhadas e confissões berradas a plenos pulmões. Ele confessava tudo, até as coisas que conseguira preservar sob tortura. Contava a história inteira de sua vida para uma plateia que já a conhecia. Encontravam-se com ele os guardas, os outros interrogadores, os homens de jaleco branco, O'Brien, Julia, o sr. Charrington, todos descendo o corredor juntos, rindo aos gritos. Alguma coisa horrível presa ao futuro tinha, de certo modo, sido pulada e não acontecera. Tudo estava bem, não havia mais dor, o último detalhe de sua vida fora exposto, compreendido, perdoado.

Levantou-se da cama de tábuas com quase certeza de que tinha ouvido a voz de O'Brien. Ao longo de todo seu interrogatório, embora ele nunca o visse, tinha a sensação de que O'Brien estava atrás do seu ombro, fora do campo de visão. Era O'Brien quem dirigia tudo. Foi ele quem mandou os guardas atacarem Winston e quem os impediu de matá-lo. Era ele quem decidia quando Winston deveria gritar de dor, quando deveria ter um descanso, quando deveria ser alimentado, quando deveria dormir, quando as drogas deveriam ser injetadas no seu braço. Era ele quem fazia as perguntas e sugeria as respostas. Ele era o atormentador, ele era o protetor, ele era o inquisidor, ele era o amigo. E uma vez — Winston não conseguia lembrar se tinha sido num sono sob efeito de drogas, ou num sono normal, ou mesmo acordado — uma voz murmurou no seu ouvido:

"Não se preocupe, Winston; você está sob meus cuidados. Observei-o por sete anos. Agora chegou o ponto de virada. Vou salvá-lo, vou torná-lo perfeito". Ele não tinha certeza se era a voz de O'Brien; mas era a mesma voz que dissera a ele: "Nós nos encontraremos no lugar onde não há escuridão", naquele outro sonho que tivera, sete anos antes.

Não se lembrava do fim do interrogatório. Havia um período de escuridão e então a cela, ou o quarto, no qual ele se encontrava agora, se materializava ao seu redor. Ele estava quase na horizontal, incapaz de se mexer. Tinha o corpo preso em todos os pontos essenciais. Até sua nuca estava atada de certa maneira. O'Brien olhava para ele com um jeito sério e um tanto triste. Seu rosto, visto debaixo, parecia grosseiro e gasto, com olheiras e linhas de expressão do nariz ao queixo. Era mais velho do que Winston pensara; tinha, talvez, quarenta e oito ou cinquenta anos. Abaixo de sua mão havia um mostrador com uma alavanca no topo e números ao longo de sua circunferência.

— Falei para você — disse O'Brien — que se nos encontrássemos outra vez, seria aqui.

— Sim — respondeu Winston.

Sem nenhum aviso, exceto um leve movimento da mão de O'Brien, uma onda de dor inundou seu corpo. Era uma dor assustadora, porque ele não conseguia ver o que estava acontecendo, e tinha a sensação de que sofria um ferimento mortal. Não sabia se a coisa estava acontecendo de fato ou se o efeito era produzido eletricamente; mas seu corpo se contorcia até perder a forma, suas juntas eram despedaçadas aos poucos. Ainda que a dor o fizesse suar na testa, o pior de tudo era o medo de que sua coluna se rompesse de repente em um estalo. Trancou os dentes e respirou, ofegante, pelo nariz, tentando se manter em silêncio o máximo possível.

— Você está com medo — disse O'Brien, observando o rosto dele — de que logo algo se parta. O seu medo específico é que será a sua coluna. Você tem uma imagem mental vívida das vértebras se rompendo e o líquido espinal escorrendo delas. É nisso que você está pensando, não é, Winston?

Winston não respondeu. O'Brien reposicionou a alavanca. A onda de dor desapareceu quase tão rapidamente quanto surgiu.

— Isso foi quarenta — disse O'Brien. — Você pode ver que os números vão até cem. Por favor, lembre-se disso, ao longo de nossa conversa, lembre-se de que tenho o poder de infligir dor a qualquer momento, na intensidade que eu desejar. Se você contar alguma mentira ou tentar desviar do assunto de qualquer maneira, ou mesmo ficar abaixo do seu nível comum de inteligência, você irá chorar de dor, instantaneamente. Você compreende isso?

— Sim — respondeu Winston.

A expressão de O'Brien ficou menos severa. Ele reajustou os óculos, pensativo, e então deu um ou dois passos para lá e para cá. Quando tornou a falar, sua voz era gentil e paciente. Tinha o jeito de um médico, de um professor, até de um padre, ansioso para explicar e persuadir em vez de punir.

— Estou me esforçando com você, Winston — ele disse —, porque acho que você vale a pena. Você sabe perfeitamente bem qual é o seu problema. Você sabe há anos, embora lute contra esse conhecimento. Você é mentalmente perturbado. Sofre de uma memória defeituosa. É incapaz de se lembrar de eventos reais e se convence de que se lembra de outros eventos que nunca aconteceram. Por sorte, há uma cura. Você nunca se curou disso porque escolheu não se curar. Havia uma pequena força de vontade que você não estava pronto para ter. Até agora, estou ciente de que você se agarra à sua doença achando que ela é uma virtude. Vamos pegar um exemplo. Neste momento, com que potência a Oceania está em guerra?

— Quando fui preso, a Oceania estava em guerra com a Lestásia.

— Com a Lestásia. Bom. E a Oceania sempre esteve em guerra com a Lestásia, não?

Winston puxou ar. Abriu sua boca para falar, e não falou nada. Não conseguia tirar os olhos do mostrador.

— A verdade, por favor, Winston. A *sua* verdade. Diga-me o que você acha que lembra.

— Eu lembro que até uma semana antes de eu ser preso, não estávamos em guerra com a Lestásia. Éramos aliados deles. A guerra era contra a Eurásia. Isso durou quatro anos. Antes disso...

O'Brien o interrompeu com um movimento de mão.

— Outro exemplo — ele disse. — Alguns anos atrás, você teve um delírio de fato muito sério. Você acreditava que três homens, três pessoas que algum dia foram membros do Partido, chamados Jones, Aaronson e Rutherford (homens executados por traição e sabotagem depois de oferecer a confissão mais completa possível) não eram culpados pelos crimes de que os acusavam. Você acreditava ter visto uma prova documental inconfundível de que as confissões deles eram falsas. Havia uma certa fotografia com a qual você alucinou. Você acreditava que a teve em mãos. Era uma foto mais ou menos como essa.

Um pedaço oblongo de jornal apareceu entre os dedos de O'Brien. Por talvez cinco segundos, ficou no campo de visão de Winston. Era a foto, e não havia dúvidas a respeito de sua identidade. Era *a* fotografia. Era outra cópia da foto de Jones, Aaronson e Rutherford no evento do Partido em Nova York, com a qual ele se deparara onze anos atrás e logo destruíra. Por apenas um instante, ela esteve diante de seus olhos, e então saiu do campo de visão de novo. Mas ele a vira, não tinha dúvidas de que a vira! Fez um esforço desesperado, agonizante, contorcendo-se para liberar a parte de cima do seu corpo. Era impossível mexer um centímetro sequer em qualquer direção. Naquele momento, ele se esqueceu do mostrador. Tudo o que queria era segurar a fotografia nos seus dedos outra vez, ou ao menos vê-la.

— Ela existe! — ele gritou.

— Não — disse O'Brien.

Caminhou até o outro lado da sala. Havia um buraco de memória na parede oposta. O'Brien levantou a grade. Sem ser visto, o frágil pedaço de papel caiu rodopiando na corrente de ar quente; desapareceu numa centelha de chamas. O'Brien se afastou da parede.

— Cinzas — ele disse. — Nem sequer cinzas reconhecíveis. Pó. Não existe. Nunca existiu.

— Mas existe! Existe sim! Existe na memória. Eu me lembro. Você se lembra.

— Eu não me lembro — disse O'Brien.

O coração de Winston despencou. Aquilo era duplipensar. Teve uma sensação mortal de desamparo. Se pudesse ter certeza de que O'Brien mentia, pouco importaria. Mas era perfeitamente possível que O'Brien tivesse realmente esquecido a fotografia. Então, ele já teria esquecido sua negação de se lembrar dela, e esquecido o ato de esquecer. Como poderia ter certeza de que aquilo não era um simples truque? Talvez aquele deslocamento lunático na mente ocorresse de fato; era esse pensamento que o derrotava.

O'Brien olhava para baixo, para ele, especulando. Mais do que nunca, tinha um jeito professoral, de quem se dava ao trabalho de lidar com uma criança promissora, porém travessa.

— Há um slogan do Partido que trata do controle do passado — ele disse. — Repita-o, por favor.

— Quem controla o passado, controla o futuro; quem controla o presente, controla o passado — repetiu Winston, obediente.

— Quem controla o presente, controla o passado — disse O'Brien, assentindo, numa aprovação lenta. — Essa é a sua opinião, Winston? Que o passado realmente existe?

Mais uma vez, baixou em Winston uma sensação de desamparo. Seus olhos foram em direção ao mostrador. Ele não apenas não sabia se "sim" ou "não" era a resposta que o salvaria da dor; ele sequer sabia qual resposta acreditava ser a verdadeira.

O'Brien deu um sorriso fraco.

— Você não é um filósofo da metafísica, Winston — ele disse. — Até agora, você nunca refletiu a respeito do que a existência significa. Vou colocar em palavras mais precisas. O passado existe, concretamente, no espaço? Existe algum lugar, um mundo de objetos sólidos, onde o passado ainda aconteça?

— Não.

— Então onde o passado existe, se é que existe?

— Nos registros. Está escrito.

— Nos registros. E...

— Na mente. Nas memórias humanas.

— Na memória. Muito bom, então. Nós, o Partido, controlamos todos os registros e nós controlamos todas as memórias. Então controlamos o passado, não é?

— Mas como vocês podem impedir as pessoas de se lembrarem das coisas? — gritou Winston, mais uma vez esquecendo por um instante o mostrador. — É algo involuntário. Está fora do controle da pessoa. Como se pode controlar a memória? Você não controlou a minha!

O jeito de O'Brien se tornou severo outra vez. Encostou a mão no mostrador.

— Pelo contrário — ele disse —, *você* não a controlou. Foi isso que o trouxe aqui. Você está aqui porque falhou em ser humilde, em ser autodisciplinado. Não realizou o ato de submissão que é o preço da sanidade. Preferiu ser um lunático, uma minoria de uma só pessoa. Apenas a mente disciplinada pode ver a realidade, Winston. Você acredita que a realidade é objetiva, exterior, que existe por conta própria. Você também crê que a natureza da realidade é evidente por si só. Quando você se ilude pensando que está vendo algo, você supõe que todo mundo vê a mesma coisa que você. Mas estou dizendo, Winston, a realidade não é exterior. A realidade existe na mente humana, e em nenhum outro lugar. Não na mente individual, que pode cometer erros, e de qualquer maneira, logo perece: só na mente do Partido, que é coletiva e imortal. Seja lá o que for que o Partido considera a verdade, é a verdade. É impossível ver a realidade sem ser pelos olhos do Partido. Esse é o fato que você precisa reaprender, Winston. E, para isso, necessita de um ato de autodestruição, uma força de vontade. Você precisa se humilhar antes de se tornar são outra vez.

Ele parou por alguns instantes, como se quisesse dar um tempo para que Winston entendesse o que fora dito.

— Você se lembra — prosseguiu — de escrever no seu diário, "Liberdade é a liberdade de dizer que dois mais dois são quatro"?

— Sim — disse Winston.

O'Brien ergueu a mão esquerda, com as costas viradas para Winston, escondendo o dedão e estendendo quatro dedos.

— Quantos dedos tem aqui, Winston?

— Quatro.

— E se o partido disser que não são quatro, mas cinco... então, quantos?

— Quatro.

A palavra acabou de ser dita num arquejo de dor. O ponteiro do mostrador disparou até o número 55. O suor brotou por todo o corpo de Winston. O ar entrou rasgando pelos seus pulmões e foi devolvido em grunhidos profundos que ele não conseguia conter nem apertando os dentes. O'Brien o observou, os quatro dedos ainda estendidos. Puxou de volta a alavanca. Dessa vez, a dor só foi um pouco atenuada.

— Quantos dedos, Winston?

— Quatro.

O ponteiro subiu até sessenta.

— Quantos dedos, Winston?

— Quatro! Quatro! O que mais posso dizer? Quatro!

O ponteiro deve ter subido outra vez, mas ele não olhou. O rosto severo e pesado e os quatro dedos preenchiam sua visão. Os dedos estavam diante de seus olhos como pilares, enormes, borrados, parecendo vibrar, mas não havia dúvida de que eram quatro.

— Quantos dedos, Winston?

— Quatro! Pare, pare! Como pode insistir nisso? Quatro! Quatro!

— Quantos dedos, Winston?

— Cinco! Cinco! Cinco!

— Não, Winston, isso não serve para nada. Você está mentindo. Você ainda acha que são quatro. Quantos dedos, por favor?

— Quatro! Cinco! Quatro! Quantos você quiser. Só pare, acabe com a dor!

Abruptamente, estava sentado com o braço de O'Brien ao redor de seus ombros. Ele talvez tenha perdido a consciência por alguns segundos. Afrouxaram as amarras que prendiam seu corpo. Sentiu muito frio, tremia de maneira descontrolada, seus dentes batiam, lágrimas rolavam pelas bochechas. Por um instante, agarrou-se a O'Brien como um bebê, curiosamente reconfortado por aquele braço pesado ao redor dos ombros. Teve a sensação de que O'Brien era seu protetor, de que a dor era algo que vinha de fora, de outra fonte, e que seria O'Brien quem o salvaria dela.

— Você aprende devagar, Winston — disse O'Brien, gentilmente.

— O que posso fazer? — ele respondeu, chorando. — Como posso deixar de ver o que está diante dos meus olhos? Dois mais dois são quatro.

— Às vezes, Winston. Às vezes são cinco. Às vezes são três. Às vezes são todas essas opções ao mesmo tempo. Você precisa se esforçar mais. Não é fácil ficar são.

Ele deitou Winston na cama. Seus membros voltaram a ser atados com firmeza, mas a dor tinha sumido e a tremedeira parado, deixando-o apenas fraco e com frio. O'Brien fez um gesto com a cabeça para o homem de jaleco branco, que ficou imóvel durante todo o procedimento. O homem de jaleco branco se inclinou e analisou de perto os olhos de Winston, mediu seus batimentos, colocou o ouvido contra o peito dele, bateu aqui e ali, e assentiu com a cabeça para O'Brien.

— Outra vez — disse O'Brien.

A dor fluiu pelo corpo de Winston. O ponteiro devia estar em setenta, setenta e cinco. Ele fechou os olhos dessa vez. Sabia que os dedos ainda estavam lá e ainda eram quatro. Tudo o que importava era, de certo modo, continuar vivo até que o espasmo acabasse. Ele deixou de notar se gritava ou não. A dor se atenuou de novo. Abriu os olhos. O'Brien tinha puxado de volta a alavanca.

— Quantos dedos, Winston?

— Quatro. Suponho que são quatro. Eu veria cinco se pudesse. Estou tentando ver cinco.

— O que você deseja: me convencer de que você enxerga cinco, ou enxergar de fato?

— Enxergar de fato.

— Outra vez — disse O'Brien.

Talvez o ponteiro tenha ido a oitenta... noventa. Winston às vezes não conseguia se lembrar por que sentia dor. Atrás das suas pálpebras cerradas, uma floresta de dedos parecia se mover numa espécie de dança, entrelaçando-se e desentrelaçando-se, desaparecendo um atrás do outro e depois reaparecendo. Ele tentava contá-los sem se lembrar do porquê. Sabia apenas que era impossível contá-los e isso se devia à identidade misteriosa entre cinco e quatro. A dor arrefeceu outra vez. Quando abriu os olhos, descobriu que ainda via a mesma coisa. Dedos incontáveis, como árvores em movimento, ainda fluíam em ambas as direções, entrecruzando-se. Fechou de novo os olhos.

— Quantos dedos tem aqui, Winston?

— Não sei. Não sei. Você vai me matar se repetir isso. Quatro, cinco, seis... estou sendo honesto, não sei mesmo.

— Melhor assim — disse O'Brien.

Uma agulha foi inserida no braço de Winston. Quase ao mesmo tempo, ele sentiu um calor prazeroso, que curava, espalhar-se por todo o seu corpo. A dor já fora semiesquecida. Abriu os olhos e olhou agradecido para O'Brien. Ao avistar aquele rosto pesado, bem alinhado, tão feio e tão inteligente, seu coração pareceu se renovar. Se ele pudesse se mexer, teria estendido uma mão e a apoiado no braço de O'Brien. Ele nunca o amara tão profundamente quanto naquele instante, e não apenas porque ele interrompera a dor. Tinha retornado àquela velha sensação, de que no fundo não importava se O'Brien era amigo ou inimigo. O'Brien era a pessoa com quem ele podia conversar. Talvez as pessoas não quisessem ser amadas, mas sim compreendidas. O'Brien o torturara, deixando-o à beira da loucura e, em pouco tempo, com certeza, ele o enviaria à morte. Pouco importava. Em certo sentido, aquilo era mais profundo do que uma amizade. Era intimidade: em algum lugar ou outro, embora as palavras nunca fossem ditas de fato, havia um local onde podiam se encontrar e conversar. O'Brien o olhava de cima com uma expressão que sugeria ter o mesmo pensamento em sua mente. Quando voltou a falar, foi num tom tranquilo de conversa.

— Você sabe onde está, Winston? — ele disse.

— Não sei. Posso imaginar. No Ministério do Amor.

— Você sabe há quanto tempo está aqui?

— Não sei. Dias, semanas, meses... acho que já faz meses.

— E por que você imagina que trazemos as pessoas a este lugar?

— Para que confessem.

— Não, não é esse o motivo. Tente outra vez.

— Para puni-las.

— Não! — exclamou O'Brien. Sua voz mudou de maneira extraordinária, e seu rosto de repente se tornou ao mesmo tempo severo e entusiasmado. — Não! Não queremos somente extrair sua confissão, nem punir você. Preciso dizer o motivo por que trouxemos você aqui? Para curá-lo! Para que fique são! Consegue entender, Winston, que nenhuma pessoa que trazemos para cá sai sem ser curada? Não estamos interessados nesses crimes estúpidos que você cometeu. O Partido não está interessado no ato feito abertamente; só nos preocupamos com o pensamento. Não apenas destruímos nossos inimigos, nós os mudamos. Você compreende o que quero dizer com isso?

Ele estava curvado sobre Winston. Seu rosto parecia enorme por causa da proximidade, e de uma feiura tenebrosa porque era visto de baixo. Além disso, estava preenchido por uma espécie de exaltação, de intensidade lunática. Mais uma vez, o coração de Winston murchou. Se fosse possível, afundaria mais ainda na cama. Tinha a certeza de que O'Brien estava prestes a mexer na alavanca, de maneira gratuita. Naquele instante, porém, O'Brien se afastou. Deu um ou dois passos. Então prosseguiu, com menos veemência.

— A primeira coisa que você precisa entender é que neste lugar não há mártires. Você leu a respeito das perseguições religiosas do passado. Na Idade Média, houve a Inquisição. Foi um fracasso. O objetivo era erradicar a heresia, mas acabou perpetuando-a. Para cada herege que queimavam na fogueira, surgiam outros milhares. E por quê? Porque a Inquisição matava seus inimigos para todos verem, e os matava sem que eles se arrependessem: na verdade, matava-os porque não se arrependiam. Homens morriam porque não abandonavam suas verdadeiras crenças. Naturalmente, toda a glória pertencia à vítima, e toda a vergonha ao Inquisidor que a queimava. Mais tarde, no século XX, houve os totalitários, como eram chamados. Os nazistas alemães e os comunistas russos. Os russos perseguiam a heresia de maneira mais cruel do que a Inquisição. E pensaram ter aprendido com os erros do passado; sabiam, de qualquer maneira, que não se devia criar mártires. Antes de exporem suas vítimas ao julgamento público, propositalmente destruíam a sua dignidade. Exauriam-nos com tortura e solidão até que virassem trastes desprezíveis, desgraçados, confessando seja lá o que colocassem na sua boca, e eles próprios se cobriam de abusos, acusando e escondendo-se um atrás do outro, pedindo misericórdia aos gemidos. No entanto, depois de uns poucos anos, a mesma coisa voltou a acontecer. Os mortos tinham se tornado mártires e sua degradação tinha sido esquecida. Mais uma vez, por quê? Em primeiro lugar, porque as confissões que fizeram eram obviamente extorquidas e falsas. Não cometemos erros desse tipo. Todas as confissões feitas aqui são verdadeiras. Nós as tornamos verdadeiras. E acima de tudo, não permitimos que os mortos se voltem contra nós. Você deve parar de imaginar que a posteridade irá absolvê-lo. Nunca ouvirão falar de você na posteridade. Você será apagado por completo do fluxo da história. Vamos transformá-lo em gás e lançá-lo na estratosfera. Não vai permanecer nada de você, nem um nome num registro, nem uma memória num cérebro vivo. Você será aniquilado no passado, assim como no futuro. Você nunca terá existido.

Então por que se dar ao trabalho de me torturar?, pensou Winston, num momento de amargor. O'Brien interrompeu o passo, como se Winston tivesse pensado em voz alta. Seu rosto grande e feio se aproximou, os olhos um pouco mais espremidos.

— Você está pensando — ele disse — que, como pretendemos destruí-lo por completo, de modo que nada que você diga ou faça signifique alguma coisa, então, nesse caso, por que se dar ao trabalho de interrogá-lo antes? É isso que você estava pensando, não?

— Sim — respondeu Winston.

O'Brien sorriu de canto.

— Você é uma falha no padrão, Winston. Você é uma mancha que precisa ser limpa. Não acabei de contar que somos diferentes dos perseguidores do passado? Não ficamos contentes com uma obediência negativa, nem mesmo com a submissão mais abjeta. Quando você finalmente se render a nós, deve ser por livre vontade. Não destruímos o herege porque ele resiste a nós: enquanto ele resistir, nunca o destruiremos. Nós o convertemos, nós capturamos sua mente interior, nós o moldamos. Queimamos todo o mal e toda a ilusão de dentro dele; nós o trazemos para o nosso lado, não só na aparência, mas de maneira genuína, de coração e alma. Nós o tornamos um de nós antes de matá-lo. É intolerável para nós que um pensamento errôneo exista em algum lugar do mundo, por mais secreto e impotente que seja. Até no instante da morte, não podemos permitir qualquer desvio. Antigamente, o herege levado à fogueira ainda era um herege, proclamava sua heresia, a exultava. Até a vítima dos expurgos russos levava a rebelião presa em seu crânio enquanto atravessava o corredor esperando a bala atingi-lo. Mas nós deixamos o cérebro perfeito antes de explodi-lo. A ordem dos velhos déspotas era: "Você não deve". A ordem dos totalitários era "Você deve". Nossa ordem é "*Você é*". Ninguém que trazemos para cá fica contra nós. Todos são lavados por completo. Até aqueles traidores miseráveis em cuja inocência você algum dia acreditou (Jones, Aaronson e Rutherford), ao final, nós os fizemos ceder. Eu mesmo participei do interrogatório. Eu os vi se exaurirem, gemerem, rastejarem, chorarem, e ao final, não era com dor ou medo, apenas com penitência. Quando terminamos, só sobrava a casca dos homens que eram. Não restava nada deles, exceto remorso pelo que tinham cometido e amor pelo Grande Irmão. Era tocante ver como eles o amavam. Imploraram para ser fuzilados o quanto antes, para que pudessem morrer enquanto suas mentes ainda estavam limpas.

Sua voz tornara-se quase sonhadora. A exaltação, o entusiasmo lunático ainda estava em seu rosto. Ele não está fingindo, pensou Winston, não é um hipócrita, acredita em cada palavra que fala. O que mais o oprimia era a consciência de sua própria inferioridade intelectual. Ele observou aquela figura pesada, e ainda assim graciosa, que perambulava para lá e para cá, entrando e saindo do seu campo de visão. O'Brien era um ser maior do que ele, em todos os sentidos. Não havia uma ideia que ele tivera ou poderia ter que O'Brien já não tivesse tido muito tempo antes, que já não examinara e rejeitara. Sua mente *continha* a mente de Winston. Mas, nesse caso, como poderia ser verdade que O'Brien estava louco? Devia ser ele, Winston, quem estava louco. O'Brien parou e olhou de cima para ele. Sua voz se tornou severa outra vez.

— Não pense que você se salvará, Winston, por mais que você se renda a nós. Ninguém que algum dia se desgarrou é poupado. E ainda que decidamos deixá-lo viver pelo tempo natural de sua vida, ainda assim, você nunca escaparia de nós. O que acontece aqui com você dura para sempre. Compreenda isso de antemão. Iremos esmagá-lo de tal maneira que não haverá retorno. Acontecerão coisas com você das quais você nunca se recuperará, nem se viver mil anos. Você nunca mais será capaz de ter um sentimento humano comum. Tudo estará morto dentro de você. Nunca mais será capaz de vivenciar o amor, a amizade ou a alegria de viver, de rir, ter curiosidade, coragem ou integridade. Você ficará oco. Espremeremos você até esvaziá-lo, e então o preencheremos com nós mesmos.

Ele parou e fez um sinal para o homem de jaleco branco. Winston estava ciente de que empurravam um aparato pesado atrás da sua cabeça. O'Brien sentou-se ao lado da cama de maneira que seu rosto estava quase na mesma altura do de Winston.

— Três mil — disse, falando por cima da cabeça de Winston para o homem de jaleco branco.

Duas almofadas macias, que pareciam úmidas, se prenderam às têmporas de Winston. Ele estremeceu. Tinha uma dor a caminho, um novo tipo de dor. O'Brien colocou sua mão junto à dele, de maneira reconfortante, quase bondosa.

— Dessa vez não vai doer — ele disse. — Mantenha seus olhos fixos aos meus.

Naquele instante, houve uma explosão devastadora, ou o que pareceu ser uma explosão, embora não fosse possível ter certeza de que ocorrera algum barulho. Não tinha dúvidas de que um flash de luz ofuscante fora disparado. Winston não sentiu dor, só prostração. Embora já estivesse deitado quando isso ocorreu, teve a sensação curiosa de ter sido derrubado naquela posição. Um golpe aterrorizante e indolor o esmagara. Alguma coisa também aconteceu dentro da cabeça dele. Quando seus olhos recuperaram o foco, ele se lembrou de quem era e onde estava, e reconheceu o rosto que encarava o dele; mas em algum outro lugar havia um grande trecho vazio, como se tivessem tirado um pedaço do seu cérebro.

— Não vai demorar — disse O'Brien. — Olhe nos meus olhos. Com que país a Oceania está em guerra?

Winston pensou. Ele sabia o que Oceania queria dizer, e que ele era um cidadão da Oceania. Ele também se lembrava da Eurásia e da Lestásia; mas não sabia quem estava em guerra com quem. Na verdade, não estava ciente de nenhuma guerra.

— Não lembro.

— A Oceania está em guerra com a Lestásia. Você se lembra disso agora?

— Sim.

— A Oceania sempre esteve em guerra com a Lestásia. Desde o começo de sua vida, desde o começo do Partido, desde o começo da história, a guerra foi contínua, sem trégua, sempre a mesma guerra. Você se lembra disso?

— Sim.

— Onze anos atrás você criou uma lenda a respeito de três homens que foram condenados à morte por traição. Você fingiu ter visto um pedaço de papel que provava que eles eram inocentes. Esse papel jamais existiu. Você o inventou, e depois passou a acreditar na existência dele. Você se lembra agora do momento em que o inventou. Lembra disso?

— Sim.

— Agora há pouco, levantei meus dedos da mão para você. Você viu cinco dedos. Você se lembra disso?

— Sim.

O'Brien ergueu os dedos da mão esquerda, o dedão escondido.

— Tem cinco dedos aqui. Você enxerga cinco dedos?

— Sim.

E ele os viu, por um instante passageiro, antes de o cenário de sua mente mudar. Ele viu cinco dedos, sem nenhuma deformidade. E então tudo voltou ao normal, e o velho medo, o ódio e a exasperação voltaram à toda. Mas houve um momento — ele não sabe quanto tempo durou, talvez trinta segundos — de certeza luminosa, em que cada nova sugestão de O'Brien preenchia uma lacuna e se tornava a verdade absoluta, e quando dois mais dois podiam muito bem ser três ou cinco, se fosse necessário. Essa certeza desaparecera antes de O'Brien baixar a mão, e embora não pudesse recapturá-la, ele podia se lembrar dela da mesma maneira que uma pessoa se lembra de uma experiência vivida num certo período da vida, quando se era, de fato, uma pessoa diferente.

— Agora você enxerga — disse O'Brien — que isso é possível, de qualquer maneira.

— Sim — disse Winston.

O'Brien levantou-se, satisfeito. À sua esquerda, Winston viu o homem de jaleco branco quebrar uma ampola e puxar o êmbolo de uma seringa. O'Brien virou-se para Winston com um sorriso. Num maneirismo quase antiquado, ele reposicionou os óculos no nariz.

— Você se lembra de escrever no seu diário — ele disse — que não importava se eu era um amigo ou inimigo, já que era ao menos uma pessoa que o compreendia e com quem você podia conversar? Você tinha razão. Gosto de falar com você. Sua mente me atrai. Ela faz lembrar a minha própria mente, exceto pelo fato de que você é louco. Mas antes de encerrarmos a sessão, você pode me fazer algumas perguntas, se quiser.

— Qualquer pergunta?

— Qualquer uma. — Ele viu que os olhos de Winston estavam no mostrador. — Está desligado. Qual é a sua primeira pergunta?

— O que vocês fizeram com Julia? — perguntou Winston.

O'Brien sorriu outra vez.

— Ela o traiu, Winston. De imediato... e sem reservas. Raras vezes vi alguém tão disposta a mudar de lado. Você mal a reconheceria se a visse. Toda a rebelião dela, aquela perspicácia, a loucura, a mente suja, tudo parecia ter sido lavado dela. Foi uma conversão perfeita, um caso digno de aparecer no manual.

— Vocês a torturaram?

O'Brien não respondeu isso.

— Próxima pergunta — ele disse.

— O Grande Irmão existe?

— Claro que existe. O Partido existe. O Grande Irmão é a personificação do Partido.

— Ele existe da mesma maneira como eu existo?

— Você não existe — respondeu O'Brien.

Mais uma vez Winston foi assolado por uma sensação de desamparo. Ele sabia, ou podia imaginar, os argumentos que provavam a sua não existência; no entanto, eram besteira pura, apenas um jogo de palavras. A frase "você não existe" não continha em si um absurdo lógico? Mas do que adiantava dizer isso? Sua mente definhava ao pensar nos argumentos loucos e impossíveis com os quais O'Brien o demoliria.

— Acho que eu existo — ele disse, cansado. — Estou consciente de minha própria identidade. Nasci e vou morrer. Tenho braços e pernas. Ocupo um lugar específico no espaço. Nenhum outro objeto sólido pode ocupar o mesmo ponto ao mesmo tempo. Nesse sentido, o Grande Irmão existe?

— Isso não importa. Ele existe.

— O Grande Irmão vai morrer algum dia?

— Claro que não. Como poderia morrer? Próxima pergunta.

— A Irmandade existe?

— Isso, Winston, você nunca vai saber. Se decidirmos libertá-lo quando terminarmos aqui, e se você viver até os noventa anos, ainda não saberá se a resposta a essa pergunta é sim ou não. Enquanto você estiver vivo, esse será um enigma impossível de resolver na sua mente.

Winston ficou em silêncio. Seu peito inflou e desinflou um pouco mais rápido. Ele ainda não tinha feito a pergunta que foi a primeira a aparecer na sua cabeça. Ele precisava perguntar e, no entanto, sua língua não era capaz de pronunciá-la. Havia um traço de divertimento no rosto de O'Brien. Até seus óculos pareciam ganhar um brilho irônico. Ele sabe, pensou Winston, de repente, ele sabe o que eu vou perguntar! Ao pensar isso, as palavras saíram da boca dele:

— O que tem no Quarto 101?

A expressão no rosto de O'Brien não mudou. Ele respondeu, seco:

— Você sabe o que tem no Quarto 101, Winston. Todo mundo sabe o que tem no Quarto 101.

Ele ergueu um dedo para o homem de jaleco branco. Ficou claro que a sessão tinha chegado ao fim. Uma agulha foi enfiada no braço de Winston. Ele mergulhou quase no mesmo instante num sono profundo.

Capítulo 3

— A sua reintegração tem três estágios — disse O'Brien. — O aprendizado, a compreensão e a aceitação. Chegou a hora de entrar no segundo estágio.

Como sempre, Winston estava deitado de costas. Mas, nas últimas vezes, as ataduras estavam mais frouxas. Ainda estava preso à cama, mas podia mexer um pouco os joelhos e virar sua cabeça de um lado para o outro, e erguer os braços a partir dos cotovelos. O mostrador também deixou de ser tão aterrorizante. Ele era capaz de evitar os picos de dor se tivesse a mente rápida o bastante: era principalmente quando demonstrava estupidez que O'Brien empurrava a alavanca. Às vezes, passavam por uma sessão inteira sem usar o aparato. Ele não conseguia se lembrar de quantas sessões tiveram. O processo inteiro parecia se espraiar por um período longo, indefinido — semanas, talvez — e os intervalos entre as sessões às vezes eram de dias, outras vezes apenas de uma ou duas horas.

— Enquanto esteve aí deitado — disse O'Brien —, você muitas vezes se questionou, e até me perguntou, por que o Ministério do Amor gasta tanto tempo e trabalho com você. E quando você estava livre, a mesma pergunta o intrigava. Você conseguia compreender a mecânica da Sociedade em que vivia, mas não os motivos subjacentes. Você se lembra de escrever no diário, "Eu compreendo *como*: não entendo o *porquê*"? Era ao pensar no "porquê" que você questionava a sua própria sanidade. Você leu *o livro*, o livro de Goldstein, ou partes, pelo menos. Ele informou algo que você ainda não sabia?

— Você o leu? — perguntou Winston.

— Eu escrevi o livro. Quer dizer, colaborei na escrita. Nenhum livro é produzido individualmente, como você sabe.

— É verdade o que o livro diz?

— Como descrição, sim. O programa que ele delineia é besteira pura. A acumulação secreta de conhecimento, uma expansão gradual da sabedoria, culminando numa rebelião proletária, a derrubada do Partido. Você mesmo tinha previsto que o livro diria isso. Pura bobagem. Os proletários nunca se revoltarão, nem em mil ou em um milhão de anos. Não podem. Não preciso nem dizer o motivo; você já sabe. Se você algum dia nutriu sonhos de uma insurreição violenta, deve abandoná-los. Não há maneira de derrubar o Partido. O domínio do Partido durará para sempre. Esse deve ser o ponto de partida dos seus pensamentos.

Ele se aproximou da cama.

— Para sempre! — repetiu. — E agora, vamos voltar à questão do "como" e do "porquê". Você compreende bem *como* o Partido se mantém no poder. Agora me diga *por que* nos agarramos ao poder. Qual é nossa motivação. Por que desejamos poder? Vamos em frente, fale — ele acrescentou, quando Winston permaneceu em silêncio.

Não obstante, Winston não falou nada por um tempo. Uma sensação de cansaço o dominara. O brilho sutil e louco de entusiasmo tinha voltado ao rosto de O'Brien. Ele sabia de antemão o que O'Brien diria: que o Partido não buscava o poder para os seus próprios fins, mas apenas pelo bem da maioria; que buscava poder porque os homens das massas eram criaturas frágeis e covardes que não suportariam a liberdade ou não encarariam a verdade, e precisavam ser governadas e sistematicamente enganadas por outros mais fortes; que a escolha para a humanidade estava entre a liberdade e a alegria e que, para a grande massa da humanidade, a alegria era melhor; que o partido era o guardião eterno dos fracos, uma seita dedicada que praticava o mal para que o bem vencesse, sacrificando sua própria felicidade em nome dos outros. O terrível, pensou Winston, o terrível era que quando O'Brien dissesse isso, de fato acreditaria. Dava para ver no rosto dele. O'Brien sabia tudo. Mil vezes melhor do que Winston, ele sabia como o mundo era de verdade, a degradação na qual as massas viviam e por meio de quais mentiras e barbaridades o Partido os mantinha nessa posição. Ele compreendeu tudo, sopesou tudo, e não fazia a menor diferença: tudo era justificado pela finalidade última. O que se pode fazer, pensou Winston, contra o lunático que é mais inteligente do que você, um lunático que ouve com atenção seus argumentos e apenas persiste na própria loucura?

— Vocês nos dominam pelo nosso próprio bem — ele disse, débil. — Vocês acreditam que os seres humanos não estão aptos para se governarem, portanto...

Ele tomou um susto e quase soltou um grito. Uma dor excruciante disparou por seu corpo. O'Brien tinha empurrado a alavanca até o número trinta e cinco no mostrador.

— Isso foi idiota, Winston, idiota! — ele disse. — Você já deveria saber que não se diz uma coisa dessas.

Ele puxou de volta a alavanca e continuou:

— Agora vou contar a resposta à minha pergunta. É assim. O Partido busca o poder apenas por si só. Não estamos interessados no bem dos outros; só o poder nos interessa. Não é riqueza, luxo, vida longa ou felicidade: apenas poder, puro poder. Você vai entender agora o que o puro poder significa. Somos diferentes de todas as oligarquias do passado, no sentido de que sabemos o que estamos fazendo. Todas as outras, até aquelas parecidas conosco, eram covardes e hipócritas. Os nazistas alemães e os comunistas russos se aproximaram bastante de nós nos seus métodos, mas nunca tiveram a coragem de reconhecer os próprios motivos. Fingiam, talvez até acreditassem, que tinham tomado o poder contra a própria vontade e por um tempo limitado, e que logo ali haveria um paraíso onde os seres humanos seriam livres e viveriam em igualdade. Não somos assim. Sabemos que ninguém toma o poder com a intenção de acabar com ele. O poder não é um meio, é um fim em si. Não se estabelece uma ditadura para proteger uma revolução; a revolução é feita para estabelecer a ditadura. O objetivo da perseguição é a perseguição. O objetivo da tortura é a tortura. O objetivo do poder é o poder. Agora você começou a entender?

Winston ficou impactado, como ficara antes, pelo cansaço que o rosto de O'Brien demonstrava. Era um rosto forte, carnudo e brutal, pleno de inteligência e de uma espécie de paixão controlada diante da qual se sentia desamparado;

mas estava cansado. Tinha olheiras, a pele murcha caindo das bochechas. O'Brien se inclinou sobre ele, de propósito, aproximando seu rosto gasto.

— Você está pensando — ele disse — que o meu rosto é velho e cansado. Você está pensando que falo de poder e, no entanto, não sou sequer capaz de impedir a decadência do meu próprio corpo. Você não entende, Winston, que o indivíduo é apenas uma célula? Que a exaustão da célula é o vigor do organismo? Você morre quando corta as unhas?

Ele se afastou da cama e começou a perambular para cima e para baixo, com uma mão no bolso.

— Nós somos os sacerdotes do poder — ele disse. — Deus é poder. Mas, no momento, para você, poder é apenas uma palavra. Chegou a hora de você ter um pouco de noção do que significa poder. A primeira coisa que você precisa compreender é que o poder é coletivo. O indivíduo só tem poder na medida em que deixa de ser um indivíduo. Você conhece o slogan do Partido, "Liberdade é Escravidão". Já pensou que isso é reversível? Escravidão é liberdade. Sozinho, livre, o ser humano sempre será derrotado. E assim deve ser, porque todo ser humano está condenado a morrer, que é o maior fracasso de todos. Mas se puder fazer uma submissão completa e total, se conseguir escapar de sua identidade, se conseguir se fundir ao Partido de tal maneira que ele *seja* o Partido, então vai se tornar todo poderoso e imortal. A segunda coisa que você precisa perceber é que o poder é o poder sobre seres humanos. Sobre o corpo, mas, acima de tudo, sobre a mente. Poder sobre a matéria (realidade externa, como você chamaria) não importa. O nosso controle sobre a matéria já é absoluto.

Por um instante, Winston ignorou o mostrador. Fez um esforço violento para se sentar, e só conseguiu contorcer dolorosamente o corpo.

— Mas como se pode controlar a matéria? — ele disse numa explosão. — Você não controla nem o clima, nem a lei da gravidade. E existem doenças, dor, morte...

O'Brien o silenciou com um gesto da mão.

— Nós controlamos a matéria porque controlamos a mente. A realidade está dentro de nosso crânio. Você aprenderá isso aos poucos, Winston. Não há nada que não possamos fazer. Invisibilidade, levitação... qualquer coisa. Eu poderia sair flutuando pela porta como uma bolha de sabão, se quisesse. Mas eu não quero, *porque* o Partido não quer. Você precisa se livrar dessas ideias do século XIX sobre as leis da Natureza. Nós fazemos as leis da Natureza.

— Mas vocês não fazem! Vocês nem sequer são donos deste planeta. E a Eurásia e a Lestásia? Vocês ainda não as conquistaram.

— Isso não importa. Vamos conquistá-las quando for melhor para nós. E se não conquistarmos, que diferença faria? Podemos fazer com que deixem de existir. A Oceania é o mundo.

— Mas o mundo em si é apenas um grão de poeira. E o homem é minúsculo, desamparado! Há quanto tempo existe? A Terra foi inabitada por milhões de anos.

— Bobagem. A Terra é tão antiga quanto nós, não é mais velha que isso. Como poderia ser mais antiga? Nada existe exceto através da consciência humana.

— Mas as pedras estão cheias de ossos de animais extintos, mamutes e mastodontes e répteis enormes que viveram aqui muito antes de se ouvir falar do homem.

— Você já viu esses ossos, Winston? Claro que não. Biólogos do século XIX os inventaram. Antes do homem não havia nada. Depois do homem, se ele chegar a um fim, não haverá nada. Não existe nada fora do homem.

— Mas todo o universo está fora de nós. Veja as estrelas! Algumas se encontram a milhões de anos-luz de distância. Sempre estarão fora do nosso alcance.

— O que são as estrelas? — disse O'Brien, indiferente. — São pedaços de fogo a alguns quilômetros de distância. Poderíamos alcançá-las se quiséssemos. Ou poderíamos apagá-las. A Terra é o centro do universo. O sol e as estrelas giram em torno dela.

Winston fez outro movimento convulsivo. Dessa vez, ele não disse nada. O'Brien continuou, como se respondesse a uma objeção verbal:

— Para algumas finalidades, é claro, isso não é verdade. Quando navegamos pelo oceano, ou quando prevemos um eclipse, muitas vezes achamos conveniente presumir que a Terra gira ao redor do Sol e que as estrelas estão a milhões e milhões de quilômetros de distância. Mas e daí? Você acha que está além de nós produzir um sistema dual de astronomia? As estrelas podem estar próximas ou distantes, de acordo com o que precisarmos. Você supõe que nossos matemáticos não são capazes disso? Esqueceu do duplipensar?

Winston voltou a se encolher na cama. Seja lá o que ele falasse, a resposta rápida que recebia o esmagava como um porrete. E, ainda assim, ele sabia, ele *sabia* que estava certo. A crença de que nada existia fora de sua mente — com certeza devia ter como provar que isso era falso, não? Isso não fora exposto como uma falácia muito tempo antes? Havia até um nome para isso, que ele esqueceu. Um sorriso leve tremelicou no canto da boca de O'Brien enquanto olhava do alto para Winston.

— Eu falei, Winston — ele disse — que metafísica não era o seu ponto forte. A palavra em que você está tentando pensar é solipsismo. Mas você está enganado. Isso não é solipsismo. Solipsismo coletivo, se preferir. Mas isso é algo diferente: na verdade, é o oposto. Tudo isso é uma digressão — ele acrescentou, num tom diferente. — O verdadeiro poder, o poder pelo qual temos que lutar dia e noite, não é o poder sobre as coisas, mas sobre os homens. — Ele parou e, por um instante, recobrou o jeito de um professor de escola questionando seu pupilo promissor: — Como um homem afirma seu poder sobre outro, Winston?

Winston refletiu.

— Fazendo o outro sofrer — disse.

— Exato. Fazendo com que sofra. A obediência não é o bastante. Se um sujeito não estiver sofrendo, como podemos ter certeza de que está obedecendo a vontade do outro, e não a própria? O poder está em infligir dor e humilhação. O poder está em despedaçar mentes humanas e juntar os pedaços outra vez em novas formas que você escolher. Você começa a ver, então, que espécie de mundo estamos criando? É o exato oposto das utopias hedonistas idiotas que os antigos reformadores imaginaram. Um mundo de medo, traição e tormento, um mundo de atropelar e ser atropelado, um mundo que fica não menos, mas *mais* sem misericórdia, ao passo que vai se refinando. O progresso, em nosso mundo, será o progresso na direção de mais dor. As civilizações antigas afirmavam ser fundadas no amor ou na justiça. A nossa é fundada no ódio. Em nosso mundo não haverá emoções, além de ódio, raiva, triunfo e a autocomiseração. Destruiremos todo o resto, tudo. Já rompemos os padrões de pensamento que sobreviveram de um período anterior à Revolução. Cortamos os laços entre pais e filhos, entre um homem e outro, e entre um homem e uma mulher. Ninguém ousa confiar mais numa esposa, num filho ou num amigo. Porém, no futuro, não haverá mais esposas nem amigos. Os filhos serão tirados das mães no nascimento, como se tiram ovos de uma galinha. O instinto sexual será erradicado. A procriação será uma formalidade anual como a renovação do cartão de racionamento. Vamos abolir o orgasmo. Nossos neurologistas estão trabalhando nisso agora. Não haverá lealdade, exceto a lealdade com o Partido. Não haverá amor, exceto o amor pelo Grande Irmão. Não haverá riso, exceto o riso de triunfo sobre um inimigo derrotado. Não haverá arte, literatura ou ciência. Quando formos onipotentes, não precisaremos mais de ciência. Não haverá distinção entre beleza e feiura. Não haverá curiosidade, nenhum prazer no processo da vida. Todos os prazeres rivais serão destruídos. Mas sempre (não esqueça disso, Winston), sempre haverá a embriaguez do poder, aumentando de maneira constante e se tornando cada vez mais sutil. Sempre, a todo instante, haverá o entusiasmo da vitória, a sensação de passar por cima de um inimigo desamparado. Se você quer uma imagem do futuro, imagine uma bota pisando em um rosto humano... para sempre.

Ele parou como se esperasse Winston falar. Winston tentou se encolher na superfície da cama de novo. Não conseguia dizer nada. Seu coração parecia ter congelado. O'Brien prosseguiu:

— E lembre-se de que dura para sempre. O rosto sempre estará lá para ser pisoteado. O herege, o inimigo da sociedade, sempre estará lá, para que possa ser derrotado e humilhado mais uma vez. Tudo pelo que você passou desde que está em nossas mãos, tudo isso continuará, e vai ficar pior. A espionagem, as traições, as prisões, as torturas, as execuções, os desaparecimentos, isso nunca vai cessar. Será tanto um mundo de terror quanto um mundo de triunfo. Quanto mais poderoso for o Partido, menos tolerante será: quanto mais fraca a oposição, mais severo o despotismo. Goldstein e suas heresias vão viver para sempre. Todos os dias, a todo momento, eles serão derrotados, desacreditados, ridicularizados, cuspidos, e ainda assim, sempre sobreviverão. O teatro que encenei com você ao longo de sete anos será reencenado uma geração após a outra, sempre de maneiras mais sutis. Sempre teremos o herege aqui, em nossa mercê, gritando de dor, despedaçado, de dar pena, e no final, penitente por completo, salvo de si, rastejando aos nossos pés por sua própria vontade. Esse é o mundo que estamos preparando, Winston. Um mundo de vitória atrás de vitória, triunfo atrás de triunfo atrás de triunfo: uma sucessão sem fim de pressão, pressão no nervo do poder. Vejo que você começa a se dar conta de como será o mundo. Mas, ao final, mais do que entender, você aceitará, dará as boas-vindas, se tornará parte dele.

Winston se recuperou o suficiente para falar.

— Vocês não podem! — ele disse, fraco.

— O que você quis dizer com esse comentário, Winston?

— Vocês não podem criar um mundo como esse que acabou de descrever. É um sonho. É impossível.

— Por quê?

— Porque é impossível fundar uma civilização com base no medo, no ódio e na crueldade. Nunca vai durar.

— Por que não?

— Não teria vitalidade. Desintegraria. Cometeria suicídio.

— Bobagem. Você acha que o ódio é mais exaustivo do que o amor. Por que seria? E mesmo se fosse, que diferença faria? Vamos supor que escolhemos nos cansar mais rápido. Vamos supor que aceleramos o ritmo da vida humana de tal modo que o homem fique senil aos trinta. Ainda assim, que diferença faria? Você não entende que a morte do indivíduo não é a morte? O Partido é imortal.

Como de costume, a voz esmurrou Winston, deixando-o desamparado. Além disso, sentia o pavor de que, se persistisse discordando de O'Brien, ele faria o mostrador girar de novo. E, ainda assim, não conseguiu ficar quieto. Fragilizado, sem argumentos, sem nada para apoiá-lo além de seu horror não articulado em relação ao que O'Brien dissera, tornou a atacar.

— Não sei; não me importo. De alguma maneira, vocês vão fracassar. Algo vai derrotar vocês. A vida vai derrotar vocês.

— Nós controlamos a vida, Winston, em todos os níveis. Você imagina que existe esse algo chamado natureza humana que ficará ultrajada com o que fazemos e se voltará contra nós. Mas nós criamos a natureza humana. Os homens são infinitamente maleáveis. Ou talvez você tenha voltado para a sua velha ideia de que os proletários ou os escravizados se levantarão e nos derrotarão. Tire isso da cabeça. Estão perdidos, são como os animais. A humanidade é o Partido. Os outros estão do lado de fora, são irrelevantes.

— Não me importa. No final, vão derrotar vocês. Cedo ou tarde, verão vocês pelo que vocês são, e então irão despedaçá-los.

— Você enxerga alguma evidência de que isso está acontecendo? Ou algum motivo pelo qual deveria acontecer?

— Não. Eu acredito nisso. Eu *sei* que vocês vão fracassar. Tem algo no universo... não sei, algum espírito, algum princípio... que vocês nunca dominarão.

— Você acredita em Deus, Winston?

— Não.

— Então que princípio é esse que vai nos derrotar?

— Não sei. O espírito do homem.

— E você se considera um homem?

— Sim.

— Se você é um homem, Winston, você é o último homem. Sua espécie está extinta; nós somos os herdeiros. Você compreende que está *sozinho*? Você está fora da história, você não existe. — Seu jeito mudou e ele disse, de maneira mais dura: — E você se considera moralmente superior a nós, com nossas mentiras e nossa crueldade?

— Sim, eu me considero superior.

O'Brien não disse nada. Duas outras vozes falavam algo. Depois de um instante, Winston reconheceu uma delas como sendo sua. Era uma gravação da conversa que tivera com O'Brien na noite em que se alistou na Irmandade. Escutou a si mesmo prometendo mentir, roubar, falsificar, assassinar, encorajar o uso de drogas e prostituição, disseminar doenças venéreas, jogar ácido no rosto de uma criança. O'Brien fez um pequeno gesto impaciente, como se quisesse dizer que nem valia a pena fazer aquela demonstração. Então, desligou um interruptor e as vozes pararam.

— Levante-se dessa cama — ele disse.

As ataduras se afrouxaram. Winston pisou no chão e ficou de pé, desequilibrado.

— Você é o último homem — disse O'Brien. — Você é o guardião do espírito humano. Você se enxergará como você é. Tire a roupa.

Winston soltou o pedaço de barbante que prendia seu macacão. O zíper tinha sido arrancado havia um bom tempo. Ele não conseguia lembrar se, em algum momento desde que fora preso, tinham tirado todas as suas roupas. Por baixo do macacão, seu corpo estava coberto com farrapos amarelados e sujos, que mal se podia reconhecer como sendo resquícios de suas roupas de baixo. Ao tirá-las, ele notou que havia um espelho de três faces no canto do quarto. Ele se aproximou e então parou de repente. Um grito involuntário saiu de dentro dele.

— Vá em frente — disse O'Brien. — Fique entre as laterais do espelho. Assim você terá uma visão lateral também.

Ele tinha parado pois sentira medo. Uma coisa que parecia um esqueleto, toda curvada e acinzentada, vinha na sua direção. A aparência daquilo era aterrorizante, e não apenas pelo fato de que ele sabia ser aquela pessoa. Aproximou-se do vidro. O rosto da criatura parecia protuberante por causa da sua postura torta. Um rosto desamparado, de pássaro enjaulado, com uma testa elegante que levava a um escalpo careca, o nariz quebrado e bochechas que pareciam surradas. Acima delas, seus olhos eram ferozes e observadores. As bochechas tinham rugas, e a boca, uma aparência retraída. Com certeza era o seu rosto, mas parecia ter mudado mais do que ele mudara por dentro. As emoções que registrava seriam diferentes das emoções que sentia. Ele tinha ficado parcialmente calvo. Em um primeiro momento, ele achou que tinha ficado grisalho também, mas era apenas seu escalpo que era cinzento. Tirando suas mãos e um círculo no seu rosto, seu corpo estava todo cinza, com uma sujeira antiga, entranhada. Aqui e ali, por baixo da sujeira, havia cicatrizes vermelhas dos ferimentos, e perto do tornozelo, a úlcera varicosa tinha virado uma massa inflamada com pedaços de pele que descascavam dela. Mas o mais assustador de tudo era como seu corpo se tornara magro. O barril que formavam as costelas estava tão estreito quanto o de um esqueleto; as pernas murcharam de tal modo que seus joelhos eram mais grossos que suas coxas. Agora ele entendia o que O'Brien quisera dizer com visão lateral. A curvatura da sua coluna era impressionante. Seus ombros descarnados estavam tão curvos para a frente que pareciam formar uma cavidade no peito. O pescoço magricela parecia se dobrar com o peso do crânio. Se tivesse que apostar, diria que aquele corpo era de um homem de sessenta anos que sofria uma doença maligna.

— Você pensou algumas vezes — disse O'Brien — que o meu rosto, o rosto de um membro do Partido Interno, parece velho e gasto. O que acha do seu próprio rosto?

Ele pegou Winston pelo ombro e girou-o de modo que Winston agora o encarava.

— Olhe a condição em que você está! — disse. — Olhe essa imundície que cobre todo o seu corpo. Olhe a sujeira entre os dedos dos pés. Olhe essa inflamação nojenta na sua perna. Você sabia que está fedendo mais que um bode? Mais provável que você tenha deixado de notar. Olhe essa magreza. Está vendo? Posso arrodear seu bíceps com meu dedão e meu dedo indicador. Seria capaz de quebrar seu pescoço como uma cenoura. Sabia que você perdeu vinte e cinco quilos desde que está em nossas mãos? Está perdendo cabelo aos chumaços. Olhe! — Puxou a cabeça de Winston, arrancando um tufo. — Abra a boca. Sobraram nove, dez, onze dentes. Quantos você tinha quando chegou? E os poucos que restaram estão caindo. Olhe isso aqui!

Ele segurou, com seus poderosos polegar e indicador, um dos dentes da frente de Winston que ainda permaneciam lá. Uma fisgada de dor disparou pela mandíbula de Winston. O'Brien tinha arrancado o dente pela raiz. Jogou-o para o outro lado da cela.

— Você está apodrecendo — ele disse. — Está caindo aos pedaços. O que você é? Um saco de podridão. Agora vire e se olhe outra vez no espelho. Está vendo essa coisa encarando você? Esse é o último homem. Se você é humano, isso é a humanidade. Agora, vista-se de novo.

Winston começou a se vestir com movimentos lentos e duros. Até então, não tinha notado como estava magro e fraco. Só passava um pensamento pela sua cabeça: que ele devia estar naquele lugar havia mais tempo do que imaginava. Então, de repente, ao fixar aqueles farrapos ao redor de si, foi tomado por uma sensação de pena por seu corpo arruinado. Antes de se dar conta do que estava fazendo, ele desabou num pequeno banco ao lado da cama e caiu em pranto. Estava ciente da sua feiura, da sua falta de graça, de que ele era um amontoado de ossos em roupas imundas sentado chorando sob a cruel luz branca: mas não conseguia se conter. O'Brien pôs a mão em seu ombro, quase gentil.

— Não vai durar para sempre — ele disse. — Pode escapar quando quiser. Tudo depende de você.

— Você conseguiu! — soluçou Winston. — Você me reduziu a esse estado.

— Não, Winston, você mesmo se reduziu a isso. Isso é o que você aceitou quando decidiu se voltar contra o Partido. Tudo estava contido já no primeiro ato. Não aconteceu nada que você não previa.

Ele parou e então prosseguiu:

— Nós derrotamos você, Winston. Quebramos você. Você viu como é seu corpo. Sua mente está no mesmo estado. Acho que não resta muito orgulho dentro de você. Você foi chutado, chicoteado e insultado, você gritou de dor, rolou no chão no seu próprio sangue e vômito. Você pediu misericórdia aos gemidos, traiu tudo e todos. Consegue pensar em alguma degradação que ainda não tenha acometido você?

Winston parou de soluçar, ainda que lágrimas continuassem a escorrer dos seus olhos. Ele encarou O'Brien.

— Não traí Julia — ele disse.

O'Brien olhou para ele, pensativo.

— Não — ele disse —; não; isso é verdade absoluta. Você não traiu Julia.

A veneração peculiar que tinha por O'Brien, que nada parecia capaz de destruir, inundou mais uma vez o coração de Winston. Que inteligente, pensou, que inteligente! Nunca O'Brien deixava de entender o que lhe diziam. Qualquer outra pessoa na Terra provavelmente responderia de cara que ele tinha, *sim*, traído Julia. Afinal, o que não tinham arrancado dele na tortura? Ele dissera tudo a respeito dela, os hábitos, o caráter, a vida pregressa; ele confessara, nos detalhes mais triviais, tudo o que acontecera nos seus encontros, tudo o que ele dissera a ela e vice-versa, as refeições do mercado clandestino, os adultérios, os planos vagos contra o Partido... tudo. E, ainda assim, no sentido que usava para a palavra, ele não a traíra. Ele não deixara de amá-la; seus sentimentos em relação a ela permaneceram os mesmos. O'Brien entendeu o que ele queria dizer, sem precisar de maiores explicações.

— Diga-me — ele disse —, falta quanto tempo para me executarem?

— Pode demorar bastante — respondeu O'Brien. — Você é um caso difícil. Mas não perca a esperança. Todos são curados mais cedo ou mais tarde. Ao final, nós o executaremos.

Capítulo 4

Ele estava muito melhor. Ficava mais gordo e forte todos os dias, se é que era possível falar em dias.

A luz branca e o zunido eram sempre iguais, mas a cela se mostrou um pouco mais confortável do que as outras. Tinha um colchão e um travesseiro na cama de tábuas, e um banco onde se sentar. Permitiram-lhe tomar um banho e deixavam que ele se lavasse com razoável frequência numa tina de latão. Deram novas roupas de baixo e um macacão limpo. Cobriram sua úlcera varicosa com uma pomada que a aliviava. Arrancaram os restos dos seus dentes e deram uma nova dentadura para ele.

Devem ter se passado semanas ou meses. Seria possível contar a passagem do tempo agora, se ele tivesse algum interesse nisso, pois era alimentado no que pareciam ser intervalos regulares. Ele achava que recebia três refeições dentro de vinte e quatro horas; às vezes ele se perguntava, de leve, se quando recebia a comida era dia ou noite. A comida era surpreendentemente boa, e tinha carne uma vez a cada três refeições. Uma vez recebeu até um maço de cigarros. Não tinha fósforos, mas o guarda que nunca falava, o que trazia sua comida, oferecia-lhe fogo. Ficou enjoado na primeira vez que tentou fumar, mas perseverou e fez o maço durar, fumando meio cigarro após cada refeição.

Deram-lhe uma folha em branco com um pedaço de lápis amarrado no canto. De início, ele não usou o material.

Até quando estava acordado, o torpor era completo. Muitas vezes ele ficava deitado no período entre uma refeição e outra, quase sem se mexer, às vezes dormindo, às vezes desperto, em devaneios vagos, e não se dava ao trabalho de abrir os olhos. Ele tinha se acostumado havia tempos a dormir com uma luz forte na cara. Parecia não fazer a menor diferença, exceto que os sonhos eram mais coerentes. Ele sonhava bastante nesse período, sempre sonhos felizes. Estava na Terra Dourada, sentado entre ruínas gloriosas banhadas pelo sol com sua mãe, com Julia, com O'Brien — sem fazer nada, apenas sentado ao sol, falando coisas tranquilas. Quando estava desperto, passava boa parte do tempo pensando nos sonhos. Parecia ter perdido a capacidade de fazer um esforço intelectual agora que o estímulo de dor fora removido. Não se entediava, não tinha vontade de conversar ou buscar distrações. Apenas ficar a sós, não ser espancado ou interrogado, ter comida o suficiente, estar limpo, isso já era completamente satisfatório.

Aos poucos passou a dormir menos, mas ainda não sentia um impulso para sair da cama. Só queria deitar quieto e sentir o corpo recobrar a força. Ele se apalpava aqui e ali, para ter certeza de que não era uma ilusão, seus músculos de fato ficavam mais redondos e sua pele mais rígida. Enfim, não teve dúvida de que engordava; agora suas coxas eram com certeza mais grossas do que seus joelhos. Então, depois de relutar de início, começou a se exercitar com regularidade. Em pouco tempo era capaz de caminhar três quilômetros, medidos ao percorrer a cela, e seus ombros tortos começaram a se endireitar. Tentou realizar exercícios mais elaborados e ficou chocado e humilhado ao descobrir o que não conseguia fazer. Não conseguia acelerar o passo, nem segurar o banco com o braço estendido, nem parar de pé com uma perna só. Ao agachar-se descobriu que só conseguia se levantar sentindo uma dor agonizante nas coxas e panturrilhas. Deitou de bruços e tentou erguer o próprio peso com as mãos. Era inútil, ele não levantava nem um centímetro. Mas poucos dias depois — algumas refeições depois — até isso ele conseguiu. Chegou uma hora que conseguiu fazer seis vezes seguidas. Começou a ficar orgulhoso do próprio corpo, e a curtir uma crença intermitente de que seu rosto também voltava ao normal. Era só quando por acaso passava a mão pela cabeça careca que ele se lembrava do rosto arruinado e cheio de rugas que olhara de volta para ele do espelho.

Sua mente se tornou mais ativa. Sentou-se na cama de tábuas, as costas contra a parede e a folha nos joelhos e começou a trabalhar deliberadamente para se reeducar.

Ele havia capitulado, com isso concordava. Na verdade, da maneira como enxergava a situação agora, estava pronto para render-se muito antes de ter tomado essa decisão. Desde que ele adentrara o Ministério do Amor — e sim, até durante aqueles minutos em que ele e Julia estavam parados, indefesos, enquanto a voz de ferro da teletela os ordenava o que fazer —, tinha compreendido a frivolidade, o vazio da sua tentativa de enfrentar o poder do Partido. Agora ele sabia que a Polícia do Pensar o observara por sete anos, como se ele fosse um besouro debaixo de uma lupa. Não houve um ato físico, uma palavra dita em voz alta, que eles não tivessem percebido, nenhuma linha de pensamento que não tivessem sido capazes de inferir. Até aquele grão de poeira branca na capa do seu diário eles tinham substituído cuidadosamente. Tocaram gravações para ele, mostraram fotografias. Algumas eram fotos de Julia e dele. Sim, até... Ele não podia lutar mais contra o Partido. Além disso, o Partido estava certo. Devia estar; como poderia o cérebro imortal e coletivo estar errado? Por qual padrão externo era possível conferir suas opiniões? A sanidade era algo estatístico. Era apenas questão de aprender a pensar como eles pensavam. Apenas...!

O lápis parecia grosso e esquisito nos seus dedos. Começou a escrever os pensamentos que vinham à sua cabeça. Escreveu em letras de forma grandes e desajeitadas:

LIBERDADE É ESCRAVIDÃO

E então, quase sem interromper, escreveu abaixo:

DOIS MAIS DOIS SÃO CINCO

Mas então, veio uma espécie de pausa. Sua mente, como se buscasse desviar de algo, parecia incapaz de se concentrar. Ele sabia que ele sabia o que vinha a seguir, mas por um instante, não conseguiu se recordar. Quando enfim lembrou, foi só por um raciocínio consciente do que deveria ser; não veio por conta própria. Ele escreveu:

Ele aceitava tudo. O passado era alterável. O passado nunca tinha sido alterado. A Oceania estava em guerra com a Lestásia. A Oceania sempre estivera em guerra com a Lestásia. Jones, Aaronson e Rutherford eram culpados pelos crimes de que os acusavam. Ele nunca tinha visto a foto que provava a inocência deles. A foto nunca existira, ele a inventara. Lembrava-se de lembrar coisas contrárias, mas essas memórias eram falsas, frutos de um autoengano. Como tudo era fácil! Bastava se render e todo o resto vinha a seguir. Era como nadar contra uma correnteza que arrasta a pessoa para trás por mais que ela lute, e então decidir se virar e seguir a correnteza em vez de se opor a ela. Nada mudava, exceto a sua própria atitude: a coisa predestinada aconteceria de qualquer maneira. Ele quase não sabia mais por que algum dia se rebelara. Tudo era fácil, exceto...!

Tudo poderia ser verdade. As assim chamadas leis da natureza eram besteira. A lei da gravidade era besteira. “Se eu quisesse”, O’Brien tinha dito, “poderia sair flutuando do chão como uma bolha de sabão”. Winston resolveu a questão. “Se ele *pensa* que saiu flutuando do chão, e eu ao mesmo tempo *penso* que vejo ele fazendo isso, então a coisa acontece.” De repente, como um destroço submerso que rompe a superfície da água, o pensamento explodiu em sua mente: “Não acontece de fato. Nós imaginamos. É uma alucinação”. Afastou o pensamento no mesmo instante. A falácia era óbvia. Trazia a presunção de que em algum lugar, fora da própria pessoa, havia um mundo "real" onde coisas "reais" aconteciam. Mas como poderia existir tal mundo? Que conhecimento temos de algo, sem ser por meio da nossa própria mente? Tudo acontece dentro da mente. Tudo o que acontece dentro de todas as mentes acontece de fato.

Não teve dificuldade em se livrar da falácia, e não corria risco de sucumbir a ela. Percebeu, não obstante, que nunca deveria ter pensado nela. A mente deveria desenvolver um ponto cego sempre que um pensamento perigoso surgisse. O processo deveria ser automático, instintivo. CRIMEPARAR, como chamavam em novilíngua.

Ele passou a se exercitar em crimeparar. Apresentou afirmações para si — "O Partido diz que a terra é plana", "o Partido diz que o gelo é mais pesado que a água" — e se treinou em não ver ou não compreender os argumentos que as contradiziam. Não foi fácil. Era necessário um poder forte de raciocínio e improvisação. Os problemas aritméticos que surgiam, por exemplo, de uma declaração como "dois mais dois são cinco" iam além da sua capacidade intelectual. Também era necessária uma espécie de atletismo da mente, uma capacidade de num momento fazer um uso delicado da lógica, e no instante seguinte estar inconsciente dos erros lógicos mais grotescos. A estupidez era tão necessária quanto a inteligência, e igualmente difícil de alcançar.

O tempo todo, como se fosse parte de sua mente, ele se perguntava quanto tempo faltava para que atirassem nele. "Tudo depende de você", O'Brien tinha dito; mas ele sabia que não tinha nenhum ato consciente que podia fazer para adiantar aquilo. Podia ser em dez minutos ou em dez anos. Poderiam mantê-lo na solitária por anos, poderiam enviá-lo a um campo de trabalho, poderiam libertá-lo por um tempo, como às vezes faziam. Era perfeitamente possível que antes que atirassem nele, reencenariam todo o teatro de prisão e interrogatório. A única coisa certa era que a morte nunca viria no momento esperado. A tradição — a tradição não dita, mas que de certa maneira era conhecida, mesmo sem ninguém falar — era que atiravam no sujeito quando estivesse de costas; sempre na nuca, sem aviso, enquanto ele caminhava pelo corredor, indo de uma cela a outra.

Um dia — mas "um dia" não era a expressão certa; era igualmente provável que fosse no meio da noite — ele caiu num devaneio estranho e prazeroso. Ele descia pelo corredor, esperando a bala. Sabia que viria a qualquer momento. Tudo tinha se acertado, ajeitado, reconciliado. Não restavam mais dúvidas, discussões, não havia mais dor, não havia mais medo. Seu corpo estava saudável e forte. Andava com facilidade, com alegria de se mover, a sensação de caminhar à luz do sol. Não estava mais nos corredores brancos e estreitos do Ministério do Amor, mas numa passagem enorme banhada pelo sol, de um quilômetro de largura, pela qual caminhava no delírio induzido pelas drogas. Estava na Terra Dourada, seguindo os passos no velho pasto comido por coelhos. Podia sentir a grama curta sob seus pés e o brilho suave do sol no rosto. À margem do campo estavam os olmos, sacudindo de leve, e em algum lugar mais adiante estava o córrego onde os peixinhos nadavam em lagos verdes sob os salgueiros.

De repente, ele deu um salto de susto, sentindo um choque de terror. Suor brotou em suas costas. Escutou a si mesmo gritando bem alto:

— Julia! Julia! Julia, meu amor! Julia!

Por um instante, tinha sido dominado por uma alucinação de que ela estava presente. Parecia não apenas estar com ele, mas dentro dele. Era como se ela tivesse entrado na textura de sua pele. Naquele momento, ele a amara muito mais do que quando estavam juntos e eram livres. Também sabia que em algum outro lugar, ela ainda estava viva e precisava de sua ajuda.

Voltou a se deitar na cama e tentou se recompor. O que tinha feito? Quantos anos acrescentara à sua pena por um instante de fraqueza?

Logo ouviria o pisotear das botas do lado de fora. Não podiam deixar uma explosão daquelas ficar sem punição. Agora eles ficariam sabendo, se já não sabiam antes, que ele rompia o acordo que fizera. Ele obedecia ao Partido, mas ainda odiava o Partido. Antes, tinha escondido uma mente herege por baixo de uma aparência de conformidade. Agora, ele dava um passo a mais para trás: havia rendido sua mente, mas tinha a esperança de manter seu coração imaculado. Sabia que estava errado, mas preferia estar errado. Eles entenderiam isso — O'Brien entenderia isso. Tudo fora confessado naquele único grito idiota.

Teria que recomeçar do zero. Poderia levar anos. Passou a mão pelo rosto, tentando se familiarizar com sua nova forma. Tinha vincos profundos nas bochechas, seus ossos pareciam afiados, o nariz achatado. Além disso, desde que se vira pela última vez no espelho, recebera uma dentadura nova completa. Não era fácil permanecer inescrutável quando não se sabia qual era a aparência do próprio rosto. De qualquer maneira, apenas o controle de suas expressões não era suficiente. Pela primeira vez, percebeu que quando se quer guardar um segredo, é preciso escondê-lo também de si mesmo. É preciso saber o tempo todo que ele está ali, mas, até que seja necessário, nunca se deve deixá-lo emergir na consciência de forma que o segredo receba um nome. De agora em diante, ele devia não apenas pensar direito; precisava sentir direito, sonhar direito. E durante todo esse tempo precisaria manter seu ódio preso dentro de si como uma bola de matéria que é parte dele e, ao mesmo tempo, está desconectada do resto dele, uma espécie de cisto.

Um dia, decidiriam atirar nele. Não se pode descobrir quando isso vai acontecer, mas, poucos segundos antes, deve ser possível adivinhar. Sempre atiram pelas costas, num corredor. Dez segundos seria o bastante. Nesse tempo, seu mundo interior poderia aparecer. E então, de repente, sem proferir uma palavra, sem interromper o passo, sem mudar uma linha de expressão no rosto... de repente, a camuflagem cairia e *bum*! Lá iriam as baterias do ódio. O ódio o preencheria como uma chama abrasadora. E quase no mesmo instante, *bum!* faria a bala, tarde ou cedo demais. Teriam explodido seu cérebro em pedacinhos antes que pudessem recuperá-lo. O pensamento herege ficaria sem punição, sem arrependimento, para sempre fora do alcance deles. Teriam explodido um buraco na sua própria perfeição. Morrer odiando-os, isso era liberdade.

Fechou os olhos. Era mais difícil do que aceitar uma disciplina intelectual. A questão era se degradar, se mutilar. Precisava dar um mergulho na mais imunda das sujeiras. O que era a coisa mais horrível e nauseante de todas? Pensou no Grande Irmão. Aquele rosto enorme (por vê-lo com frequência nos pôsteres, sempre pensou nele como tendo um metro de largura), com seu bigode preto pesado e aqueles olhos que o seguiam para lá e para cá, parecia flutuar na sua mente por conta própria. Quais eram seus verdadeiros sentimentos em relação ao Grande Irmão?

Escutou um pisotear forte de botas no corredor. A porta de aço se abriu com o barulho de metal. O'Brien entrou na cela. Atrás dele estava o soldado de rosto de cera e os guardas de uniforme preto.

— Levante-se — disse O'Brien. — Venha cá.

Winston ficou diante dele. O'Brien pegou os ombros de Winston com suas mãos fortes e o encarou de perto.

— Você pensou em me enganar — ele disse. — Isso foi idiota. Endireite-se. Olhe para mim.

Ele parou e continuou num tom mais suave:

— Você está melhorando. Intelectualmente, tem pouquíssima coisa errada com você. Mas emocionalmente você não progrediu. Diga-me, Winston... e lembre-se, nada de mentiras: você sabe que sempre sei detectar uma mentira... diga-me, quais são seus verdadeiros sentimentos em relação ao Grande Irmão?

— Eu o odeio.

— Você o odeia. Bom. Então chegou a hora de dar o último passo. Você precisa amar o Grande Irmão. Não basta obedecê-lo: você precisa amá-lo.

Ele soltou Winston, dando um pequeno empurrãozinho nele em direção aos guardas.

— Quarto 101 — disse.

Capítulo 5

A cada etapa do seu aprisionamento, ele soube, parecia saber, onde estava naquele prédio sem janelas. Possivelmente havia pequenas diferenças na pressão do ar. As celas onde os guardas o espancaram ficavam no subsolo. O quarto onde foi interrogado por O'Brien ficava perto do terraço. Esse lugar ficava a muitos metros abaixo da terra, o mais profundo que era possível ir.

Era maior do que a maioria das celas onde ele estivera. Mas quase não percebia seus arredores. Tudo o que notava é que havia duas mesas pequenas logo à sua frente, as duas forradas com feltro verde. Uma estava apenas a um ou dois metros de distância dele, a outra um pouco mais longe, perto da porta. Ele estava atado a uma cadeira, preso com tanta força que não mexia nada além da cabeça. Uma espécie de almofada segurava sua cabeça por trás, forçando-o a olhar para frente.

Por um momento, ficou a sós, e então a porta se abriu e O'Brien entrou.

— Você me perguntou uma vez — disse O'Brien — o que tinha no Quarto 101. Eu disse que você já sabia a resposta. Todo mundo sabe. No Quarto 101 está a pior coisa do mundo.

A porta se abriu outra vez. Um guarda entrou, carregando algo feito de arame, uma caixa ou cesto. Largou aquilo na mesa mais distante. Por causa da posição de O'Brien, Winston não podia enxergar o que era.

— A pior coisa do mundo — disse O'Brien — varia de um indivíduo a outro. Pode ser morrer queimado ou afogado, ser enterrado vivo, ser empalado, ou cinquenta outros tipos de morte. Em alguns casos é algo muito trivial, nem mesmo fatal.

Ele se inclinou um pouco para o lado, então Winston teve uma visão melhor do objeto na mesa. Era uma jaula de arame com uma alça para transporte. Fixada, frente a ela, havia algo que parecia uma máscara de esgrima, com o lado côncavo para fora. Embora estivesse a três ou quatro metros de distância, ele podia ver que a jaula estava dividida em dois compartimentos e que havia uma espécie de criatura em cada um. Eram ratos.

— No seu caso — disse O'Brien —, a pior coisa no mundo são ratos.

Uma espécie de tremor premonitório, um medo indefinido, percorreu Winston assim que ele teve o primeiro vislumbre da jaula. Mas, naquele instante, compreendeu de súbito o significado daquele anexo em forma de máscara. Suas vísceras pareciam ter virado água.

— Você não pode fazer isso! — ele gritou, numa voz aguda e trêmula. — Não pode, não pode! Impossível.

— Você se lembra — disse O'Brien — do momento de pânico que costumava aparecer nos seus sonhos? Havia uma parede de escuridão na sua frente, um rugido nos ouvidos. Tinha algo terrível do outro lado da parede. Você sabia que você sabia o que era, mas não ousava trazer à tona. Eram ratos do outro lado da parede.

— O'Brien! — disse Winston, fazendo força para controlar a voz. — Você sabe que isso não é necessário. O que você quer que eu faça?

O'Brien não deu uma resposta direta. Quando voltou a falar, foi no tom professoral que às vezes adotava. Olhou pensativo para longe, como se estivesse se dirigindo a uma plateia atrás de Winston.

— Por si só — ele disse —, a dor nem sempre é o bastante. Há ocasiões em que um ser humano suportará a dor até a ponto de morrer. Mas para todos há algo insuportável, algo que não pode sequer ser contemplado. Não envolve coragem ou covardia. Se você estiver caindo de uma grande altura, não é covarde se agarrar numa corda. Se você estiver emergindo das profundezas da água, não é covarde encher os pulmões de ar. É apenas um instinto que não pode ser destruído. Acontece a mesma coisa com os ratos. Para você, são insuportáveis. São uma forma de pressão que você não consegue aguentar, mesmo se quiser. Você vai fazer o que exigem de você.

— Mas o que é isso, o que é isso? Como posso fazer algo que não sei o que é?

O'Brien pegou a jaula e a colocou na mesa mais próxima. Depositou-a com cuidado no feltro. Winston podia ouvir o sangue cantarolar nos seus ouvidos. Tinha a sensação de estar sentado em meio à solidão absoluta. Encontrava-se no meio de uma grande planície vazia, um deserto inundado de sol, e todos os sons chegavam até ele vindos de uma distância imensa. Porém a jaula com ratos estava a menos de dois metros dele. Eram ratos enormes. Estavam na idade em que seus focinhos ficam ferozes e incisivos, os pelos marrons em vez de cinza.

— O rato — disse O'Brien, ainda se dirigindo a uma plateia invisível —, apesar de ser um roedor, é carnívoro. Você está ciente disso. Você ouviu falar das coisas que acontecem nos bairros pobres da cidade. Em algumas ruas, as mulheres não deixam seus bebês sozinhos em casa nem por cinco minutos. Os ratos com certeza os atacariam. Dentro de pouco tempo, deixam apenas os ossos. Também atacam pessoas doentes ou moribundas. Demonstram uma inteligência impressionante em saber quando um ser humano está desamparado.

Houve uma algazarra de guinchos vindos da jaula. Pareciam alcançar Winston de longe. Os ratos brigavam, tentando atingir um ao outro através do compartimento. Ele também ouviu um grunhido profundo de desespero. Isso também parecia vir de fora dele.

O'Brien pegou a jaula e, ao fazer isso, apertou algo nela. Houve um clique nítido. Winston fez um esforço frenético para tentar se soltar da cadeira. Era inútil; todas as partes dele, até a sua cabeça, estavam imóveis. O'Brien aproximou a jaula. Estava a menos de um metro do rosto de Winston.

— Apertei a primeira alavanca — disse O'Brien. — Você sabe como essa jaula é construída. A máscara encaixará na sua cabeça, e não deixará nenhuma saída. Quando eu apertar essa outra alavanca, a porta da jaula vai subir. Esses bichos esfomeados vão disparar como balas. Já viu um rato saltar no ar? Vão saltar no seu rosto e cair direto nele. Às vezes, atacam primeiro os olhos. Às vezes, perfuram as bochechas e devoram a língua.

A jaula estava mais próxima; chegava perto dele. Winston ouviu uma sucessão de guinchos agudos que pareciam estar no ar acima da sua cabeça. Mas ele lutou furiosamente contra o pânico. Pensar, pensar, mesmo faltando uma fração de segundo — pensar era sua única esperança. De repente, o odor pútrido e mofado dos bichos atingiu seu nariz. Houve uma grande convulsão de náusea dentro dele, fazendo-o quase perder a consciência. Tudo ficou preto. Por um instante, virou um animal insano que gritava. No entanto, saiu da escuridão agarrado a uma ideia. Havia apenas um jeito de se salvar. Precisava colocar outro ser humano, o *corpo* de outro ser humano, entre ele e os ratos.

A circunferência da máscara era grande o bastante para cobrir a visão de qualquer outra coisa. A porta de arame ficava a poucos palmos de seu rosto. Os ratos sabiam o que estava a caminho. Um deles saltava para cima e para baixo, e o outro cheio de escamas, um avô do esgoto, se levantou, com suas mãozinhas rosa contra as barras, e farejou o ar, feroz. Winston via os bigodes do rato e seus dentes amarelos. Mais uma vez foi tomado pelo pânico sombrio. Estava cego, indefeso, incapaz de raciocinar.

— Era uma punição comum na China Imperial — disse O'Brien, didático como sempre.

A máscara se aproximava de seu rosto. O arame arranhou sua bochecha. E então — não, não era um alívio, apenas uma esperança, um fragmento de esperança. Tarde demais, talvez fosse tarde demais. Mas de repente ele entendeu que no mundo todo só havia *uma* pessoa a quem poderia transferir sua punição — *um* corpo que podia colocar entre ele e os ratos. E ele gritava freneticamente, repetindo sem parar.

— Faça isso com a Julia! Faça isso com a Julia! Não comigo! Com a Julia! Não me importo, façam o que quiserem com ela. Arranquem o rosto dela fora, deixem só os ossos. Comigo não! Com a Julia! Comigo não!

Ele caía para trás, em profundezas enormes, longe dos ratos. Ainda estava amarrado na cadeira, mas tinha caído através do chão, através das paredes do prédio, através da terra, através dos oceanos, através da atmosfera, entrava no espaço sideral, entrava nos abismos entre as estrelas — longe dos ratos, cada vez mais longe, longe dos ratos. Estava a anos-luz de distância, mas O'Brien continuava parado ao seu lado. Ainda sentia o toque gelado contra a bochecha. Mas, na escuridão que o envolvia, escutou outro clique metálico, e sabia que a porta da jaula tinha sido fechada, não aberta.

Capítulo 6

O Café da Castanheira estava quase vazio. Um raio de sol penetrava por uma janela e recaía na mesa empoeirada. Era a hora solitária das três da tarde. Uma música metálica escorria das teletelas.

Winston estava sentado no seu canto de costume, e fitava um copo vazio. De vez em quando olhava para cima, para o vasto rosto que o encarava da parede oposta. O GRANDE IRMÃO ESTÁ TE OBSERVANDO, dizia a legenda. Sem ser chamado, um garçom apareceu e encheu o copo dele com o Gim da Vitória, sacudindo algumas gotas através de uma pena cravada na rolha. Era adocicado, com sabor de cravo, a especialidade do local.

Winston escutava a teletela. No momento, só saía música do aparelho, mas havia a possibilidade de ter um relatório especial do Ministério da Paz a qualquer momento. Notícias do front africano eram extremamente inquietantes. Ele se preocupou com isso de maneira intermitente o dia todo. Um exército eurasiano (a Oceania estava em guerra com a Eurásia; a Oceania sempre estivera em guerra com a Eurásia) se deslocava ao sul numa velocidade aterrorizante. O noticiário do meio-dia não tinha mencionado nenhuma área específica. O mais provável era que a entrada do Congo tivesse virado um campo de batalhas. Brazaville e Leopoldville estavam em perigo. Não precisava olhar no mapa para entender o que isso significava.

Não se tratava apenas de perder a África Central: pela primeira vez em toda a guerra, o território em si da Oceania estava sob ameaça.

Uma emoção violenta disparou dentro dele, não medo, exatamente, mas uma espécie de entusiasmado indiferenciado, e depois se atenuou outra vez. Parou de pensar na guerra. Naqueles dias, nunca conseguia ficar num só assunto por muito tempo. Ele pegou o copo e bebeu tudo num só gole. Como sempre, o gim o fez estremecer e até lhe deu uma leve ânsia de vômito. Era horrível. O cravo e a sacarina, que já eram nauseabundos a seu modo, não disfarçavam o cheiro oleoso puro; e o pior de tudo era o cheiro do gim, que permanecia nele dia e noite, misturado de forma indissociável na sua mente com o cheiro daqueles...

Nunca os nomeava, nem mesmo em pensamentos, e no limite do possível, nunca os visualizava. Eram algo sobre o que ele estava apenas semiconsciente, pairando perto de seu rosto, um cheiro que grudava nas suas narinas. O gim subiu dentro dele e ele arrotou com seus lábios roxos. Tinha engordado desde que o liberaram, e recuperara sua cor antiga — de fato, mais do que apenas a recuperara. Seus traços haviam ficado mais espessos, a pele do nariz e das bochechas era de um vermelho grosseiro, e até seu escalpo careca era de um cor-de-rosa profundo. Um garçom, mais uma vez sem ser solicitado, trouxe o tabuleiro de xadrez e a edição atual do *The Times*, com a página aberta no problema de xadrez. Então, vendo que o copo de Winston estava vazio, trouxe a garrafa de gim e encheu-o. Ele não precisava pedir nada. Conheciam seus costumes. O tabuleiro de xadrez sempre esperava por ele, sua mesa no canto sempre reservada; até quando o lugar estava lotado, ele tinha aquele espaço, pois ninguém queria ser visto sentado próximo demais dele. Nem se preocupava em contar quantos copos tinha bebido. Em intervalos regulares, entregavam a ele um pedaço sujo de papel que diziam ser a conta, mas ele tinha a impressão de que sempre cobravam menos. Não faria diferença, nem se fosse o contrário. Hoje em dia, sempre dispunha de bastante dinheiro. Até tinha um emprego, um cargo de fachada, que pagava mais do que o seu emprego anterior.

A música da teletela parou e uma voz assumiu. Winston levantou a cabeça para escutar. Nenhum relato do front, no entanto. Era apenas um anúncio breve do Ministério da Fartura. Pelo jeito, no trimestre passado, a meta de cadarços do Décimo Plano Trienal tinha sido superada em noventa e oito por cento.

Ele examinou o problema de xadrez e posicionou as peças. Tinha um final complicado envolvendo dois cavalos. "O branco joga; mate em dois movimentos." Winston olhou para cima, para o retrato do Grande Irmão. As brancas sempre dão xeque-mate, pensou, num misticismo nebuloso. Sempre, sem exceção, assim são as coisas. Em nenhum problema de xadrez, desde o começo do mundo, as pretas venceram. Será que isso não simbolizava o triunfo eterno, invariável, do Bem sobre o Mal? O rosto enorme olhava de volta para ele, pleno de um poder tranquilo. As brancas sempre dão xeque-mate.

A voz da teletela parou e acrescentou, num tom diferente e muito mais grave:

— Você foi avisado para aguardar um anúncio importante às quinze e trinta. Quinze e trinta! Essa é uma notícia de ultimíssima importância. Não perca. Quinze e trinta! — A música tilintante voltou.

O coração de Winston palpitou. Era um relato do front; o instinto o informava que receberiam más notícias. O dia todo, com pequenos surtos de entusiasmo, a ideia de uma derrota avassaladora na África entrou e saiu de sua mente. Ele parecia ver de fato o exército eurasiano invadindo em multidão pela fronteira nunca rompida, e adentrando a ponta da África como uma fileira de formigas. Por que não fora possível flanqueá-los de alguma maneira? O traçado da costa oeste africana apareceu vívido em sua mente. Ele pegou o cavalo branco e o moveu pelo tabuleiro. O lugar adequado era *aquele*. Até quando viu a horda escura correr para o sul, ele viu outra força, misteriosamente reunida, de repente plantada na traseira desta, cortando suas comunicações por terra e mar. Ele sentiu que por desejar isso, ele fazia aquela outra força existir. Porém, era necessário agir com rapidez. Se eles pudessem controlar toda a África, se dominassem os campos aéreos e as bases submarinas no Cabo, rasgariam a Oceania em dois. Isso podia significar qualquer coisa: derrota, colapso, a redivisão do mundo, a destruição do Partido! Ele inspirou fundo. Uma mescla extraordinária de sentimentos — mas não era exatamente uma mescla; era mais como sucessivas camadas de sentimento, em que não dava para saber qual estava mais embaixo — brigavam dentro dele.

O espasmo passou. Ele colocou o cavalo branco de volta no lugar, mas naquele instante não conseguiu se acalmar para estudar a sério o problema do xadrez. Seus pensamentos entraram em mais um devaneio. De modo quase inconsciente, desenhou com seu dedo no pó da mesa:

2+2=5

"Não conseguem entrar em você", ela tinha dito. Mas conseguiam entrar, sim. "O que acontece com você aqui dura *para sempre*", O'Brien dissera. Isso era verdade. Havia coisas, seus próprios atos, das quais nunca seria possível se recuperar. Algo morria no seu peito, era queimado, cauterizado.

Ele a vira, até conversara com ela. Não havia perigo nisso. Ele sabia, quase por instinto, que agora não se interessavam quase nada pelo que ele fazia. Poderia ter combinado de encontrá-la uma segunda vez, se algum deles quisesse. Na verdade, encontraram-se por acaso. Fora no Parque, num dia horrendo, frio, de março, quando a terra parecia ferro e toda a grama parecia morta, e não havia um broto de planta em lugar algum, exceto alguns crócus que se erguiam para ser desmembrados pelo vento. Ele andava apressado com as mãos congeladas, e lacrimejava quando a viu a menos de dez metros de distância. Pensou de imediato que ela havia mudado de alguma maneira ruim. Quase passaram um pelo outro sem sequer trocar um sinal, e então ele se virou e a seguiu, sem muita ansiedade. Sabia que não havia perigo, ninguém se interessaria por ele. Ela não falou nada. Ela caminhou obliquamente, por cima da grama, como se tentasse se livrar dele, e então pareceu se resignar a deixar que ele ficasse ao lado dela. Naquele instante, estavam em meio a arbustos sem folha, inúteis tanto para escondê-los como para protegê-los do vento. Pararam. O frio era tenebroso. O vento assoviava pelos ramos e desgastava os crócus ocasionais, que pareciam sujos. Ele colocou o braço ao redor da cintura dela.

Não havia teletela, mas devia haver microfones escondidos; além disso, podiam ser vistos. Não importava, nada importava. Podiam ter se deitado no chão e feito *aquilo* se quisessem. Sua carne paralisou, horrorizada só de pensar isso. Ela não respondeu de nenhuma maneira ao braço que ele pôs ao redor dela; sequer tentou se soltar. Agora ele sabia o que tinha mudado nela. Seu rosto estava amarelado, e tinha uma cicatriz comprida, escondida em parte pelo cabelo, cruzando sua testa e têmpora. Mas não foi isso que mudou. Era sua cintura que ficara mais grossa e endurecera, de maneira surpreendente. Ele se lembrava como uma vez, depois da explosão do míssil, ele ajudara a arrastar um cadáver das ruínas e ficara impressionado não apenas com o peso incrível da coisa, mas com sua rigidez e a dificuldade que tinha em manipulá-lo, o que dava a impressão de ser mais pedra do que carne. O corpo dela dava essa sensação. Ocorreu-lhe que a textura da pele dela devia estar muito diferente do que algum dia já fora.

Não tentou beijá-la. Tampouco conversaram. Enquanto caminhavam pela grama, ela olhou diretamente para ele pela primeira vez. Foi apenas um olhar momentâneo, repleto de desprezo e desgosto. Ele se perguntou se isso vinha apenas do passado ou se fora inspirado pelo rosto inchado dele e pela água que o vento continuava a arrancar dos seus olhos. Os dois se sentaram em cadeiras de ferro, lado a lado, mas não muito juntos. Ele viu que ela estava prestes a falar. Ela mexeu seu sapato uns poucos centímetros e esmagou um ramo, de propósito. Os pés dela pareciam ter se alargado, ele notou.

— Eu traí você — ela disse, sem mais.

— Eu traí você — ele disse.

Ela lançou outro olhar de desgosto.

— Às vezes — ela disse —, ameaçam você com algo que você não suporta, algo em que não consegue sequer pensar. E então você diz: "Não faça isso comigo, faça com outra pessoa, faça com fulano de tal". E talvez dê para fingir, depois disso, que foi apenas um truque e que você falou aquilo para pararem, e que não quis, de fato, dizer aquilo. Você acha que não tem outra maneira de se salvar, e está pronto para se salvar assim. Você *quer* que aconteça com outra pessoa. Você não dá a mínima para o sofrimento dos outros. Só se importa consigo mesmo.

— Você só se importa consigo mesmo — ele ecoou.

— E, depois disso, você não sente mais o mesmo pela outra pessoa.

— Não — ele disse —, não sente mais o mesmo.

Não parecia restar mais nada a dizer. O vento achatava os macacões finos contra o corpo dos dois. Quase de repente, ficou vergonhoso estar sentado ali em silêncio; além disso, estava frio demais para ficarem parados. Ela disse algo sobre pegar o metrô e levantou-se para ir embora.

— Precisamos nos ver outra vez — ele disse.

— Sim — ela disse —, precisamos nos ver outra vez.

Ele a seguiu, hesitante, guardando um pouco de distância, meio passo atrás dela. Não voltaram a falar. Ela não tentou se afastar dele de fato, mas caminhava em tal velocidade que o impedia de alcançá-la. Ele decidiu que a acompanharia até a estação de metrô, mas de repente, o processo de segui-la no frio pareceu sem sentido e insuportável. Foi dominado por um desejo não tanto de se afastar de Julia, mas de voltar ao Café da Castanheira, que nunca parecera tão atraente quanto naquele momento. Teve uma visão nostálgica de sua mesa de canto, com o jornal e o tabuleiro de xadrez e o gim que fluía sem parar. Acima de tudo, lá estaria quente. No instante seguinte, não de todo por acaso, ele se permitiu se separar dela por um amontado de pessoas. Fez um esforço preguiçoso de tentar alcançá-la, então diminuiu o ritmo, se virou e partiu na direção oposta. Depois de andar cinquenta metros, ele olhou para trás. A rua não estava lotada, mas já não conseguia mais distingui-la. Qualquer uma daquela dúzia de pessoas apressadas podia ser ela. Talvez ele não conseguisse mais reconhecer o corpo dela de costas, endurecido e grosso.

"Na hora em que acontece", ela tinha dito, "é de verdade." Para ele, fora de verdade mesmo. Ele não apenas falara aquilo, ele desejara. Desejara que ela, e não ele, fosse entregue aos...

Algo mudou na música que saía da teletela. Entrou uma nota arranhada e ridicularizante, uma nota amarelada. E então — talvez isso não estivesse acontecendo de fato, talvez fosse apenas uma lembrança que agora ganhava a forma de um som — uma voz cantou:

Sob o frondoso castanheiro
Eu vendi você e você me vendeu...

Lágrimas encheram seus olhos. Um garçom que passava notou que seu copo estava vazio e voltou com a garrafa de gim.

Ele pegou o copo e o cheirou. Aquela coisa não ficava menos, mas mais horrível a cada gole que dava. Mas tornou-se o elemento no qual nadava. Era sua vida, sua morte e sua ressurreição. Era o gim que o mergulhava no estupor todas as noites, e o gim que o revivia toda manhã. Quando ele acordava, raramente antes das onze, com as pálpebras grudadas e a boca em chamas, a coluna que parecia quebrada, seria impossível até sair da horizontal se não fosse pela garrafa e pela xícara depositada na cabeceira à noite. Ele passava as horas do dia sentado, ouvindo a teletela, com seu rosto sem expressão, a garrafa sempre ao alcance. Das quinze ao horário de fechamento, ele era um acessório do

Café da Castanheira. Ninguém se importava mais com o que ele fazia, nenhum assovio o despertava, nenhuma teletela o admoestava. De vez em quando, talvez duas vezes por semana, ele visitava um escritório empoeirado, com aparência de esquecido, no Ministério da Verdade, e trabalhava um pouco, ou fazia algo que chamavam de trabalho. Tinha sido designado a um subcomitê de um subcomitê que brotara de um dos inúmeros comitês para lidar com dificuldades menores que surgiram na compilação da Décima Primeira Edição do Dicionário de Novilíngua. Estavam envolvidos na produção de um tal Relatório Provisório, mas o que relatavam nisso, nunca descobriu. Tinha algo a ver com a questão de se as vírgulas deveriam ser colocadas dentro ou fora de colchetes. Havia quatro outras pessoas no comitê, todos similares a ele. Tinha dias que se reuniam e logo voltavam a se dispersar, admitindo com franqueza que não tinham nada de fato a fazer. Mas, em outros dias, dedicavam-se quase entusiasmados ao trabalho, demonstrando tremendamente o quanto se esforçaram nas suas minutas e redigindo um memorando longo que nunca terminavam — quando a discussão a respeito do que supostamente discutiam ficava muito complexa e obscura, com disputas sutis sobre as definições, surgiam digressões enormes, brigas — ameaças, até, de recorrer a uma autoridade. E então, de repente, a vida desaparecia deles e todos se sentavam ao redor da mesa, olhando uns para os outros com olhos extintos, como fantasmas que desaparecem ao raiar do dia.

A teletela ficou em silêncio por um instante. Winston levantou a cabeça de novo. O noticiário! Mas não, apenas tinham mudado de música. Ele tinha o mapa da África atrás das pálpebras. O movimento dos exércitos era um diagrama: uma flecha preta rasgava ao sul, vertical, e uma flecha branca ao leste, na horizontal, passando pelo rabo da primeira. Como para se reconfortar, olhou para cima, para o rosto imperturbável no retrato. Era concebível que sequer existisse a segunda flecha?

Seu interesse se dissipou outra vez. Ele bebeu um outro grande gole de gim, pegou o cavalo branco e fez um movimento hesitante. Xeque. Mas com certeza não era o movimento certo, porque...

Sem ser solicitada, uma memória entrou flutuando por sua mente. Ele viu um quarto à luz de velas com uma cama enorme coberta por uma colcha branca, e enxergou a si mesmo quando era um menino de nove ou dez anos, sentado no chão, sacudindo uma caixinha de dados e rindo empolgado. Sua mãe estava sentada diante dele e também ria.

Devia ter sido um mês antes de ela desaparecer. Era um momento de reconciliação, quando a fome incômoda na barriga dele fora esquecida e sua afeição anterior por ela fora revivida temporariamente. Lembrava-se bem daquele dia, um dia de chuva torrencial em que a água escorria pela janela e a luz dentro de casa era fraca demais para ler. O tédio de duas crianças num quarto escuro e apertado tinha se tornado insuportável. Winston resmungava e choramingava, fazia pedidos fúteis por comida, andava pelo quarto tirando tudo do lugar e chutava os rodapés até os vizinhos baterem na parede, enquanto a criança menor uivava de modo intermitente. Ao final, sua mãe disse: "Se você se comportar, vou comprar um brinquedo para você. Um brinquedo maravilhoso — você vai adorar". E então ela saiu na chuva, foi até uma loja de conveniências que estava esporadicamente aberta ali perto, e voltou com uma caixa de papelão contendo um jogo de Cobras e Escadas. Ele ainda conseguia lembrar o cheiro de papelão úmido. Estava em um estado terrível. O tabuleiro rachado e os dados minúsculos de madeira eram tão mal cortados que quase nunca paravam no lado que caíam. Winston olhou para aquela coisa desanimado e sem interesse. Mas então sua mãe acendeu um pedaço de vela e eles se sentaram no chão para jogar. Logo estava com um entusiasmo selvagem, gargalhando aos gritos enquanto as peças escalavam, cheias de esperança, as escadas, e então vinham as cobras serpenteantes outra vez, e voltavam quase ao ponto inicial. Jogaram oito partidas, cada um ganhou quatro. Sua irmãzinha, jovem demais para entender do que se tratava o jogo, se sentou apoiada contra um travesseiro e ria quando eles riam. Estiveram felizes juntos por toda uma tarde da sua infância.

Empurrou a cena para fora da sua mente. Era uma lembrança falsa. De vez em quando, memórias falsas o perturbavam. Não importavam, desde que se pudesse reconhecê-las pelo que eram. Algumas coisas tinham acontecido, outras não. Voltou-se para o tabuleiro de xadrez e pegou o cavalo mais uma vez. Quase no mesmo instante o soltou no tabuleiro com uma batida. Tomou um susto, como se tivesse sido furado por uma agulha.

Um toque agudo de clarim penetrou o ar. Era o noticiário! Vitória! Um toque de clarim antes das notícias sempre significava vitória. Uma espécie de trepidação elétrica percorreu o café. Até os garçons se assustaram e prestaram atenção.

O toque de clarim emitiu um ruído muito alto. Uma voz já empolgada tagarelava na teletela, mas mesmo quando começou, foi quase abafada por um rugido de gritos entusiasmados vindos lá de fora. As notícias percorreram as ruas como se fosse mágica. Ele podia ouvir só o bastante do que vinha da teletela para se dar conta de que tudo saíra como ele previra; uma vasta frota naval tinha secretamente desferido um golpe repentino na traseira dos inimigos, a flecha branca rasgara o rabo da preta. Fragmentos de frases triunfantes se faziam ouvir na algazarra:

— Vasta manobra estratégica... coordenação perfeita... derrota total... meio milhão de prisioneiros... desmoralização completa... controle de toda a África... levando a guerra a uma distância palpável do fim... vitória... maior vitória da história da humanidade... vitória, vitória, vitória!

Por baixo da mesa, os pés de Winston faziam movimentos convulsivos. Não se mexeu do assento, mas na sua mente ele corria, corria com rapidez, juntava-se às multidões lá fora, celebrava aos gritos até ficar surdo. Olhou de novo para cima, para o retrato do Grande Irmão. O colosso que cavalgava o mundo! A rocha contra a qual as hordas da Ásia batiam em vão! Pensou como dez minutos antes — sim, só dez minutos

— ainda estava equivocado, em seu coração, enquanto se perguntava se as notícias do front seriam de vitória ou derrota! Muito mudara nele desde aquele primeiro dia no Ministério do Amor, mas a mudança final, indispensável, a que mais curava, não tinha acontecido até aquele instante.

A voz da teletela ainda despejava seu relato de prisioneiros, espólios e massacre, mas a gritaria do lado de fora tinha se atenuado um pouco. Os garçons voltavam ao trabalho. Um deles se aproximou com a garrafa de gim. Winston, sentado, imerso num sonho prazeroso, não prestou atenção no seu copo que era enchido. Ele tinha parado de correr ou celebrar. Voltara ao Ministério do Amor, onde tudo tinha sido perdoado e sua alma estava branca como a neve. Estava nas docas públicas, confessando tudo, denunciando a todos. Descia pelo corredor de azulejos brancos com a sensação de caminhar à luz do sol, e um guarda armado às suas costas. A bala que ele esperava há tanto tempo entrava no seu cérebro.

Ele olhou para cima, para aquele rosto enorme. Demorara quarenta anos para aprender que espécie de sorriso aquele bigode preto escondia. Ah, incompreensão cruel e desnecessária! Ah, autoexílio daquele peito carinhoso! Duas lágrimas com cheiro de gim escorreram pela lateral do seu nariz. Mas tudo bem, tudo estava bem, sua luta tinha chegado ao fim. Ele alcançara a vitória sobre si. Ele amava o Grande Irmão.

FIM

Apêndice

Os princípios da novilíngua

A novilíngua era a língua oficial da Oceania e foi criada para ir de encontro às necessidades ideológicas do Ingsoc, ou Socialismo Inglês. No ano de 1984, não havia ninguém que usasse apenas a novilíngua como seu único meio de comunicação, fosse pela fala ou pela escrita. As principais manchetes no *The Times* eram escritas nessa língua, mas isso era UM TRABALHO BRILHANTE que só podia ser realizado por um especialista. Esperava-se que a novilíngua finalmente substituísse a velhalíngua (ou inglês padrão, como chamamos) por volta do ano 2050. Enquanto isso, foi ganhando espaço. Todos os membros do Partido tendem a usar mais palavras e construções gramaticais em novilíngua no cotidiano. A versão em uso em 1984, e consolidada na Nona e na Décima Edição do Dicionário de Novilíngua, era provisória e continha muitas palavras supérfluas e formulações arcaicas que seriam suprimidas depois. Aqui trataremos da versão final, aperfeiçoada, consolidada na Décima Primeira Edição do Dicionário.

O objetivo da novilíngua não era apenas o de fornecer um meio de expressão de uma visão de mundo e hábitos próprios dos devotos do Ingsoc, mas tornar todos os outros modos de pensamento impossíveis. O plano era que, quando a novilíngua fosse adotada de uma vez por todas, e a velhalíngua fosse esquecida por completo, um pensamento herege — isso é, um pensamento que diverge dos princípios do Ingsoc — seria literalmente impensável, pelo menos até o limite de que um pensamento depende das palavras. Seu vocabulário foi construído para dar uma expressão exata e muitas vezes sutil de todos os significados que um membro do Partido pode querer expressar, excluindo ao mesmo tempo todos os outros significados e também a possibilidade de chegar a eles por métodos indiretos. Isso foi feito em parte pela invenção de novas palavras, mas principalmente pela eliminação de palavras indesejáveis e remoção de todos e quaisquer significados secundários das palavras. Para dar um exemplo, a palavra LIVRE ainda existia em novilíngua, mas só podia ser usada em frases como "O cão está livre de pulgas" ou "Esse campo está livre de ervas daninhas". Não podia ser usada no sentido antigo de "politicamente livre" ou "intelectualmente livre", pois liberdade política e intelectual não existiam mais, nem mesmo enquanto conceitos e, portanto, não precisava ser nomeada. Muito distante da supressão de palavras definitivamente heréticas, a redução do vocabulário era vista como um fim em si, e nenhuma palavra que pudesse ser dispensada podia sobreviver. A novilíngua não foi feita para estender, mas para *diminuir* o alcance do pensamento, e esse objetivo foi indiretamente auxiliado pelo corte ao mínimo da gama de palavras.

A novilíngua tinha como fundação a língua inglesa como agora a conhecemos, embora muitas frases de novilíngua, mesmo sem conter palavras novas, mal seriam inteligíveis para um falante de inglês da nossa época. As palavras de novilíngua se dividiam em três classes distintas, conhecidas como o vocabulário A, o vocabulário B (também conhecido como palavras compostas) e o vocabulário C. É mais simples discutir cada classe separadamente, mas pode-se lidar com as peculiaridades gramaticais da linguagem na seção dedicada ao vocabulário A, pois as mesmas regras valem para as três categorias.

VOCABULÁRIO A. O vocabulário A consiste em palavras necessárias para ações cotidianas — coisas como comer, beber, trabalhar, vestir suas roupas, subir e descer escadas, andar em veículos, cuidar do jardim, cozinhar e coisas assim. Era composto quase por completo de palavras que já possuímos, como ATINGIR, CORRER, CÃO, ÁRVORE, AÇÚCAR, CASA, CAMPO —, mas, em comparação com o vocabulário atual do inglês, seu número era extremamente pequeno, enquanto seus significados eram definidos mais rigidamente. Todas as ambiguidades e sombras de significado tinham sido expurgadas dele. No limite do possível, uma palavra em novilíngua dessa classe era apenas um *staccato* expressando UM conceito claramente compreendido. Seria bastante impossível usar o vocabulário A para fins literários ou discussão política ou filosófica. Sua intenção era apenas expressar pensamentos simples, com uma finalidade, em geral envolvendo objetos concretos ou ações físicas.

A gramática de novilíngua tinha duas peculiaridades impressionantes. A primeira era uma permutabilidade quase completa entre diferentes partes do discurso. Qualquer palavra na língua (em princípio, isso se aplicava até a palavras abstratas como SE ou QUANDO) podia ser usada como verbo, substantivo, adjetivo ou advérbio. Nunca havia variação entre o verbo e a forma nominal quando eram da mesma raiz. Essa regra, por si, levou à destruição de muitas formas arcaicas. A palavra PENSAMENTO, por exemplo, não existia em novilíngua. PENSAR ocupou seu espaço, que cumpria sua função tanto como substantivo quanto verbo. Não se seguia nenhum princípio etimológico aqui: em alguns casos, escolhia-se o substantivo original para ser retido; em outros, o verbo. Até quando um substantivo e um verbo de significado parecido não tinham ligações etimológicas, um deles era frequentemente suprimido. Não havia, por exemplo, uma palavra como CORTAR, pois seu significado já estava coberto o suficiente pelo substantivo-verbo FACA. Adjetivos eram formados acrescentando o sufixo -OSO a substantivos-verbos, e advérbios pela adição de -MENTE. Então, por exemplo, VELOCIDOSO significava "rápido" e VELOCIDAMENTE significava "rapidamente". Alguns dos nossos adjetivos atuais como BOM, FORTE, GRANDE, PRETO, SUAVE foram conservados, mas seu número total era baixíssimo. Não havia muita necessidade deles, já que quase todo significado adjetival podia ser alcançado com o acréscimo de -OSO a um substantivo-verbo. Nenhum desses advérbios que existem agora foram preservados, exceto por alguns que já terminavam em -MENTE. A terminação em -MENTE era invariável. A palavra, BEM, por exemplo, foi substituída por BOM-MENTE.

Além disso, qualquer palavra — isso, mais uma vez, seria aplicado a todas as palavras da língua — podia ser negativada pelo acréscimo do afixo DES- ou podia ser fortalecida pelo afixo MAIS-, ou para dar ênfase ainda maior, DUPLIMAIS-. Portanto, a palavra DESFRIO significava "quente", por exemplo, enquanto MAISFRIO e DUPLIMAISFRIO significavam, respectivamente, "muito frio" e "superlativamente frio". Também era possível, como no inglês atual, modificar o significado de quase qualquer palavra com afixos preposicionais como ANTE-, PÓS-, SOBRE-, SUB- etc. Por meio desses métodos, descobriu-se que era possível reduzir enormemente o vocabulário. Pegando, por exemplo, a palavra BOM, não havia mais necessidade para a palavra MAU, pois o significado buscado era expresso tão bem quanto — na verdade, até melhor — por DESBOM. Tudo que precisava ser feito, no caso de duas palavras formarem um par natural de opostos, era decidir qual das duas suprimir. ESCURO, por exemplo, podia ser trocada por DESLUZ, ou LUZ por DESESCURO, de acordo com a preferência.

A segunda marca distintiva da gramática de novilíngua era a sua regularidade. Tirando poucas exceções, mencionadas a seguir, todas inflexões seguiam as mesmas regras. Portanto, em todos os verbos, o pretérito e o particípio passado eram a mesma coisa e terminavam em -ADO. O particípio de ROUBAR era ROUBADO, o particípio de PENSAR era PENSADO e assim por diante; todas as formas irregulares como PAGO, DITO, FEITO, GASTO, ENTREGUE foram abolidas. Todos os plurais foram feitos acrescentando -S ou -ES. Os plurais de AVIÃO,

ANEL, SAL eram AVIÃOS, ANELES, SALES. A comparação entre adjetivos era sempre realizada acrescentando MAIS, e não se precisava mais das formas irregulares (BOM, MAIS BOM; RUIM, MAIS RUIM).

As únicas classes de palavras que ainda eram permitidas ter uma inflexão irregular eram os pronomes relativos, adjetivos demonstrativos e os verbos auxiliares. Todos continuaram seguindo as regras antigas, exceto CUJO, que foi descartado como desnecessário, e os verbos auxiliares TER e HAVER, que foram descartados, e seus usos substituídos pelas formas verbais sintéticas. Também mantiveram certas irregularidades na formação de palavras, pela necessidade de um discurso rápido e fácil. Uma palavra difícil de pronunciar ou que podia ser ouvida de forma incorreta seria vista como ruim; de vez em quando, portanto, por questões de eufonia, acrescentaram-se letras às palavras ou preservaram-se formações arcaicas. Porém, essa necessidade foi vista como mais relevante no vocabulário B. O motivo por que uma importância tão grande foi dada à facilidade de pronúncia ficará claro mais adiante.

VOCABULÁRIO B. O vocabulário B consistia em palavras que foram construídas deliberadamente com intuitos políticos: ou seja, palavras que não apenas tinham uma implicação política em todos os casos, como pretendiam impor uma atitude mental desejável na pessoa que as usava. Sem uma compreensão completa dos princípios do Ingsoc era difícil usar essas palavras corretamente. Em alguns casos, podiam ser traduzidas para a velhalíngua, ou até para palavras tiradas do vocabulário A, mas isso em geral exigia uma paráfrase longa e sempre envolvia a perda de certas nuances. As palavras B eram uma espécie de abreviação verbal, e muitas vezes incluíam vastas gamas de ideias em poucas sílabas, e ao mesmo tempo eram mais precisas do que a língua comum.

As palavras B, de qualquer maneira, eram palavras compostas. [Palavras compostas como FALESCREVE se encaixavam, é claro, no vocabulário A, mas essas eram apenas abreviações convenientes e não tinham uma coloração ideológica especial.] Consistiam em duas ou mais palavras, ou porções de palavras, fundidas numa forma fácil de pronunciar. A amálgama resultante era sempre um substantivo-verbo, e seguia a inflexão das regras ordinárias. Tomando um só exemplo: a palavra BEMPENSAR, significava, grosseiramente, "ortodoxia", ou se quiser pensá-la como um verbo, "pensar de maneira ortodoxa". Tinha as seguintes inflexões: substantivo-verbo, BEMPENSAR; passado e particípio passado, BEMPENSADO; particípio presente, BEMPENSANTE; adjetivo, BEMPENSATIVO; advérbio, BEMPENSATIVAMENTE.

As palavras B não eram construídas com base em nenhum plano etimológico. O vocabulário que as compunha podia vir de qualquer parte da fala, e poderiam ser colocadas em qualquer ordem e mutiladas de qualquer maneira que as tornasse mais fáceis de pronunciar, indicando ao mesmo tempo a sua derivação. No caso da palavra CRIMEPENSAR (pensamento-crime), por exemplo, o PENSAR vinha depois, enquanto em PENSARPOL (Polícia do Pensar) vinha antes, e nessa palavra, Polícia perdeu a sua segunda parte. Por causa da grande dificuldade em garantir a eufonia, formações irregulares eram mais comuns no vocabulário B do que no A. Por exemplo, a forma adjetival de MINIVER, MINIPAX e MINIAMOR eram, respectivamente, MINIVERDADEIRO, MINIPACÍFICO e MINIAMÁVEL, apenas porque -VERDADOSO, -PAZOSO e -AMOROSO tinham uma pronúncia um pouco mais esquisita. Em princípio, porém, todas as palavras B podiam ter inflexões, e todas eram flexionadas da mesma maneira.

Algumas das palavras B tinham significados muito subutilizados, quase ininteligíveis para qualquer pessoa que não dominara a língua como um todo. Leve em conta, por exemplo, uma frase típica de uma manchete do *The Times*: VELHOPENSANTES DESVÍSCERASSENTIR INGSOC. A maneira mais curta de dizer isso na velha língua seria: "Aqueles cujas ideias foram formadas antes da Revolução não podem ter uma compreensão emocional dos princípios do Socialismo Inglês". Mas essa não é uma tradução adequada. Para começar, para entender o significado completo da frase em novilíngua citada, seria preciso ter uma ideia clara do que significa INGSOC. E, além disso, só uma pessoa totalmente imersa no Ingsoc seria capaz de apreciar a potência da palavra VÍSCERASSENTIR, que inferia uma aceitação cega e entusiástica difícil de imaginar hoje em dia; ou a palavra VELHOPENSAR, que estava indissociavelmente misturada à ideia do mal e da decadência. Mas a função especial de certas palavras de novilíngua, entre elas VELHOPENSAR, não era tanto a de expressar significados, mas a de destruí-los. Não eram necessárias mais do que algumas palavras dessas, pois seus significados se estendiam tanto que continham massas de palavras que, agora que estavam cobertas por um só termo compreensível, podiam ser riscadas e esquecidas. A maior dificuldade que os compiladores do Dicionário de Novilíngua tinham não era a de inventar novas palavras, mas de, após inventá-las, garantir o seu significado: ou seja, ter certeza de que gamas de palavras eram canceladas graças à sua existência.

Como já vimos no caso da palavra LIVRE, vocábulos que antes possuíam um significado herege eram às vezes preservados por conveniência, mas só depois de expurgar os sentidos indesejáveis. Inúmeras outras palavras como HONRA, JUSTIÇA, MORALIDADE, INTERNACIONALISMO, DEMOCRACIA, CIÊNCIA e RELIGIÃO simplesmente deixaram de existir. Algumas palavras as englobaram e, ao fazer isso, aboliram-nas. Por exemplo, todas as palavras que se agrupavam ao redor dos conceitos de liberdade e igualdade estavam contidas na única palavra CRIMEPENSAR, enquanto todas que se agrupavam em torno de conceitos de objetividade e racionalidade eram contidas na única palavra VELHOPENSAR. Uma precisão maior seria perigosa. Exigia-se de um membro do Partido uma visão de mundo parecida com a de um antigo hebreu que, sem saber de muitos outros assuntos, sabia que todas as nações que não a dele idolatravam "deuses falsos". Ele não precisava saber que os deuses se chamavam Baal, Osíris, Moloch, Ashtaroth e assim por diante: o mais provável é que quanto menos ele soubesse, melhor para sua ortodoxia. Ele conhecia Jeová e os mandamentos de Jeová. Sabia, portanto, que todos os deuses com outros nomes ou outros atributos eram deuses falsos. De uma maneira mais ou menos semelhante, o membro do Partido sabia o que constituía a conduta certa, e em termos ainda mais vagos e gerais, sabia que tipos de desvios eram possíveis. Sua vida sexual, por exemplo, era regulada por completo por duas palavras de novilíngua, SEXOCRIME (imoralidade sexual) e BOMSEXO (castidade). SEXOCRIME cobria todos os delitos sexuais, como fornicação, adultério, homossexualidade e outras perversões e, além disso, sexo normal praticado por si só. Não era preciso enumerar essas coisas de maneira separada, pois todas eram igualmente condenáveis e, a princípio, levavam à pena de morte. No vocabulário C, que consistia em palavras científicas e técnicas, pode ser necessário dar nomes especializados a certas aberrações sexuais, mas o cidadão comum não precisa delas. Ele sabe o que quer dizer BOMSEXO — ou seja, relação sexual normal entre um homem e sua esposa com o objetivo único de gerar filhos, e sem prazer físico por parte da mulher; todo o resto era SEXOCRIME. Em novilíngua, era raro conseguir acompanhar um pensamento herege para além da percepção de que ele era herege; para além desse ponto, não existiam as palavras necessárias.

Nenhuma palavra no vocabulário B era ideologicamente neutra. Muitas delas eram eufemismos. Tais palavras, por exemplo, como CAMPOALEGRIA (campo de trabalhos forçados) ou MINIPAX (Ministério da Paz, isto é, Ministério da Guerra) significavam quase o exato oposto do que aparentemente queriam dizer. Algumas palavras, por outro lado, demonstravam uma compreensão franca e desdenhosa da natureza real da sociedade da Oceania. Um exemplo era PROLEALIMENTAR, ou seja, o entretenimento péssimo e as notícias espúrias que o Partido distribuía para as massas. Outras palavras, mais uma vez, eram ambivalentes, tendo a conotação "bom" quando aplicadas ao Partido e "mau" quando aos inimigos. Mas além disso, havia um grande número de palavras que à primeira vista pareciam ser meras abreviações e cuja cor ideológica derivava não do seu sentido, mas da sua estrutura.

Na medida do possível, tudo que tinha ou poderia ter qualquer significado político se encaixava no vocabulário B. O nome de qualquer organização, ou grupo de pessoas, ou doutrina, ou país, ou instituição, ou construção pública, era sempre cortada até alcançar a forma familiar; isto é, uma só palavra, fácil de pronunciar, com o menor número de sílabas, que preservaria a derivação original. No Ministério da Verdade, por exemplo, o Departamento de Registros, onde Winston Smith trabalhava, era chamado de REGDEP, o Departamento de Ficção de FICDEP, o de Teleprogramação de TELEDEP, e assim por diante. Isso não era feito apenas para poupar tempo. Até nas primeiras décadas do século XX, palavras e frases telescópicas foram uma das características da linguagem política; e notou-se que a tendência a usar abreviações desse tipo era mais forte em países totalitários e organizações totalitárias. Por exemplo: NAZI, GESTAPO, COMINTERN, INPRECORR, AGITPROP. No começo, a prática foi adotada quase instintivamente. Porém, em novilíngua, era usada com um objetivo consciente. Percebia-se que ao abreviar um nome, estreitava-se e alterava-se sutilmente seu significado, cortando a maior parte das associações que, do contrário, se manteriam aferradas a elas. As palavras INTERNACIONAL COMUNISTA, por exemplo, remetem a uma imagem composta de fraternidade humana universal, bandeiras vermelhas, Karl Marx e a Comuna de Paris. A palavra COMINTERN, por outro lado, sugere apenas uma organização muito fechada e uma doutrina bem estruturada. Refere-se a alguma coisa quase fácil de reconhecer, e igualmente limitada nos seus objetivos, como uma cadeira ou uma mesa. COMINTERN é um termo que pode ser pronunciado quase sem pensar, enquanto INTERNACIONAL COMUNISTA é um substantivo composto diante do qual é preciso parar para refletir, por um instante que seja. Da mesma maneira, as associações que uma palavra como MINIVER trazem são menores e mais controláveis do que MINISTÉRIO DA VERDADE. Isso levou ao costume de abreviar sempre que possível, e então ter o cuidado mais exagerado para deixar todas as palavras fáceis de pronunciar.

Em novilíngua, a eufonia era muito mais levada em consideração do que qualquer outra questão, além da exatidão do significado. A regularidade da gramática sempre era sacrificada quando necessário. E com razão, pois o que se exigia, para além de qualquer objetivo político, eram palavras curtas de significado inconfundível que pudessem ser pronunciadas com rapidez e que despertavam ecos mínimos na cabeça do falante. As palavras do vocabulário

B até ganhavam força com o fato de serem quase todas muito parecidas. Essas palavras — BEMPENSAR, MINIPAX, PROLEALIMENTAR, SEXOCRIME, CAMPOALEGRIA, INGSOC, VISCERASSENTIR, PENSARPOL — e inúmeras outras, quase sempre tinham duas ou três sílabas, com o acento distribuído igualmente entre a primeira e a última sílaba. O uso delas encorajava um estilo verborrágico de discurso, ao mesmo tempo monótono e com *staccato*. E esse era o objetivo de fato. A intenção era produzir um discurso, em especial os discursos sobre assuntos não ideologicamente neutros, da maneira mais independente possível em relação à consciência. Para a vida cotidiana, sem dúvida era necessário, pelo menos algumas vezes, pensar antes de falar, mas um membro do Partido ao qual se pede uma tomada de decisão ética ou política deve ser capaz de cuspir as opiniões corretas de maneira tão automática quanto uma metralhadora cospe balas. Seu treinamento o preparou para isso, a língua ofereceu um instrumento quase infalível, e a textura das palavras, com seu som abrasivo e uma certa feiura proposital, que está de acordo com os princípios do Ingsoc, aprimoraram ainda mais o processo.

Assim como o fato de ter poucos vocábulos à sua disposição. Comparado com o nosso, o vocabulário de novilíngua era minúsculo, e sempre se pensavam novas maneiras de reduzi-lo ainda mais. A novilíngua, de fato, diferia da maioria das outras línguas, pois seu vocabulário encolhia ano a ano, em vez de crescer. Cada redução era um ganho, pois quanto menor a gama de escolhas, menor a tentação de refletir. Por fim, esperava-se ser possível articular um discurso a partir da laringe, sem envolver os centros cerebrais mais elevados. O objetivo era admitido com franqueza por meio da palavra da novilíngua PATOFALAR, que significava "grasnar como um pato". Como várias outras palavras do vocabulário B, PATOFALAR tinha um sentido ambivalente. Como as opiniões grasnadas eram ortodoxas, não sugeria nada além de um elogio, e quando o *The Times* se referia a um dos oradores do Partido como um DUPLIPLUSBOM PATOFALANTE, fazia um elogio valioso e cordial.

VOCABULÁRIO C. O vocabulário C era suplementar aos outros e consistia apenas em termos científicos e técnicos. Esses lembravam os termos científicos em uso hoje em dia, e foram construídos a partir das mesmas raízes, mas tomava-se maior cuidado para defini-los rigidamente ao remover qualquer significado indesejado. Seguiam as mesmas regras gramaticais das palavras dos outros vocabulários. Poucas palavras C tinham algum valor no discurso cotidiano ou no político. Qualquer cientista ou técnico podia encontrar as palavras que precisava na lista dedicada à sua especialidade, mas quase não conheciam mais do que um punhado de palavras das outras listas. Poucas palavras eram comuns a todas as listas, e não havia um vocabulário que expressasse a função da ciência como um hábito da mente, um método de pensamento, independente de qual área fosse. Na verdade, não havia palavra para "ciência", ou qualquer significado que poderia vir a carregar que já não estivesse coberto pela palavra INGSOC.

Com base no que foi relatado, fica claro que em novilíngua era quase impossível expressar opiniões não ortodoxas acima de um nível muito baixo. Claro que era possível praticar heresias muito rudes, uma espécie de blasfêmia. Seria possível, por exemplo, dizer O GRANDE IRMÃO É DESBOM. Mas essa declaração, que para um ouvido ortodoxo transmitia um absurdo óbvio, não seria sustentável por meio de uma discussão racional, porque faltavam as palavras necessárias para isso. Ideias inimigas ao Ingsoc só podiam ser assumidas de maneira vaga, sem palavras, e só podiam ser nomeadas em termos muito amplos que se amontoavam e eram condenados aos grupos como heresias, sem necessidade de defini-las no processo. De fato, só era possível usar a novilíngua para objetivos não ortodoxos por meio da tradução ilegítima de algumas palavras para a velha língua. Por exemplo, TODOS OS HOMENS SÃO IGUAIS era uma frase possível em novilíngua, mas apenas no mesmo sentido de que TODOS OS HOMENS SÃO RUIVOS é uma frase possível na velhalíngua. Não continha um erro gramatical, mas expressava uma inverdade palpável — isto é, de que todos os homens têm a mesma estatura, peso ou força. O conceito de igualdade política tinha deixado de existir, e esse sentido secundário foi expurgado da palavra IGUAL. Em 1984, quando a velhalíngua ainda era o meio normal de comunicação, o perigo existia, teoricamente, em usar palavras de novilíngua cujo significado original alguém podia recordar. Na prática, não era difícil para alguém com uma formação boa em DUPLIPENSAR desviar disso, mas dentro de poucas gerações, até a possibilidade de um lapso desse teria desaparecido. Uma pessoa que crescesse com a novilíngua como única língua não saberia mais que IGUAL algum dia teve o significado secundário de "politicamente igual", ou que LIVRE algum dia significou "intelectualmente livre", assim como uma pessoa que nunca ouviu falar de xadrez não saberia dos significados secundários anexados a RAINHA ou PEÃO. Muitos crimes e erros ficariam além do seu poder para cometê-los, apenas pelo fato de que não tinham nome e, portanto, eram inimagináveis. E com o passar do tempo, as características distintivas da novilíngua se tornariam cada vez mais pronunciadas — o número de vocábulos diminuiria cada vez mais, seus significados ganhariam rigidez, e a chance de fazer um uso impróprio deles se reduziria.

Quando superassem de uma vez por todas a velhalíngua, o último elo com o passado teria sido cortado. A história já fora reescrita, mas fragmentos da literatura do passado tinham sobrevivido aqui e acolá, censurados de maneira imperfeita, e enquanto alguém guardasse consigo um conhecimento de velhalíngua, seria possível lê-los. No futuro, tais fragmentos, mesmo que sobrevivessem por acaso, seriam ininteligíveis e intraduzíveis. Era impossível traduzir qualquer passagem de velhalíngua para novilíngua a não ser que se referissem a algum processo técnico ou alguma ação cotidiana muito simples, ou que já fosse de tendência ortodoxa (BEMPENSANTE seria a expressão em novilíngua). Na prática, isso significa que nenhum livro escrito aproximadamente antes de 1960 seria passível de uma tradução integral. A literatura pré-revolucionária só podia se sujeitar à tradução ideológica — isso é, a alteração de sentido, assim como de linguagem. Vejamos, por exemplo, este trecho muito conhecido da Declaração da Independência dos Estados Unidos:

> *Consideramos estas verdades como evidentes por si, que todos os homens são criados iguais, dotados pelo Criador de certos direitos inalienáveis, que entre estes estão a vida, a liberdade e a procura da felicidade. Que a fim de assegurar esses direitos, governos são instituídos entre os homens, derivando seus justos poderes do consentimento dos governados; que, sempre que qualquer forma de governo se torne destrutiva de tais fins, cabe ao povo o direito de alterá-la ou aboli-la e instituir novo governo...*

Seria impossível transmitir isso em novilíngua mantendo o sentido original. O mais próximo possível seria enfiar todo o trecho numa única palavra, CRIMEPENSAR. Uma tradução completa só podia ser uma tradução ideológica, enquanto as palavras de Jefferson[3] seriam transformadas em um panegírico do governo absoluto.

Uma boa parte da literatura do passado, de fato, já se transformava dessa maneira. O prestígio tornava desejável que algumas figuras históricas fossem preservadas, ao

---

3 Thomas Jefferson (1743–1826), um dos principais autores da Declaração de Independência dos Estados Unidos, que posteriormente seria eleito o terceiro presidente do país. [N. de E.]

mesmo tempo em que seus feitos seriam alinhados com a filosofia do Ingsoc. Vários escritores, como Shakespeare, Milton, Swift, Byron, Dickens e outros, portanto, passavam pelo processo de tradução. Ao final da tarefa, seus escritos originais, junto com tudo o que havia sobrevivido de literatura do passado, eram destruídos. Essas traduções consistiam em um trabalho lento e difícil, e não se esperava que teriam terminado de fazê-las antes da primeira ou segunda década do século XXI. Também havia grandes quantidades de literatura puramente utilitária — manuais técnicos indispensáveis, e coisas assim — que precisavam passar pelo mesmo tratamento. Era, acima de tudo, para dar tempo ao trabalho preliminar de tradução que se fixou a data distante de 2050 para a adoção final de novilíngua.

Leve
grandes
histórias

NANO
ready
84
19

NANO
ONE DOLLAR

DADOS INTERNACIONAIS DE CATALOGAÇÃO NA PUBLICAÇÃO (CIP)

O79m
Orwell, George

1984 / George Orwell ; tradução de Antônio Xerxenesky. –
Rio de Janeiro : Antofágica, 2023.
416 p. ; 11,5 x 15,4 cm ; (Coleção de Bolso)
Título original: Nineteen Eighty-Four [1984]

•

ISBN 978-65-80210-37-4

•

1. Literatura inglesa - Distopia. I. Xerxenesky, Antônio.
II. Título.

CDD 823 **CDU 821.111**

André Queiroz – CRB 4/2242

Antofágica
prefeitura@antofagica.com.br
instagram.com/antofagica
youtube.com/antofagica
Rio de Janeiro — RJ

Antofágica está em guerra com a Oceania.
Antofágica sempre esteve em guerra com a Oceania.

Acesse os textos complementares a esta edição.
Aponte a câmera do seu celular para o QR CODE abaixo.

SEGUNDO O PARTIDO, ESTA EDIÇÃO,
COMPOSTA EM VELHALÍNGUA
NAS FONTES

Sentinel
Graphik

— E IMPRESSA EM PAPEL —
Pólen Bold 70g pela Ipsis Gráfica em

Julho 2023,

jamais existiu.